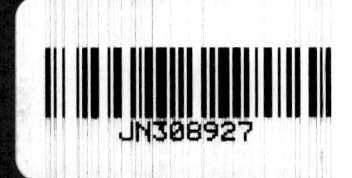

シュガークラフトバイブル

Delicate Sugarcraft from Japan

山本直美
Naomi Yamamoto

柴田書店

Foreword

The first time I saw Naomi's work I remember being amazed by its delicacy and could see that she clearly had a great deal of talent and passion for sugarcraft.I was delighted when Naomi told me she was writing this book as it is so important that skills such as hers are recorded for the benefit of future generations.

Great works in sugar have been crafted for hundreds of years and the necessary skills have been refined over time.Now with this wonderful publication Naomi's work will go down in history as something truly special to which the sugar artist can aspire.In the UK,Naomi has a huge following and her work is very much admired;I know her fans will be delighted to own such a beautiful book.

“Delicate Sugarcraft from Japan”is a comprehensive and informative resource for sugar artists of all abilities.Readers who are new to this art can follow Naomi's instructions with confidence,whilst experienced sugarcrafters can expand their knowledge and enhance their repertoire of techniques.

With so much material covered in one book,I feel certain that “Delicate Sugarcraft from Japan”will remain an essential reference guide for cake decorators and sugarcrafters around the world for many years to come.

Beverley Dutton
Managing Director of the Squires Group,
Farnham,UK

はじめてNaomiの作品を見た時、その繊細さに驚かされ、また、彼女は間違いなくシュガークラフトの卓越した才能と情熱の持ち主であると確信したことを思い出します。彼女の著書が出版されると聞いた時、それはすばらしいことだと思いました。彼女の持つ技術はこれからの世代へも財産として記録され、受け継がれるべきものだからです。

シュガークラフトにおける偉大な作品は、何百年もの間に数々つくられ、また、その技術は洗練を重ねてきました。そしてこのたびのすばらしい本の刊行により、Naomiの作品はシュガーアーティストが熱望する真に特別なものとして、歴史に刻まれることでしょう。英国においてもNaomiは大変多くの支持者を持ち、その作品は崇拝されています。彼女のファンはこの美しい本を手にして満足するに違いありません。

本書の内容は大変幅広く、すべてのレベルのシュガーアーティストにとって大変参考になります。シュガークラフトをはじめたばかりの読者にとっては信頼できる教本となり、一方、経験者にとっても知識を深め、技術のレパートリーを広げるのに役立つでしょう。

一冊の中にこのように多くの内容が盛り込まれた本書は、世界中のケーキデコレーター、シュガークラフター必携の参考書として、長く愛され続けることでしょう。

ベバリー・ダットン

スクワィアーズ グループ代表取締役

＊スクワィアーズ グループ…
イギリス・ファーナムに社をかまえる、シュガークラフト・ケーキデコレーションの総合事業会社

Introduction

はじめに

シュガークラフトは英国で発祥し、19 世紀のヴィクトリア朝時代から盛んになったといわれています。

段を重ねて高く積み上げるウェディングケーキのスタイルは、ロンドン市内のセント・ポール寺院近くにあるセント・ブライド教会の尖塔からインスピレーションを得たというのは、有名なお話です。かつて上流社会の結婚式を華やかに飾った美しい砂糖細工のウェディングケーキは、やがて一般の社会へも普及し、英国をはじめ、古くから英国と縁のあったアメリカ、オーストラリア、南アフリカなど、そのほかの国々へも受け継がれてゆきました。現在では、英国を中心に「シュガークラフト」と呼ばれ、お祝い用のケーキデコレーションの技術として定着しています。

手づくりケーキが趣味だった 20 代の頃、私は焼き上がったケーキを特別な日のお祝いやプレゼントとして自由にデコレーションできたら、どんなに楽しいだろう、どうしたらそんなデコレーションができるのだろう、といつも思っていました。当時、日本ではまだケーキデコレーションの教室はなかったと思います。ある日、アメリカ生活の長かったお仲人さんのお宅にうかがった際、奥様が「アメリカでこんなのをつくったのよ」とひとつの箱をお持ちになり、その中には粉砂糖でつくられたパステルカラーの美しくかわいらしいお花がいくつも入っていました。

そのお花は壊れかけてはいましたが、独特の魅力をいまも忘れることはできません。その後、主人とともにアメリカに住む機会があり、さっそくケーキデコレーションの教室に通いはじめました。簡単なデコレーションでも、お花をつくりケーキを飾ってみるという私の夢はかなったのです。教室での作業は、ケーキデコレーションの方法を何も知らなかった私にとって、一つひとつがとても楽しく新鮮でした。長くシュガークラフトをお教えする仕事を続けている理由は、その頃の素直な感動をいつも忘れずにいるからです。

いまやシュガークラフトの技術は、材料や道具の発展とともに進歩し、表現できるデザインの可能性は無限です。家庭で気軽に楽しめるシンプルな飾りつけから、コンテスト用の凝った細工まで、それぞれに楽しく、かわいらしく、美しく、感動的です。材料は食材であることなど、いくつかの基本をふまえ、皆様が自由にご自分の表現を広げてシュガークラフトを楽しんでいかれることを期待しております。

この本はシュガークラフトの技術を基礎から応用まで網羅し、わかりやすく7章に分けてご紹介しているのが特徴です。また、長くシュガークラフトに携わってきた私なりのアイデアを多く盛り込んでおり、なかでも特におすすめする手法にはマークを入れてあります。これまでのシュガークラフトの常識とは異なる展開もあり、皆様の創作の参考となり、また、お役に立てば幸いに思います。

この本の刊行に至るまでには6年もの月日がかかりました。出版へのきっかけから刊行まで多大なるご尽力をくださった飯沼佐知子さんへ厚く御礼を申し上げます。また、長きにわたりおつき合いくださった編集者の萬歳公重さん、美しい写真を撮り続けてくださったカメラマンの渡邉文彦さん、見事な紙面にまとめてくださったデザイナーの片岡修一さん、関口佳香里さんにも、私にとって幸運な出会いであったことを含め感謝申し上げます。撮影に際しお手伝いくださった平川叶枝さん、廣澤伴子さん、松尾亜矢子さん、本当にありがとうございました。ずっと見守り続けてくれた私の家族そして愛犬ダフニーとヤーウィーに心から感謝しています。

推薦文をくださったベバリー・ダットンさんとの出会いは、私がスクウィアーズ グループ発行の“WEDDING Cakes-A DESIGN SOURCE”という季刊誌に作品写真を投稿したのがきっかけでした。編集長のベバリーさんは私の作品を高く評価してくださり、これまで3度も表紙に採用してくださいました。すでにこの本の製作に入っていた当時から推薦文の依頼を快諾し、何かと応援してくださったこと、いつも心強く、感謝しておりました。スクウィアーズ グループは、ベバリーさんがご主人のロバートさんと経営する会社であることを知ったのは、それから数年後のことでした。

スクウィアーズ グループは出版だけでなく、材料・道具の製造・販売、学校、毎年の博覧会の主催など、シュガークラフトやケーキデコレーションにかかわるあらゆる事業を展開しています、ベバリーさんにはご多忙を極めるに違いないなか、身にあまる推薦文をお書きいただき、心より御礼を申し上げます。

これからもシュガークラフトを愛し、努力を重ねていきたいと思います。

山本直美
Naomi Yamamoto

Contents

目次

Chapter 5 シュガーフラワー 244

Sugar Flowers

各花のつくり方 270

Chapter 6 作品集 366
Gallery

01 作品づくりのポイント 368
Cake Design

各作品 370

つくりはじめる前に

・ケーキは基本的にマジパニングや、カバーリング、コーティングを行ないますが、それぞれの作品の頁では記載を省略している場合があります。
・作品づくりのプロセスでさまざまなものを接着・乾かしますが、記載を省略している場合があります。接着材についてはP.406をご参照ください。
・「ダスティング」は、ダスティングパウダーを筆ではたいてつけることを意味します。ダスティングパウダーは蒸留酒で溶いて塗る・描くこともできます。なお、ダスティングパウダーの色は、実際に使用した商品の色名を記載しています。ラスターカラー(蛍光色のダスティングパウダー)も使い方は同じです。
・「蒸留酒」は、無色の蒸留酒(キルシュなど)をさしています。
・本書に登場する花は、すべてシュガーフラワーです。
・本書に登場する作品は、ケーキを発泡スチロール製のダミーケーキ(P.402)で代用している場合があります。
・シュガーペーストやロイヤルアイシングのレシピの各分量などはあくまでも目安です。気候や湿度、各人の手の温度などによっても、ちょうどよい状態は多少変わってきます。何回か試し、ご自分にとって使いやすいものに適宜調整してください。
・ 私のオリジナルアイデアで、特におすすめの手法につけているマークです。創作にぜひお役立てください。

撮影：渡邉文彦
AD・ブックデザイン：片岡修一、関口佳香里（PULL/PUSH）
編集：萬歳公重

お祝いのケーキができるまで
A Process of Cake Decoration

シュガークラフトは、お祝いをいっそう盛り上げるケーキデコレーションのひとつとして発展してきました。
ここではそのデコレーションの大まかなプロセスを、シンプルなかわいらしいケーキを例に示しました。
皆さんもぜひ、この本を参考にして自由に創作を楽しみ、お祝いのケーキを囲んで素敵な思い出をおつくりください！

1

ケーキを焼く

贈る相手の好みを考えてケーキの種類を決めましょう。フルーツケーキが伝統的ですが、デコレーションを支える重さがあれば、ほかにもさまざまなケーキを使えます。

2

マジパニング＆カバーリングする

ケーキをマジパンで覆い、さらにシュガーペーストで覆って、これから行なうデコレーションの土台をつくります。シュガーペーストのかわりにロイヤルアイシングで覆う方法もあります。

3

デコレーションする

シュガーペーストやロイヤルアイシングなどを使って自由に装飾します。どのようなデザインにするか、腕の見せどころです。

4

切り分けていただく

お祝いのケーキを目で楽しんだら、切り分けていただきましょう。飾りの一部を記念に残して長く楽しめるのも、シュガークラフトならではの醍醐味です。

Chapter 1

土台のケーキ

Cake Basics

シュガークラフトの原点であるウェディングケーキは、下段は披露宴に出席してくださった方にふるまい、中段は当日いらっしゃれなかった方にお送りし、上段は結婚記念日（またははじめての赤ちゃんが生まれた時）のためにとっておく、といういい伝えがあります。

こうした場合には日持ちのいいフルーツケーキが向くわけですが、現代では必ずしもフルーツケーキでなければいけないというわけではありません。ウェディングケーキ以外の用途であればなおのことです。

アメリカでは、チョコレートケーキを土台にし、ショートニングを使ったクリームでコーティングし、シュガーペーストでカバーリングする例もよく見られます。このようにシュガークラフト用のケーキは、ある程度の重みにたえられれば、自由でよいのです。大げさに考えず、使いやすい好みのケーキにカバーリングすることからはじめてみてはいかがでしょう。

オリジナルのシュガークラフトが生まれる第一歩です。

1 01 ケーキのレシピ

Cake Recipes

シュガークラフトの土台となるケーキは、フルーツケーキがもっともポピュラーですが、
生ものやフワフワした軽いものでなければ、好みのものでかまいません。ここでは3種類のケーキのレシピをご紹介します。
なお、練習用や展示用には一般的に発泡スチロール製のダミーケーキ（P.402）が使われます。

a フルーツケーキ

シュガーペーストなどでデコレーションしてもつぶれないしっかりした重さがあり、洋酒をふんだんに使うため保存性もよいフルーツケーキは、特にシュガークラフトのウェディングケーキの土台としてもっとも伝統的であり、一般的です。マジパンやシュガーペーストで覆うことを考え、甘みは少しひかえた方が現代の嗜好に合います。ドライフルーツやナッツは好みで量を多少加減しても、種類を変えてもかまいません。なお、どのケーキにもいえることですが、レシピと違う型を使う場合は、それぞれの型のおおよその容量を計算して比較し、材料の分量を割り出すとよいでしょう。

材料（直径15cmの丸型約2台分）

A
- プルーン（刻む）――100g
- ドライいちじく（刻む）――100g
- レーズン――50g
- カランツ（小粒のレーズン）――50g
- ドレンチェリー（刻む）――50g
- アーモンドスライス――50g
- シナモンパウダー――小さじ1/4
- ナツメグパウダー――小さじ1/4
- 上白糖――20g

ラム酒――適量
好みの洋酒（ポートワイン、リキュールなど甘みの強いもの）――適量
バター――170g

B
- 上白糖――100g
- ブラウンシュガー――100g

卵（溶きほぐす）――170g

C
- 薄力粉（ふるう）――200g
- ベーキングパウダー――小さじ約1/3（1g）

ブランデー――適量
ショートニングまたはサラダ油（型用）――少々

1 Aをボウルに入れ、ラム酒と好みの洋酒を同割でひたひたに加える。3週間以上漬け込む。

2 型の底と側面にショートニングまたはサラダ油を塗り、オーブンペーパーを敷く。

3 室温で柔らかくしたバターをミキサーボウルに入れ、Bを加えてビーターで混ぜる。さらに卵を少しずつ加えてよく混ぜ合わせる。

4 Cを加えて木べらで混ぜ合わせ、水気を切った①を加える。②の型に流し入れ、140℃のオーブンで2時間ほど焼く。

5 焼き上がったらブランデーを刷毛で塗り、冷ます。よりお酒のきいたコクのある味が好みであれば、ブランデーはケーキにかけてもよい。ラップとアルミホイルで2重に包んで保存する。冷凍可。

b レモンケーキ

レモン風味がさわやかな誰にも好まれるバターケーキです。なお、材料の分量は型に対して少し多めです。

材料（25cm×8cm×高さ5.5cmのパウンド型1台分）

バター——100g
上白糖——200g
バニラエッセンス——少々
全卵（溶きほぐす）——170g
A
- 薄力粉（ふるう）——200g
- ベーキングパウダー——小さじ2

レモン汁——少々
牛乳——適宜
ショートニングまたはサラダ油（型用）——少々

1 型の底と側面にショートニングまたはサラダ油を塗り、オーブンペーパーを敷く。

2 室温で柔らかくしたバターをミキサーボウルに入れ、砂糖とバニラエッセンスを順に加えてビーターで混ぜる。さらに卵を少しずつ加えてよく混ぜ合わせる。

3 Aを加え、木べらで混ぜ合わせる。さらにレモン汁を加え混ぜ、生地が少し固いようなら牛乳少々を加える。①の型に流し入れ、150°Cのオーブンで20〜30分焼く。冷凍可。

c チョコレートケーキ

バレンタインデーをはじめ使いみちの多い、チョコレート風味のバターケーキです。ほろ苦さが、外側を覆うマジパンやシュガーペーストの甘さとよくマッチします。

材料（直径15cmの丸型1台分）

バター——100g
上白糖——130g
バニラエッセンス——少々
全卵（溶きほぐす）——90g
カカオマス（無糖の製菓用チョコレート）——90g（またはココアパウダー大さじ6＋牛乳少々）
A
- 薄力粉（ふるう）——75g
- ベーキングパウダー——小さじ1/2
- 塩——少々

ショートニングまたはサラダ油（型用）——少々

1 型の底と側面にショートニングまたはサラダ油を塗り、オーブンペーパーを敷く。

2 室温で柔らかくしたバターをミキサーボウルに入れ、砂糖とバニラエッセンスを順に加えてビーターで混ぜる。さらに卵を少しずつ加えてよく混ぜ合わせる。

3 湯煎で溶かしたカカオマス（または牛乳少々にココアパウダーを加えて湯煎で溶かしたもの）を②に加え混ぜる。さらにAを加え、木べらで混ぜ合わせる。①の型に流し入れ、180°Cのオーブンで25分ほど焼く。冷凍可。

1 02 マジパニング

Covering Cakes with Marzipan

ケーキはシュガーペーストやロイヤルアイシングで覆う前に、まず「マジパン」(P.398)で覆います。
マジパンとは、アーモンドと砂糖を練り合わせたペーストで、マジパニングには特に
アーモンドの含有率が高い「ローマジパン」を使います。一般的に市販品が使われます。

a シュガーペーストでカバーリングする場合のマジパニング

シュガーペーストでカバーリングする場合、ケーキの上面縁の丸みを残してマジパニングします。直径15cmのケーキ1台につき、350～400gのマジパンを用意するとよいでしょう。マジパニングすることで、ケーキの形が補正され、シュガーペーストがフィットしやすくなり、ケーキ中のドライフルーツの水分がシュガーペーストに染み出ることも防げます。また、マジパニングには、ケーキ全体の味わいを高める意味もあります。

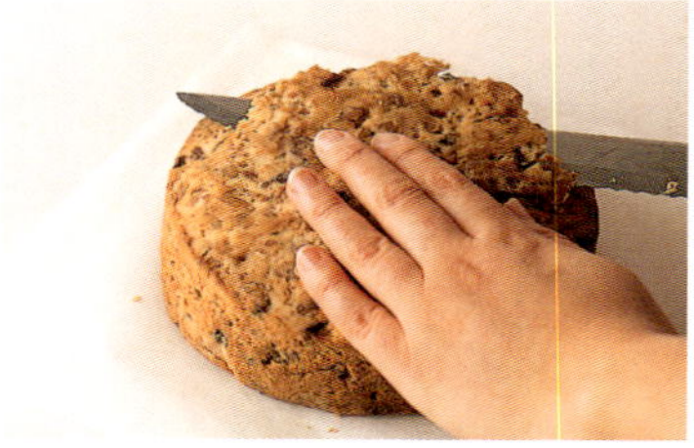

1 ボードにワックスペーパーを敷き、ケーキをのせる。上面のふくれた部分を適宜切り取る。完全に平らにする必要はなく、縁の丸みは残す。

2 表面にできたくぼみは、マジパンを詰めて補正する。

3 マジパンをボードにのせ、手でこねてなめらかな状態にする。打ち粉には粉糖を使うとよい。

4 ③を中央からのし、ある程度のしたら90度向きを変えてさらにのす。約5mm厚さで、ケーキの直径+(高さ×2)がとれるサイズにのす。

5 ②のケーキの表面に均一にジャムを塗る。ジャムの種類は何でもよいが、アプリコットジャムがよくマッチする。ジャムが固い時は水を少量加えて沸騰させてから使う。

6 ④の中央にローリングピンをあてがい、ローリングピンをケーキの中央に持っていってマジパンをケーキにかぶせる。

7 てのひらを使って上面を密着させ、次にてのひらを上から下に動かして空気を抜きながら側面にもマジパンを密着させる。

8 裾の余分なマジパンをナイフで切り取ってととのえる。

9 でき上がり。

ⓑ ロイヤルアイシングでコーティングする場合のマジパニング

ロイヤルアイシングでコーティングする場合、ケーキの角が直角になるようにマジパニングします。また、シュガーペーストでカバーリングする場合でも、デザイン上、ケーキの角を直角にしたい時にはやはりこの方法をとります。用意するマジパンの分量はⓐの場合と同じです。

1 ケーキは上面のふくれた部分を切り取ってひっくり返し、表面のくぼみにマジパンを詰めて補正しておく。こねてなめらかにしたマジパンを約5mm厚さにのし、ケーキの直径に合わせて切る。同じサイズのセルクルやケーキカードを利用すると便利。

2 ケーキの上面にⓐの⑤と同じ要領でジャムを塗り、①のマジパンをのせて密着させる。

3 ②の側面の高さをはかる。

4 周囲の長さは紙テープを巻いてはかる。

5 マジパンを棒状にして約5mm厚さにのし、③④ではかったサイズの帯状に切る。

6 いったん⑤の帯を巻く。

7 ケーキの側面にジャムを塗り、⑥の帯を徐々に開いて側面に巻きつける。あらかじめ帯を巻いておくのは、ケーキ側面に巻きつける作業中にマジパンがのびるのを防ぐため。

8 側面を密着させ、上面と側面の境目などをパレットナイフでならしてととのえる。

1 03 シュガーペーストによるカバーリング

Covering Cakes with Sugarpaste

マジパニングしたケーキは、シュガーペーストでカバーリングするか、ロイヤルアイシングでコーティングしますが、
近年ではシュガーペーストによるカバーリングの方が一般的です。
シュガーペーストはカバーリングペースト（P.42）を使います。

a 丸型のケーキのカバーリング

マジパニングと同じ要領でカバーリングします。空気が入らないようにペーストをケーキに密着させることが大切ですが、ペーストに指の跡をつけないように気をつけましょう。カバーリングペーストは、直径15cmのケーキ1台につき、400〜450gを用意するとよいでしょう。

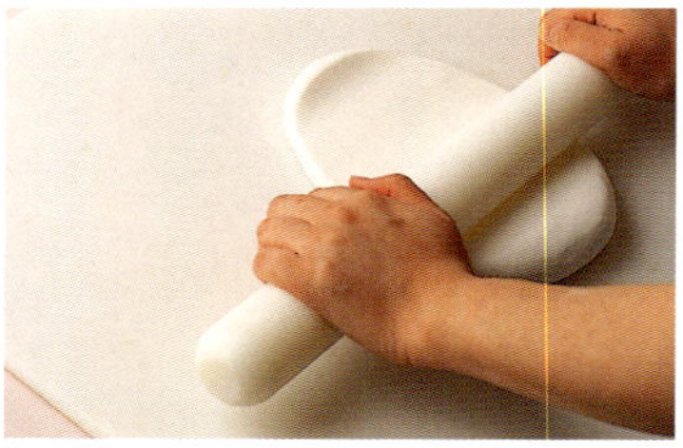

1 カバーリングペーストをボードにのせ、手でこねてなめらかにする。ボードに粉糖をふってペーストを中央からのし、ある程度のしたら90度向きを変えてさらにのす。

2 約5mm厚さで、ケーキの直径＋（高さ×2）がとれるサイズにのす。

3 マジパニングしたケーキの表面に均一に無色の蒸留酒（キルシュなど）を塗る。

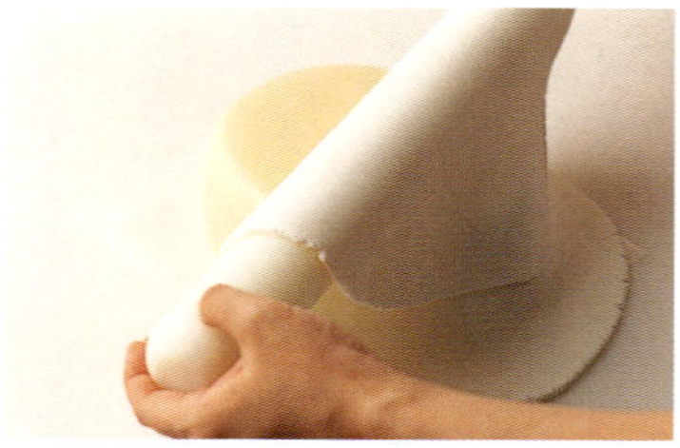

4 ②の中央にローリングピンをあてがい、ケーキの中央に持っていってペーストをケーキにかぶせる。

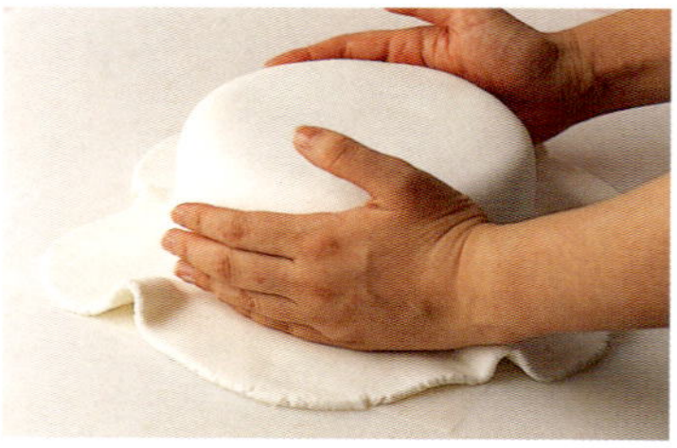

5 てのひらを使って上面を密着させ、次にてのひらを上から下に動かして空気を抜きながら側面にもペーストを密着させる。指の跡をつけないように注意。

6 裾の余分なペーストをナイフスティックなどで大まかに切る。

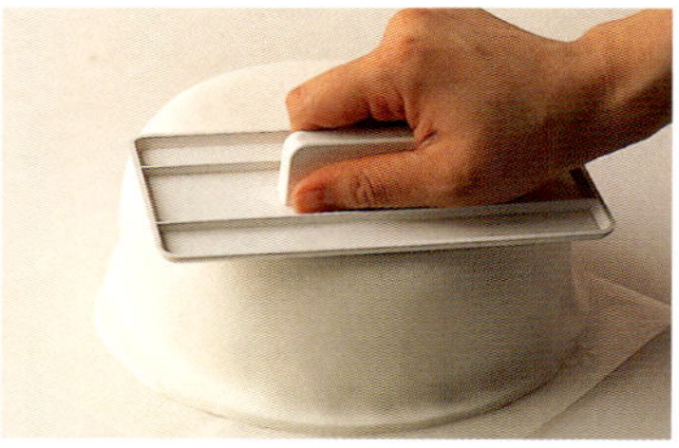

7 スムーサーで上面と側面をならしてととのえる。

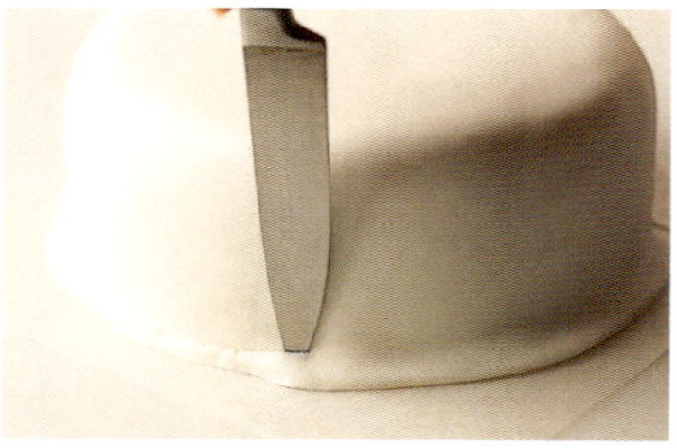

8 ケーキを真上から見てケーキの裾にナイフの刃先をあて、ナイフを1周させて余分なペーストを切り、裾をととのえる。表面が乾くまで約1日おく。

b 角型のケーキのカバーリング

基本的なやり方は丸型のケーキと同じです。ただし、側面はまず角を固定することがポイント。そうしないと余分のペーストのギャザーが角にたまって処理できなくなります。

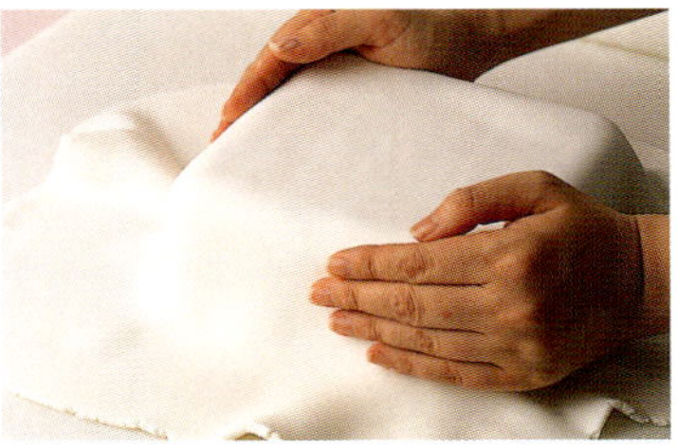

1 ケーキにペーストをかぶせて上面を密着させたら、側面の4つの角をてのひらで押さえて固定する。

2 その後、余分のペーストのギャザーを消しながら側面全体を密着させる。

c ケーキボードのカバーリング

ペーストをケーキボードよりも大きくのしてかぶせるのではなく、小さめにのしてボードにのせてから仕上げる方法をご紹介します。この方法だと厚みを均一に調整しやすく、空気を完全に抜くことができ、ペーストをひきずって亀裂が入るといった心配もありません。また、場所も労力も少なくてすみ、合理的です。ボードはきれいにふいてからカバーリングします。

1 ケーキボードの表面に水を塗る。カバーリングペーストを約5mm厚さでケーキボードよりやや小さめのサイズにのし、ボード中央にのせる。

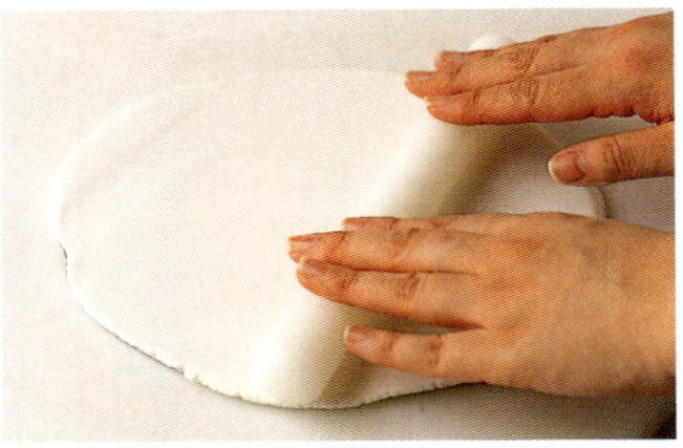

2 ペーストをケーキボード上でさらにのす。ケーキボードからはみ出させ、約2mm厚さにする。

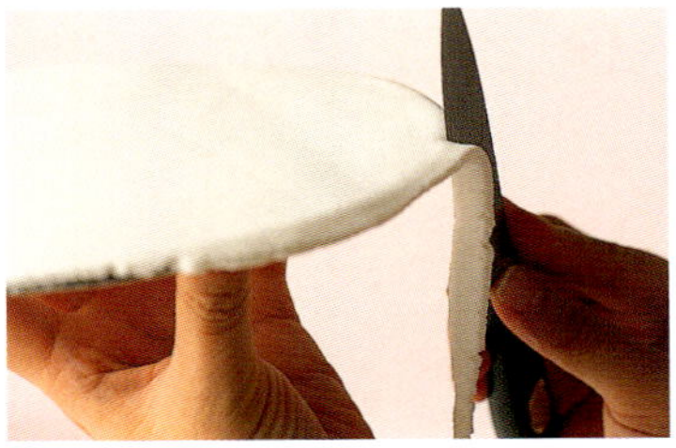

3 ボード縁からはみ出したペーストをナイフで切り落とす。表面が乾くまで約1日おく。

d ケーキとケーキボードの接着

ケーキとケーキボードの境目は、そのままでも、ロイヤルアイシングの絞りでととのえてもかまいません。

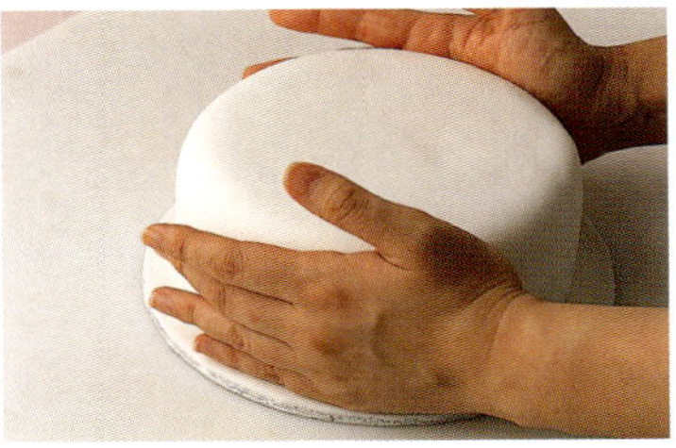

1 カバーリングしたケーキボードにロイヤルアイシングを少量塗る。カバーリングしたケーキをてのひらでそっと持ち、ケーキボードにのせる。ケーキに指の跡をつけないように気をつける。

e テンプレート メソッド

ケーキボードのペーストをケーキの直径分抜く、'Template Method' と呼ばれるやり方です。ケーキボードはかならずしも全体をカバーリングする必要はありません。ケーキをのせるスペースのペーストを省略すれば、ペーストの節約になり、また、全体の重量が軽くなるというメリットもあります。特にケーキのサイズが大きい場合に有効な方法です。

1 ケーキは通常通りカバーリングする。ボードは通常通りカバーリングした後、カバーリングしたケーキと同サイズに切った紙をあててペーストをカッティングホイールで切り抜く。紙のかわりに同サイズのケーキカードやセルクルを利用してもよい。

2 ペーストを抜いたスペースにロイヤルアイシングを少量塗り、ケーキをのせて固定する。

f オールインワン メソッド

ケーキをケーキボードごとカバーリングする、'All in One Method' と呼ばれるやり方です。ケーキボードにロイヤルアイシングを少量塗ってケーキを固定したら、ケーキをボードごとカバーリングします。別々にカバーするよりも手間が省け、ⓔの手法と同様にペーストの節約になり、全体の重量も軽くすることができます。ケーキとケーキボードを同色にするとよいデザインに適します。

☛ **作品例** (P.213)
ケーキをボードごとカバーリングすると、ケーキとボードの境目をととのえる必要がないので、余分な飾りをつけずにメインの模様をひき立たせたい場合などにも向く。

g ケーキボードに リボンを巻く

厚みのあるケーキボード（ケーキドラム）は、側面にリボンを巻くのが一般的です。リボンはケーキの後ろ側から糊で貼り、両端の貼合せが後ろにくるようにします。糊を使いすぎてリボンに染み出ないように気をつけましょう。

☛ **作品例** (P.63)
ケーキやケーキボードの配色に合わせて、グリーンのリボンを巻いた作品。リボンも全体の印象を決める重要なポイント。

h ケーキボードの縁をととのえる

薄いケーキボード（ケーキカード）は、各種道具を使って縁に模様をつけて（エンボシング）ととのえることもできます。

1 シェルスティックを使った例。カバーリングペーストが柔らかいうちに縁に押しあてて模様をつける。力を入れすぎるとペーストがボードからはみ出して不揃いになるので注意する。

作品例（P.113）
左記の要領でボードの縁をととのえたケーキ。ほかにも、テクスチュアピンやエンボッサーなどを使ってさまざまな模様づけができる。

i ダミーケーキを使う場合

本物のケーキではなく発泡スチロール製のダミーケーキを使う場合は、ダミーケーキの上面縁に丸みをもたせてからカバーリングします。マジパニングは必要ありません。

1 ダミーケーキの上面縁をサンドペーパーで削り、丸みをもたせる（写真右）。表面に軽く水を塗り、ⓐと同じ要領でカバーリングする。なお、ロイヤルアイシングでコーティングする場合（P.32）は、上面縁は削らなくてよく（写真左）、表面に水も塗らない。

j 汚れや傷の修正法

知っておくと便利。美しく仕上げるための隠れたポイントです。このほか、指でつけたへこみなどは、てのひらやスムーサーでならします。

小さな傷がついた場合

1 爪跡など小さな傷がついてしまったら、ペーストを少量丸め、傷の箇所をこすってなじませる。

色素などで汚れた場合

1 ダスティングパウダーなどがついた時は、無色の蒸留酒や水で湿らせた綿棒で軽くこすって落とす。

k ケーキの種類に合わせたデザインアイデア

シュガーペーストを使ったデコレーションには、無限の広がりがあります。時にはケーキの味や色などに合わせてデコレーションするのも、おしゃれなアイデア。ここでご紹介する2例のほかにも、たとえばナッツをたくさん加えたケーキには、森をイメージしてどんぐりや動物をあしらう…なんていうデザインも素敵です。

中はレモンケーキ。

☛ 作品例

レモンケーキに合わせて、黄色いラッパスイセンのシュガーフラワーをあしらう。お正月、成人式など早春のお祝いごとに最適。ケーキの上面はあえて平らにととのえず、このように自然な丸みを強調してもかわいい。

作品例

チョコレートケーキを使った、バレンタインデー向けのケーキ。チョコレートケーキは白のペーストでカバーリングすると、切った時に色の対比が特に美しい。ワイヤーを入れたペーストの大きなリボンを束ねて、ケーキ上面にさしたピックに入れ、シンプルかつ華やかな雰囲気に仕上げた。添えたハートのプラークはパスティヤージュでつくり、シュガークラフトガンで絞り出したロープをつけたもの。プラークはケーキを食べた後、記念にとっておくこともできる。ロイヤルアイシングでプラークに名前を絞るのもアイデア。

中はチョコレートケーキ。

1 04 ロイヤルアイシングによるコーティング

Coating Cakes with Royal Icing

全体をロイヤルアイシングで飾るケーキは、マジパニング後、ロイヤルアイシングでコーティングします。
これはもっとも古くからある伝統的な手法です。近年ではカットしやすくデザインの幅も広いシュガーペーストによるカバーリングが主流ですが、ロイヤルアイシングによるコーティングにはシュガークラフトならではの独特な魅力があります。

a 丸型のケーキのコーティング

ロイヤルアイシングを数回に分けて塗っていきます。ルーラーやスクレーパーをケーキの面に対して30度の角度であて、同じ力で一気にならすのがポイント。ロイヤルアイシングの分量は、直径15cmのケーキ1台につき約500gが目安です。なお、ロイヤルアイシングに少量のグリセリンを加えると作業しやすく、またケーキカットもしやすくなります。

1 ソフトピーク（P.106）のロイヤルアイシングを用意する。ボードにのせ、パレットナイフを左右に動かしながらあてて気泡をつぶす。

2 ケーキボードにロイヤルアイシングを少量塗り、マジパニングしたケーキをのせて固定する。すべり止めマットを敷いたターンテーブルにのせる。

3 ケーキの上面に①を適量のせ、パレットナイフで塗り広げる。

4 湿らせたタオルでふいたルーラーを両手で持ち、ケーキ上面に対して30度の角度であててかまえ、奥から手前に向かって一気にひく。

5 上面縁にパレットナイフを縦にあててターンテーブルを1周させ、はみ出したロイヤルアイシングを取り除く。乾かす。

6 ケーキ側面に①を押しあてるようにして塗る。

7 湿らせたタオルでふいたスクレーパーを、ケーキ側面に対して30度の角度であて、ターンテーブルを一気に1周させてならす。

8 上面縁にパレットナイフをあててターンテーブルを1周させ、はみ出したロイヤルアイシングを取り除く。

9 ケーキ裾にもパレットナイフをあてて余分なロイヤルアイシングを取り除く。約1日おいて乾かす。

10 全体の凸部分をナイフで削ってととのえる。①のロイヤルアイシングに水を少量加えて薄め、パレットナイフで同様に気泡をつぶし、③から⑩の作業をもう2回くり返す。

b 角型のケーキのコーティング

基本的なやり方は丸型のケーキと同じです。ただし、側面は1面ずつコーティングします。

1 ケーキ上面をコーティングしたら、側面を1面ずつコーティングする。ロイヤルアイシングを1面ずつ塗ってはならし、はみ出したロイヤルアイシングを次の面で一緒にならすようにして全体の凹凸をなくす。

c ケーキボードのコーティングと、ケーキとの接着

ボードはきれいにふいてからコーティングします。ケーキとケーキボードの境目は、そのままでも、ロイヤルアイシングの絞りでととのえてもかまいません。

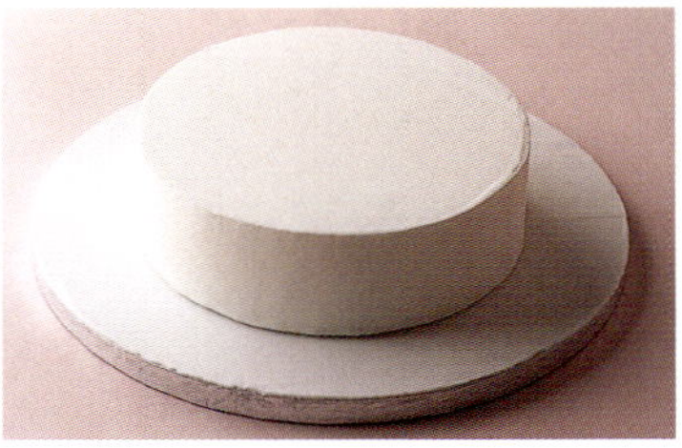

1 ケーキボードはケーキの上面と同じ要領で1回コーティングして乾かす。ロイヤルアイシングを少量塗り、コーティングしたケーキをのせて接着する。

d ロイヤルアイシングによるコーティングが適するデザイン

ロイヤルアイシングによるコーティングは、ケーキの上面縁を直角にしたいデコレーションに最適です。その代表が、ランナウトでつくったカラーをのせるデザインです。

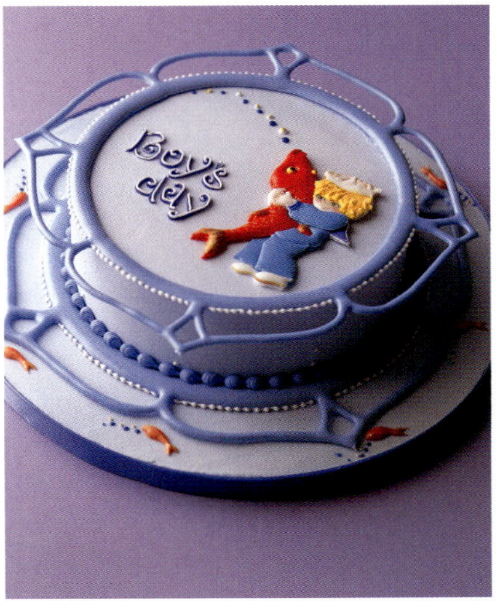

☛ **作品例** (P.167)
1枚仕立ての大きなフルカラーを上面にのせたケーキ。ケーキをロイヤルアイシングでコーティングすることで、上面縁が直角になり、のせたフルカラーがゆがまずに安定する。

1 05 クリームアイシング

Decorating Cakes with Cream Icing

シュガークラフトではシュガーペーストやロイヤルアイシングを使ってケーキをデコレーションしますが、
参考までに、保形性のよいクリームアイシングによるデコレーションをご紹介します。
シュガークラフトは飾ることも大きな目的としますが、こちらは食べることを前提としたデコレーションです。

a ケーキ用クリームアイシング

アメリカでよく使われるショートニング主体のクリームアイシングをもとにした、オリジナルレシピです。日本人に人気の高い生クリームをバランスよく配合し、味もよく、パイピングフラワーとの接点もくずれず、保形性もよいように工夫しました。ペパーミントのさわやかな香りがアクセント。軽めのバターケーキ、特にチョコレートケーキによくマッチします。ケーキに塗ったり、絞ったりして使えます。

材料（直径13cm高さ3cmのケーキ約1台分）
ショートニング――40g
粉糖――100g
生クリーム――50g
好みの食用色素――適宜
ペパーミントエッセンス――少々

1 ボウルにショートニングを入れて泡立て器でよく混ぜ、粉糖と生クリームを少しずつ交互に加えながらクリーム状になるまで泡立てる。着色する場合は、食用色素を爪楊枝につけて少量加え混ぜる。

2 密閉し、使う直前まで冷蔵庫に入れておく。

3 ケーキの上面を平らにする。②をケーキの上面、側面に順に塗り、いったん冷蔵庫に入れて休ませ、仕上げにもう一度塗る。口金をつけたパイピングバッグに②を入れ、ケーキの裾や上面縁などに模様を絞ることもできる。柔らかいクリームなので、扱いにくくなったら冷蔵庫にしばらく入れてから、ふたたび使うようにする。

b パイピングフラワー用クリームアイシング

バタークリームよりも色が白くて保形性があり、ロイヤルアイシングと同じ要領で花を絞れるクリームアイシングです。ただし、フラワーネイルはフラットネイルのみを使います。深さのあるカップネイルやリリーネイルでは、アルミホイルをはずす時に花の形がくずれてしまうので向きません。花や葉のほか、文字なども絞ることもできます。

材料（つくりやすい量）
ショートニング――50g
粉糖――350g～
水――20g
好みの香料、食用色素――適宜

1 ボウルにショートニングを入れ、粉糖と水を少しずつ交互に加えながらクリーム状になるまで泡立てる。

2 密閉し、使う直前まで冷蔵庫に入れておく。

3 好みの香料で香りをつけ、ⓐと同じ要領で適宜着色する。「パイピングフラワー」(P.112)と同じ要領で、口金をつけたパイピングバッグに入れ、フラットネイルの上に花を絞る。でき上がった花は、ケーキに飾るまで冷蔵庫に入れておく。

4 残りのクリームを使って花をケーキに接着する。葉や茎、文字なども絞れる。ⓐと同様に柔らかいクリームなので、冷蔵庫にひんぱんに入れながら作業する。

☛ 作品例

バースデーなどの記念日をイメージしたデコレーション。ⓐのクリームアイシングをケーキに塗り、ⓑのクリームアイシングでつくったパイピングフラワーを接着する。ⓑのクリームアイシングで'For Your Special Day'の文字やリボンの模様を絞る。

☛ 作品例

ウェディングをイメージしたデコレーション。全体にクリーム色と淡いグリーンでグラデーションをつけている。ⓐのクリームアイシングをケーキに塗り、ⓑのクリームアイシングで花びらの紋り模様を入れる。ⓑのクリームアイシングでつくったパイピングフラワーを上面に飾り、周囲に葉を絞る。

1 06 ケーキの組立て

Structuring Cakes

ウェディングケーキなどで2段以上のケーキを組み立てる場合、おもに
ピラー（飾りの柱）を使うパターンと、直積みにするパターンがあります。
どちらの場合も、上段のケーキの重みが下段のケーキに直接かからないようにすることが大切です。

a 丸箸とピラーを使う

もっとも基本的なケーキの組立て方。ピラー（飾りの柱）を間に挟んでケーキを積み上げます。実際にケーキを支えているのは、ピラーの中に隠れている、ケーキにさしたスティック（ピラースティック）です。ピラースティックは市販されていますが、切りにくく、ピラースティックの長さに合わせてケーキ＋ピラーの高さを決めなければならないという制約がつきます。そこで、丸箸（丸型の木箸）をピラースティックとして使う方法をおすすめします。丸箸は手に入りやすく、切りやすく、長さも太さも選べる点で便利です。

1 支柱となる丸箸をさす位置を決める。カバーリングしてボードにのせた下段のケーキの上面サイズに合わせて紙を切り、4等分に折る。紙の中心を下段のケーキの中心に合わせてマチ針でとめ、折り目のライン上に中心から等間隔で爪楊枝を4本さす。支柱は3本でもよく、その場合は円を分度器で3分割して位置を決める。

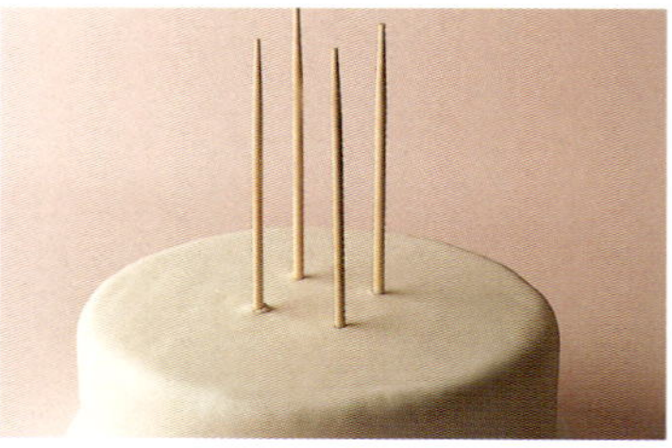

2 ①のマチ針と爪楊枝、紙をはずし、爪楊枝をさした位置に丸箸をケーキボードにあたるまでまっすぐにしっかりとさす。

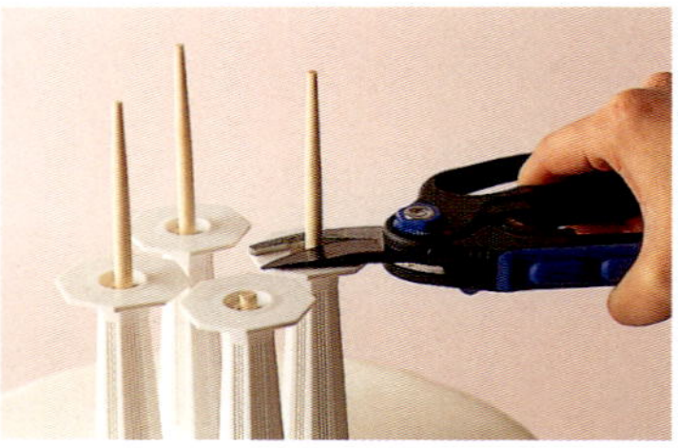

3 ②の丸箸にピラーを通す。ピラーの上面に剪定用はさみを水平にあてて丸箸を軽く挟み、跡をつける。

4 いったん丸箸をケーキからはずし、③でつけた跡よりもはさみの厚さ分低く切って、ケーキにふたたびさす。適宜上段のケーキをのせる。

b 直積みにする

'Stacked Cakes' と呼ばれる、特にアメリカでポピュラーなやり方です。「アメリカンスタイル」とも呼ばれます。上段のケーキをボードごとカバーリングして補強しておくのがポイント。また、上段のケーキの重さ（積む段数）に応じて丸箸の太さや本数を決めます。

1 カバーリングしてボードにのせた下段のケーキに、ⓐと同じ要領で丸箸をさす位置を決め、ケーキの高さに合わせて丸箸を切ってさす（ただし、中心部にも丸箸をさす）。

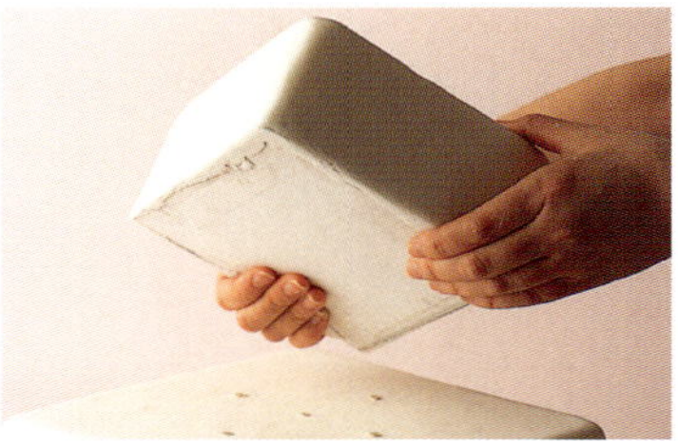

2 上段のケーキは、ケーキと同じサイズのケーキボードにのせて、ボードごとカバーリングしておく。これは、下段のケーキにさした丸箸が上段のケーキにくい込むのを防ぐためと、丸箸だけでは上段のケーキの重みを支えられないため。下段のケーキにロイヤルアイシングを少量塗り、上段のケーキをのせる。

☞ **作品例**（P.267）
ⓐの要領でピラーを使って組み立てたケーキ。ピラーはこのような定番の形状をはじめ、さまざまなデザインのものが各種市販されている。透明なものもある。

☞ **作品例**（P.269）
ⓑの要領で直積みにしたケーキ。なお、ケーキのサイズが大きかったり、積む段数が多い場合、直積みした状態では運搬が大変なので、あらかじめ分けて運べるようなデザインにしておくとよい。

c そのほかの組立てアイデア

ピラーを使ったり直積みにする定番の方法以外にも、アイデア次第でさまざまにケーキを組み立てることができます。

☛ **作品例**（P.370）
薄い発泡スチロールの側面にリボンを巻いたものや、装飾したケーキボードを間に挟んで、ケーキを組み立てている。

☛ **作品例**（P.386）
ふたつきのプラスチック製透明容器を間に挟んで直積みのケーキを組み立てている。容器の中にペーストでつくったオリヅルランを入れる。

d 支柱の装飾

さまざまなデザインのピラーが市販されていますが、ピラーを使わずに支柱（丸箸）をデコレーションすることもできます。ここでは、カバーリングペーストでつくったミニケーキを丸箸に通すユニークなデザインをご紹介します。なお、ミニケーキは丸箸に通した後、数回ひねっておくと、後で丸箸を抜いてミニケーキだけ保存することもできます。

1 カバーリングペーストをかぶせた下段のケーキと同じ高さのダミーケーキを用意する。丸箸をさし、カバーリングペーストでつくったミニケーキ3個を、柔らかいうちに丸箸に順に通す。ミニケーキの上面から少し上に余裕をもたせて丸箸にしるしをつけ、剪定用はさみで丸箸を切る。ミニケーキが乾いたら、丸箸、ミニケーキをダミーケーキからはずす。ダミーケーキを使うことで、実際に使う本物のケーキを汚さずに、ミニケーキを自由に試作できる。丸箸の長さに余裕をもたせるのは、本物のケーキにさしてからミニケーキのデコレーションを仕上げるため。また、ミニケーキの上面ぎりぎりで丸箸を切ると、上段のケーキをのせた時にミニケーキが見えづらくなってしまうため。

2 ボードにのせた本物の下段のケーキに、ⓐと同じ要領で丸箸をさす位置のしるしをつけておく。①の丸箸をさし、ミニケーキを通す。デコレーションを仕上げ、とび出た丸箸部分にペーストの帯を巻く。適宜上段のケーキをのせる。

☛ 作品例

ⓓの要領で支柱をミニウェディングケーキで装飾した、とても愛らしいウェディングケーキ。上段のケーキは、あらかじめボードごとカバーリングして補強し、支柱にのせる。上段のケーキに飾ったミニウェディングケーキは、支柱を通さずにつくり、ロイヤルアイシングでケーキに接着したもの。記念にとっておくのに最適。

Chapter 2

シュガーペーストのワーク

Working with Sugarpaste

市販のシュガーペーストが普及し、また、道具・材料の種類が増えたことで、シュガークラフトで表現できる世界は大きく広がりました。

シュガーペーストでカバーリングしたケーキは、さまざまな道具・材料を使って、シンプルにも複雑にもデコレーションすることができます。この章では、カバーリングしたケーキに直接ほどこすワークを中心に、シュガーペーストを使った基本的なワークをまとめました。

シュガーペーストのワークは粘土細工などと似た点もありますが、大切なポイントは、乾きやすいシュガーペーストの扱い方に慣れることです。使いかけのペーストや製作途中のパーツは、空気にふれて乾かないように小まめにラップや専用マットで覆います。また、作業は指先に力を入れて、ペーストが乾かないうちに速やかに進めましょう。

シュガーペーストが醸し出す独特の質感と色彩は、シンプルなデザインをひき立たせ、凝ったデザインには優しさを残します。色や手法を自由に組み合わせてケーキをデザインしてください。

2 01 シュガーペーストのレシピ

Sugarpaste Recipes

シュガーペーストは、目的別にいくつかの種類に分けることができます。それぞれ手づくりもできますし、市販品を利用してもよいでしょう。ここでは基本的な種類と用途例をご紹介します。また、この例にもとづいて、各ワークの頁には「適するペーストの目安」を記載しています。

a シュガーペーストの種類と用途

シュガーペーストは目的に合わせて、カバーリングペースト、モデリングペースト、フラワーペースト、パスティヤージュの4種類に大まかに分けられます。

カバーリングペースト

乾きが遅いので、ケーキのカバーリングや、カバーリング後のペーストに直接行なうワークなどに向きます。(ちなみにこのペーストはイギリスでは'sugarpaste'、アメリカでは'rolled fondant'と呼ばれています。) 一般的に市販品が利用されますが、参考としてつくりやすく仕上がりのよいレシピをご紹介します。

材料(直径18cmのケーキ2台分のカバーリング用)

粉ゼラチン――5g
水――50g
ショートニング――20g
コーンシロップ(または水あめ)――50g
グリセリン――15g
粉糖(P.106)――700～800g

コーンシロップ(右写真)はサラサラしていて溶けやすいのが特徴。グリセリン、ショートニングとともに、ペーストを柔らかくなめらかにしたり、乾きにくくする働きをする。ない場合は水あめで代用できるが、水あめの方が溶けにくい。

1 器に水を入れてゼラチンをふり入れ、湯煎にかけて溶かす。別の器にショートニング、コーンシロップ、グリセリンを順に入れてやはり湯煎にかけて溶かし、ゼラチンの器に加え混ぜる。

2 ミキサーボウルに粉糖500gを入れ、①を加える。ビーターでよく混ぜ合わせる。

3 ②をボードにとり出し、残りの粉糖を少しずつ加減しながら加えて手でよくこねる。手にショートニング(分量外)をつけておくと、やりやすい。つやが出て耳たぶくらいの柔らかさになったら、でき上がり。

【用途例】カバーリング、パターン＆テクスチュア、マーブリング、スクライビング、カッティング、クリンピング、エンボシング、カウンターサンクトップ、インレイ、ひも、キルティング、パッチワークなど

モデリングペースト

細工用に都合のよいペースト。次の3種類を使い分けると、より細工しやすくなります。

(A) カバーリングペースト100：トラガカントガム1、またはカバーリングペースト3：フラワーペースト1

上記の配合割合で合わせたもの。柔らかい布地感を出したいワークなどに向く。

【用途例】 テーブルクロス、スモッキング、パッチワーク、バスレリーフ、モールディング、モデリングなど

(B) カバーリングペースト5：フラワーペースト5

上記の配合割合で合わせたもの。形づけして布地感も出したいワークなどに向く。

【用途例】フリル、ドレープ、帯、クイリング、リボン、リボンインサーションなど

(C) カバーリングペースト1：フラワーペースト3

上記の配合割合で合わせたもの。形をしっかり保ちたいワークなどに向く。

【用途例】 アップリケ、ステンシル、パスティヤージュなど

フラワーペースト (P.246)

ゼラチンやトラガカントガムなどを加えることでコシをつけたペースト。のびがよく切れにくいため、できるだけ薄くのしたいワークに向きます。その代表例が、シュガーフラワーです。

【用途例】シュガーフラワーなど

パスティヤージュ

乾く段階で縮んだり反ったりしないため、正確に平らにしたいパーツ（ボックスの組立てパーツなど）やプレートなどに向きます。なお、この本では「パスティヤージュ」という言葉は基本的にペーストそのものと、そのペーストを使ったワークの両方をさしています。

材料（基本量）
粉糖*――300g
卵白*――30g（約1個分）
トラガカントガム――3g

＊P.106参照

1 ミキサーボウルに粉糖200g、卵白、トラガカントガムを入れ、白くなめらかな状態になるまでビーターで混ぜる。あらかじめ全量を着色することが決まっている場合は、この段階で色素（ペーストカラーまたは水で溶いた国産の食用色素）を爪楊枝で加えてもよい。

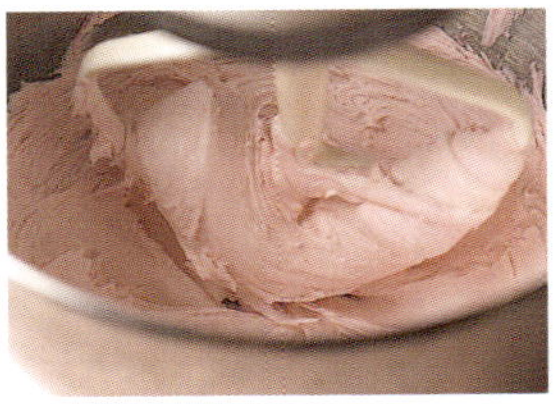

2 色素を均一に混ぜ込む。

3 粉糖100gを敷いたボードの上にとり出す。

4 粉糖を混ぜ込みながら手でよくこねる。

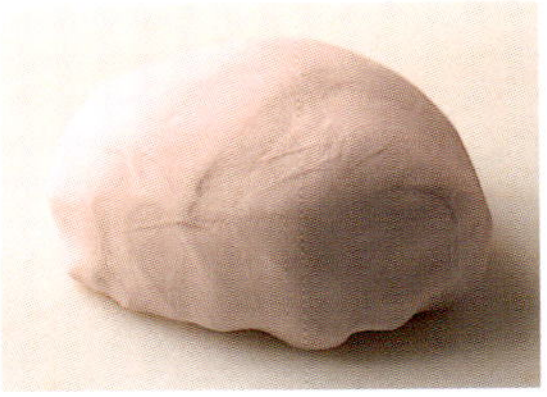

5 つやが出て耳たぶくらいの柔らかさになったら、でき上がり。2〜3日以内が使いやすい。

【用途例】パスティヤージュなど

b ペーストの着色

濃くなりすぎないよう、少量のペーストを濃く着色して白のペーストに混ぜるのが基本です。濃い色（特に赤や青）は時間がたつとより濃くなるので、作品全体に使う場合は着色後1日おいて色を確認してから使うとよいでしょう。また、仕上がった作品は光によって退色しやすいので、淡い色はやや濃く着色しておくとよいでしょう。

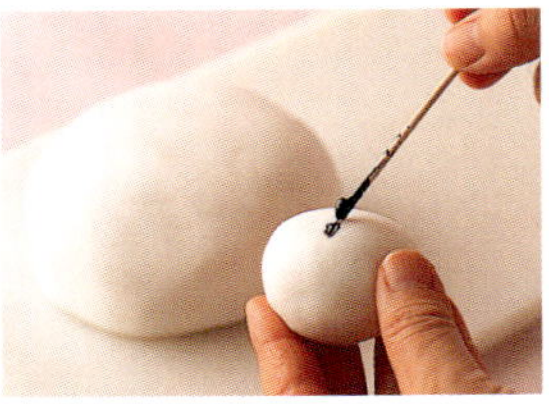

1 少量のペーストに色素（ペーストカラーまたは水で溶いた国産の食用色素。ペーストカラーは入れすぎると乾きにくくなるので注意）を爪楊枝で加える。

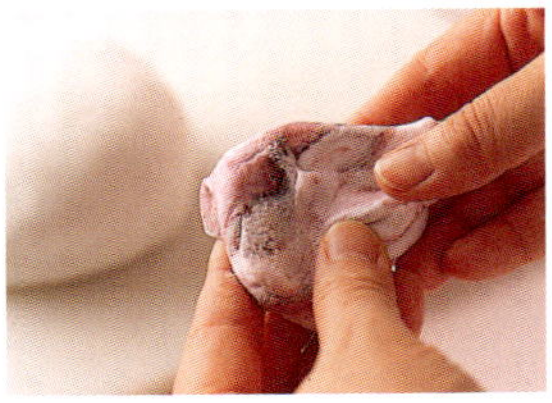

2 手でもんで色を均一にする。実際に必要な色よりも濃いペーストをつくる。

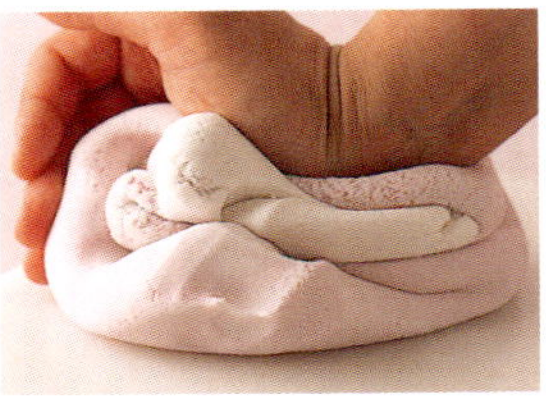

3 白のペーストに②のペーストを好みの濃さになるまで数回に分けて加えてこねる。

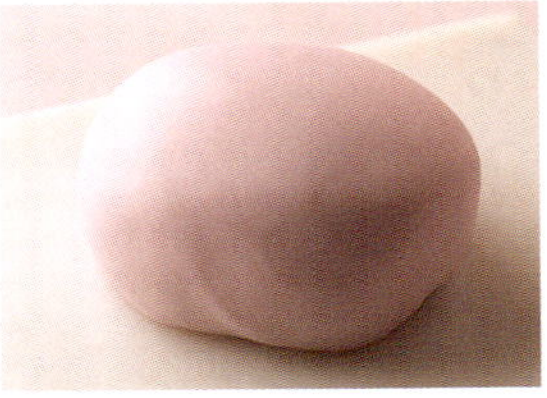

4 色が均一になり、表面がなめらかになればでき上がり。

c ペーストの保存

どのペーストも乾燥しやすいので、ラップに包み、密閉容器に入れて保存します。1週間以内は室温（約20℃）、1週間以上は冷蔵、ひと月以上は冷凍保存してください。ただし、着色したペーストは長期の保存はききません。

d ペーストの微調整

どのペーストも、べたつく時は指にショートニングをつけて作業し、柔らかすぎる時は粉糖を加えて練り直します。固めの時は、カバーリングペーストは蒸留酒やコーンシロップを、パスティヤージュは水や卵白を、フラワーペーストは水（筆で塗る程度）やショートニング、カバーリングペーストを少量加えて練り直します。

2 02 パターン＆テクスチュア

Pattern & Texture

適するペーストの目安
カバーリングペースト

'pattern'は「生地の模様・柄」、'texture'は「生地・織地」という意味。
模様が刻まれたローリングピン（テクスチュアピン）でペーストをのすなどの作業によって、
ペーストを1枚の織地のように見せるワークです。

a テクスチュアピンでペーストをのし、1枚でカバーリングする

ペーストを織地に見たてる、もっともポピュラーな手法。テクスチュアピンは、さまざまな模様を瞬時につくれるのが魅力です。ケーキのサイズ（ケーキの直径＋{高さ×2}）は、テクスチュアピンの長さ以内に設定するのがポイント。また、ケーキの高さは、低め（5cm前後）が適します。これは、高さがあるとペーストをかぶせた時にギャザーが寄りやすく、側面の模様をつぶしやすいためです。

1 カバーリングペーストをケーキの直径＋（高さ×2）がとれるサイズに厚め（5mm以上）にのす。

2 ①のペーストの上からテクスチュアピンを強めに転がして模様をつける。

3 マジパニングしたケーキに蒸留酒を塗り、②のペーストを中央からかぶせる。ギャザーが寄らないように側面をそっと押さえて密着させる。模様をつぶさないように気をつける。

4 裾の余分なペーストをナイフスティックで切り取り、形をととのえる。

☞ **作品例**
ⓐの要領でつけたバラ模様をダスティングパウダーで色づけ。ケーキボードのペーストの縁にも、細棒をあてて模様をつけている。

ⓑ 数枚に分けてカバーリングする

角型のケーキや、上面縁が直角のケーキの場合は、模様をつけたペーストを上面と側面に分けて貼り、ボックスなどに見たてるとよいでしょう。

1 P.25のⓑの要領で、上面と側面に分けてケーキをマジパニングする。

2 ケーキの周囲の長さを紙テープではかり、3等分する。

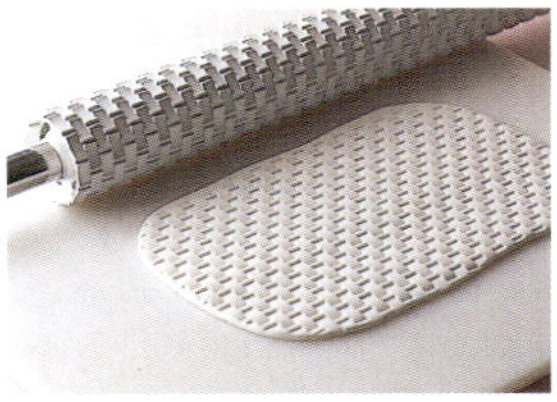

3 カバーリングペーストを厚め（5mm以上）にのし、テクスチュアピンを強めに転がして模様をつける。

4 ②の紙テープに合わせて③のペーストを1枚切る。

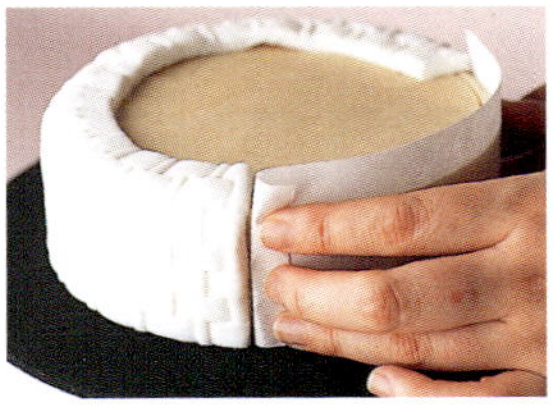

5 ケーキの側面と上面縁に蒸留酒を塗り、④のペーストを貼りつける。もう1枚も同様に切って貼る。最後の1枚は、残りのスペースにいったん紙テープをあてて正確な長さをもう一度はかり、それに合わせてペーストを切る。

6 同じ要領で最後の1枚を貼る。

☛ 作品例

バスケットに見たてた作品。ⓑの要領で側面にバスケット模様をつける。ふた部分はバスケット模様をつけたペースト1枚でカバーリングしている。あしらったクロスやリボンは、ペーストに花柄のミニテクスチュアピンで模様をつけたもの。

c インレイワークを使う

インレイワーク（P.58）の手法を使ってペーストに模様をつけることもできます。さまざまにつくった模様を下地のペーストとともにのすなどして一体化させ、1枚の織地に見たてます。

☛ 作品例
クリスマスのプレゼントボックスをイメージ。右頁の要領で模様をつけたミニケーキ3個を重ね、ひいらぎを飾る。

Reference

そのほかの作品例

☛ P.71
テクスチュアピンで筋目模様をつけ、その模様を利用してリボンインサーションをしている。

☛ P.372
上から2段めのケーキは、ペーストの小花をインレイワークでうめ込んでいる。3、4段めのケーキは、テクスチュアピンでつけた模様に色づけしている。

☛ P.67
ボードのペーストにテクスチュアピンで模様づけ。さらにムーンビームを塗って光沢を出し、模様をより浮き立たせて作品にニュアンスをプラスしている。

A

1 緑と赤のカバーリングペーストをそれぞれ薄くのして帯状に切り、2枚を重ねて巻く。

2 スライスする。

3 白のカバーリングペーストを厚めにのし、②のスライスしたペーストをのせてさらにのす。

4 ケーキにカバーリングする。ペーストのリボンをあしらう。

B

1 緑と赤のカバーリングペーストを細い帯状に切る。

2 白のカバーリングペーストを厚めにのし、ペーストの帯を格子状にのせて、さらにのす。

3 ケーキにカバーリングする。ペーストのレースをあしらう。

C

1 白のカバーリングペーストを厚めにのし、薄めにのした緑のペーストを重ねる。

2 細い帯状に切り、それぞれ横に倒してくっつけ、さらにのす。

3 口金で抜いた赤と黄色のカバーリングペーストをのせてのす。

4 ケーキにカバーリングする。ペーストのひいらぎをあしらう。

2 03 マーブリング＆スクライビング

Marbling & Scribing

適するペーストの目安
カバーリングペースト

マーブリングは、数色のペーストを混ぜ合わせてグラデーション模様をつくるワーク。
スクライビングは、ペーストにリーフシェイパーなどで模様を描くワークです。
どちらもシンプルで印象深いデコレーションです。

マーブリング

a 色違いのペーストを混ぜる

2色のペーストを例に基本的なマーブリングをご紹介します。ペーストの混ぜ方は自由ですが、あまり混ぜすぎない方が、色のコントラストがはっきりとつきます。

1 白のカバーリングペーストを大まかに広げ、小さく丸めた青のカバーリングペーストを数ヵ所に置いて適宜こねる。このやり方は一例。各色のペーストを棒状にして並べ、ねじるなどの方法もある。

2 ①のペーストを約5mm厚さにのす。

3 マジパニングしたケーキの表面に蒸留酒を塗り、模様の配置を考えながら②のペーストをかぶせて密着させる。裾の余分なペーストを切り取ってととのえる。

スクライビング

a リーフシェイパーで描く

ここではフリーハンドのやり方をご紹介しますが、むずかしければ、型紙をつくってケーキにのせ、上からなぞってもかまいません。

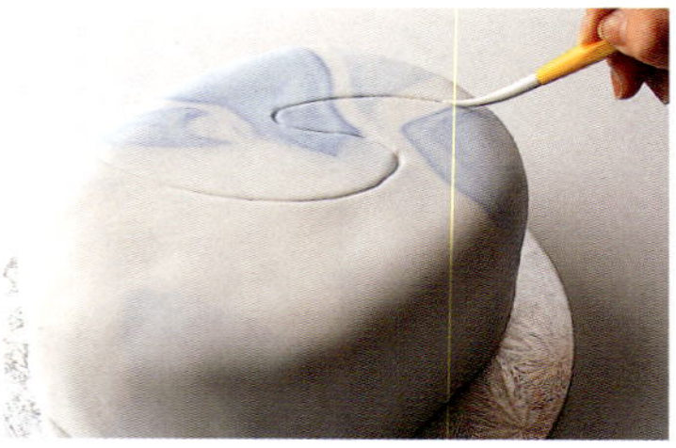

1 カバーリングペーストが乾かないうちに、リーフシェイパーを強めにあてて模様を描く。ここで描くのは波をイメージした模様。まず中心となるラインを描く。

2 ①のラインにそわせて周囲のラインを描いていく。

3 でき上がり。

作品例

左頁の要領でマーブリング、スクライビングをしたケーキを、やはりマーブリングのペーストをかぶせたボードにのせる。ケーキ側面とボードには波しぶきをイメージしたロイヤルアイシングの絞りを入れ、パイピングジェルを塗って光らせている。ケーキ上面にあしらった大輪の花は、ハイビスカス。

2 04 カッティング Cutting

適するペーストの目安
カバーリングペースト

フルーツや野菜に彫り模様をつけるタイの「カービング」からヒントをえた、私のオリジナルワークです。
ペーストの表面をはさみでカットし、モデリングツールでととのえて模様をつくります。
ペースト1枚で立体感を表現できるのが魅力です。

a 花模様

シンプルな花模様は、はさみでカットして形づくるのに最適です。なお、作業中に切り口がかさついてきたら、ショートニングをなじませて修正するとよいでしょう。

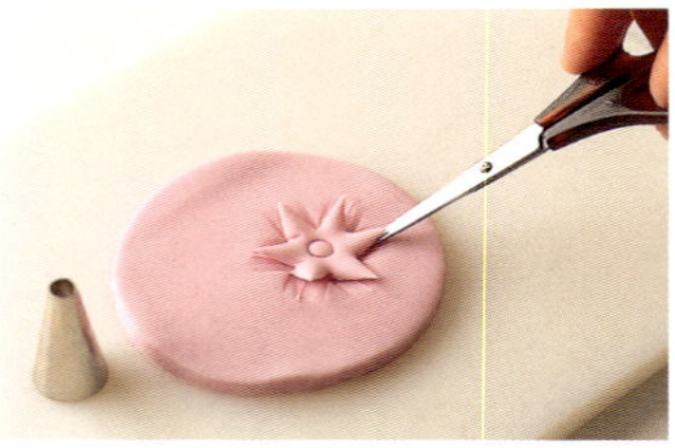

1 のしたペーストが柔らかいうちに、口金を押しあててまず花芯の跡をつけ、その周囲に細工用はさみで切込みを入れて花弁の形に立ち上がらせる。

2 各花弁にフラワーシェイパーをあててくぼみをつけ、花弁を広げる。

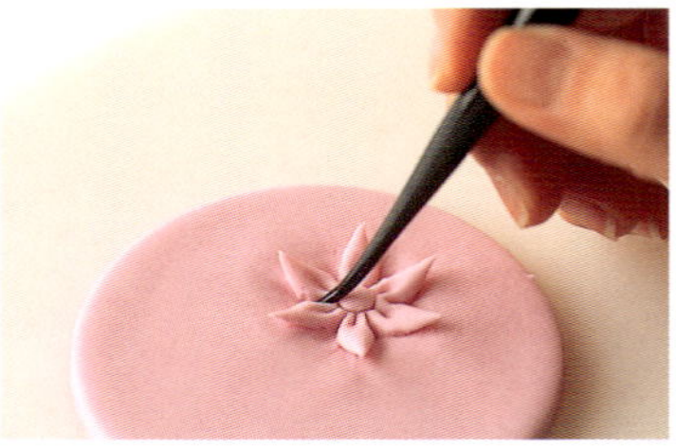

3 花弁の境目にリーフシェイパーをあてて輪郭をはっきりさせる。周囲を適宜ととのえる。

b 葉模様

要領は花模様と同じです。ペーストが乾かないうちにすばやく作業することが肝心です。

1 リーフシェイパーで葉脈を描く。

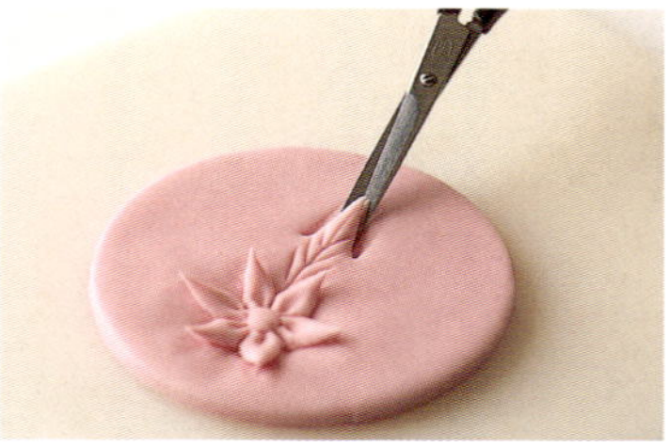

2 葉の先端部となる箇所に細工用はさみで切込みを入れて立ち上がらせる。

3 リーフシェイパーをあてて葉の輪郭をはっきりさせ、周囲を適宜ととのえる。

☛ 作品例

ケーキにかぶせたカバーリングペーストが柔らかいうちに、ⓐⓑの要領で花と葉の模様を全体に入れる。パールのラスターカラーを塗って光沢感を出している。

2 05 クリンピング

Crimping

適するペーストの目安
カバーリングペースト

クリンパーという道具でペーストをつまんで模様をつくるワークです。
クリンパーの先端の模様は各種あり、その使い分けや、つまむ配置の工夫によって、表現の幅が広がります。

a ケーキ側面のクリンピング

クリンピングの基本的なやり方です。一つひとつの動作を急がずにていねいに行なうことが、きれいに仕上げるコツです。

1 クリンパーにペーストがくっつかないように、クリンパーの先端に粉糖をつけておく。カバーリングペーストが柔らかいうちに(ただし、ほんの少し乾いてきたくらいの状態がやりやすい)ペーストの面に対してクリンパーを垂直にさし込み、つまむ。

2 そのまま指の力を抜いて、さし込んだ時の幅にクリンパーをもどし、ペーストからクリンパーを静かに抜く。(ケーキ裾の模様も、同じ要領でクリンピングしたもの。)

※なお、ここではダミーケーキを使用しているため、ターンテーブルに直置きしているが、本物のケーキは紙を敷くか、ボードにのせてからターンテーブルに置く。

☞ 作品例
ⓐの要領でケーキ側面と裾にクリンピングする。上面にキャンドルを立て、クリスマスローズやひいらぎを飾った、クリスマス向けのミニケーキ。

b クリンピング模様のバリエーション

クリンパー各種を使ってさまざまな模様がつくれます。ロイヤルアイシングの絞りやペーストの飾りなどを組み合わせ、着色を工夫すると、さらに楽しいデザインになります。

クリンパー

先端の模様の種類が豊富。また、同じ模様でも刻みつきとそうでないものがあり、サイズも数種ある。先端近くにはめてあるゴムは、つまみの幅を一定に保つ役割。

上記のボードに使用したクリンパーの模様

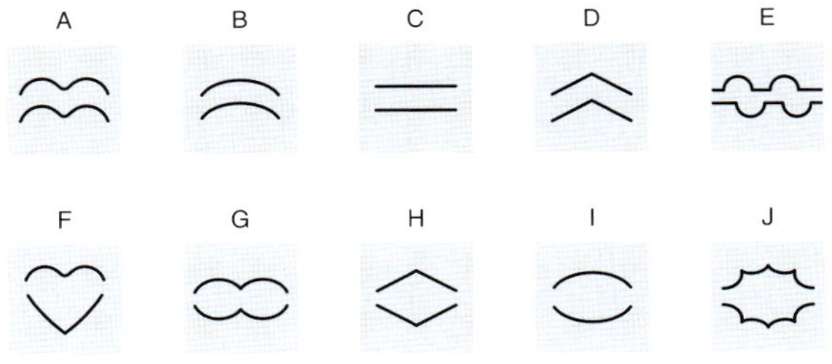

2 06 エンボシング

Embossing

適するペーストの目安
カバーリングペースト

'emboss'とは「浮き出しにする」という意味です。エンボシングは、手づくりのスタンプや各種型、専用のエンボッサーなどをカバーリングペーストに押しあてて跡をつけ、浮き彫り模様のように見せるワーク。トレース（P.404）の方法のひとつでもあります。

a 手づくりのスタンプを使う

好みの模様にできるのが魅力です。ただし、あまり複雑な模様には向きません。

1 スタンプをつくる。好みの模様や文字をトレーシングペーパーに写し、トレーシングペーパーを裏返す。その上に透明アクリルボードをのせ、ロイヤルアイシングで文字を絞って乾かす。こうしてできたスタンプを、カバーリングペーストが柔らかいうちに絞り面を下にして押しあてる。

b 道具を利用する

身近なカッター(抜き型)や口金などでも、アイデア次第で素敵なエンボス模様がつくれます。

1 ひいらぎの葉のカッターを押しあてて模様をつくる。茎部分はリーフシェイパーでラインをひく。

2 ひいらぎの実の模様は口金を押しあててつくる。

エンボシングの道具
エンボス模様は左記のように手づくりスタンプや各種道具でつくれるが、専用のエンボッサー（写真手前）を使ってもよい。また、パッチワークカッター（写真奥）を軽くペーストに押しあててもエンボス模様がつくれる。

Reference

そのほかの作品例

☛ P.102
ふたと側面にエンボス模様をほどこしたミニボックス。ペーストにテクスチュアピンを押しあてて花模様などをつけている。着色を工夫することでオリジナリティが高まる。

☛ P.382
ハートと葉模様のパッチワークカッターをペーストにあてて跡をつけ、適宜ロイヤルアイシングを絞ったりペーストの小花を散らして、ケーキ側面を装飾している。

☛ 作品例

ⓐⓑ の要領でエンボシングしたクリスマスケーキ。エンボス模様やその周囲に適宜ロイヤルアイシングを絞ったり、色づけしたりして仕上げている。'Best Wishes' のエンボス文字は緑のロイヤルアイシングを口金＃２で絞り、さらに赤のロイヤルアイシングを口金＃１で重ねて絞って際立たせている。

2 07 カウンターサンクトップ

Counter-sunktop

適するペーストの目安
カバーリングペースト

'counter-sunktop'は「上面に穴をあける」という意味。
ペーストをケーキに2重にかぶせ、浅く穴をあけて上側のペーストのみを抜くワークです。

a 2重にペーストをかぶせ、中央を浅く抜く

カウンターサンクトップの基本のやり方です。2枚のペーストは色のコントラストをはっきりとつけた方が印象的です。

1 白のカバーリングペーストを、マジパニングしたケーキの上面より少し大きめに約3mm厚さにのし、ケーキの形に合わせて切る。ケーキに蒸留酒を塗ってペーストをかぶせ、てのひらやスムーサーを使って密着させる。特に上面縁をよくならす。

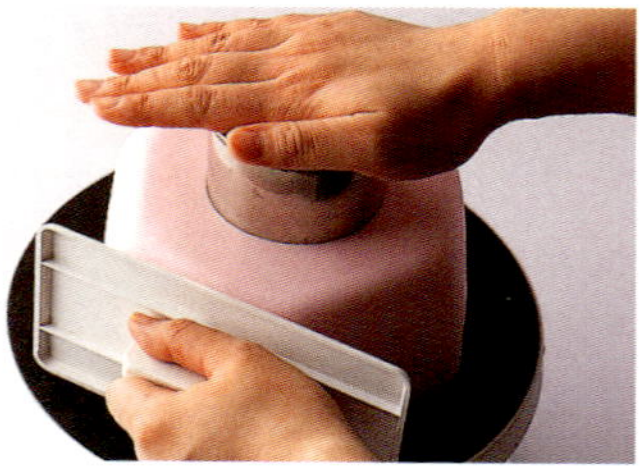

2 ピンクのカバーリングペーストをケーキのサイズに合わせて約5mm厚さにのす。ケーキ側面に蒸留酒を塗り、白のペーストの上からカバーリングする。ペーストがまだ柔らかいうちに上面にセルクルを浅く押しあてて、ピンクのペーストのみを抜く。

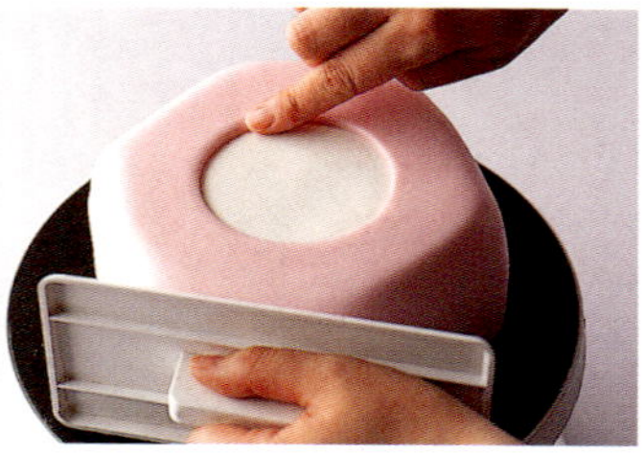

3 ペーストを抜いた縁を指でならしてととのえる。

※なお、ここではダミーケーキを使用しているため、ターンテーブルに直置きしているが、本物のケーキは紙を敷くか、ボードにのせてからターンテーブルに置く。

☛ 作品例
ⓐの要領で白と黄色のペーストでカウンターサンクトップを行ない、黄色のペーストを抜いた上面にバスレリーフの妖精やラッパスイセンをあしらったケーキ。ラッパスイセンの茎や葉などはロイヤルアイシングで絞り、ダスティングパウダーで背景などを描いている。ペーストを抜いた縁やケーキの裾をレースピースで飾る。

Reference
そのほかの作品例

☛ P.211
上面に菊型のセルクルをあててカウンターサンクトップを行ない、同じセルクルで抜いてバラをペインティングしたプラークをはめ込む。インレイワーク(P.58)にも似た、カウンターサンクトップの応用。カウンターサンクトップの周囲とプラークの縁に筆の柄の先端でくぼみ模様をつけている。

☛ **作品例**

ⓐの要領でカウンターサンクトップを行なう。ペーストを抜いた縁にフリルとリボンをあしらい、中央には小花を持たせたバスレリーフのうさぎ（P.89）をのせる。ケーキ側面にもフリルや小花をあしらっている。ボードには、小花やロイヤルアイシングで飾ったランナウトの文字を接着する。

2 08

インレイ

Inlay

適するペーストの目安

カバーリングペースト

'inlay'は「はめ込み細工」という意味。
のしたペーストに、型などで小さく抜いたペーストのパーツをはめ込んで模様をつくるワークです。
ここではポピュラーなやり方のほか、立体感を強調した手法もご紹介します。

a ペーストを置きかえる

のしたペーストを好みのカッター(型)で抜き、その部分に同形の別のペーストをはめ込みます。インレイワークの基本のやり方です。

1 水色のペーストをのし、ハートカッターで数ヵ所抜く。抜いた縁に水を少量つける。ピンクのペーストをのして同様のカッターで抜き、水色のペーストにはめ込む。

作品例 (P.102)
ⓐの要領でペーストにインレイ模様をつくり、ふたにしたミニボックス。ハートの縁をゴールドのラスターカラーで着色している。

b インレイ模様を立体的に見せる

のしたペーストにカッター(型)でくぼみをつけ、同様のひとまわり大きなカッターで抜いたペーストを置いてモデリングツールではめ込みます。ペーストを置きかえるⓐの手法に比べ、立体感を表現できます。

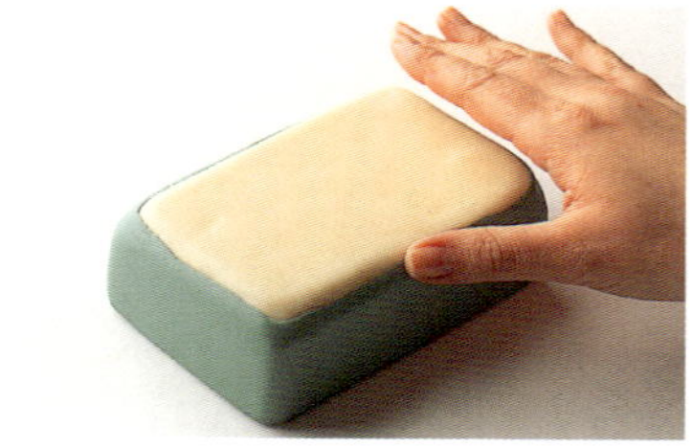

1 マジパニングしたケーキの側面に蒸留酒を塗り、約3mm厚さで側面のサイズにカットした緑のカバーリングペーストをかぶせて密着させる。上部縁を指でならし、乾かす。

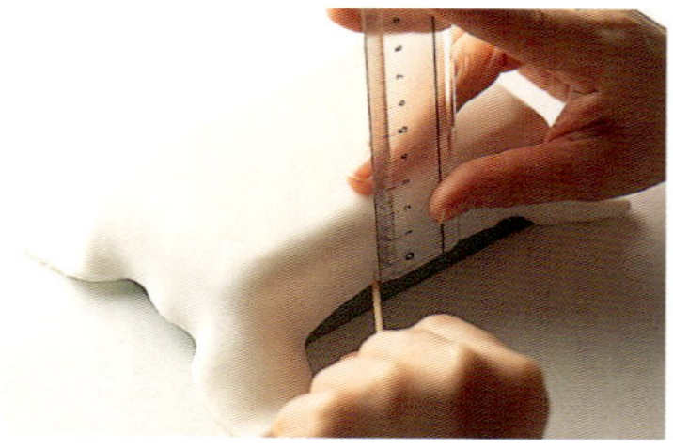

2 白のカバーリングペーストを約2mm厚さにのす。ケーキ上面に蒸留酒を塗り、①にかぶせて上面を密着させる。ケーキ上面から2cm下の側面に爪楊枝でしるしをつける。

3 ②のしるしに合わせてストレートフリルカッターをあて、ケーキ上面をスムーサーで押さえながら余分なペーストを除く。この①～③の過程も、緑のペーストに白のペーストをはめ込む、インレイワークの応用といえる。

4 上面にクリスマスリースの模様をつくる。ひいらぎカッター＃4で跡をつけていく。最初に4ヵ所を決めると全体の形をつくりやすい。

5 ところどころは葉が重なるように跡をつける。

6 緑のカバーリングペーストをのしてひいらぎカッター＃3で抜き、⑤の跡の上に接着する。重なる葉は下側の葉から置く。ひとまわり大きなカッターを使うのは跡を隠し、ふっくらとした自然な印象にするため。リーフシェイパーで葉脈をつける。

7 重なる上側の葉を同様にはめ、フラワーシェイパーで形をととのえる。

8 ひいらぎの実をつくる。赤のカバーリングペーストをのし、口金＃5で抜く。

9 バランスをみながら⑧を置き、細棒で押さえて接着する。

☛ 作品例

クリスマスのミニケーキ。ⓑの要領でインレイワークを行なう。ロイヤルアイシングで上面に文字を絞り、ペーストの松ぼっくりとリボン、フローラルテープのこよりをあしらっている。文字や松ぼっくりはゴールドのラスターカラーで着色することで、よりクリスマスっぽい雰囲気に仕上がる。

2 09 フリル
Garrett Frill

適するペーストの目安
モデリングペーストB (P.42)

フリルカッターで抜いたペーストに竹串をあててフリルをつけるワーク。
ケーキ側面の装飾のほか、人形の洋服やシュガーフラワーなどにも活用される、ポピュラーなワークです。

a ペーストにフリルをつけて ケーキ側面に貼る

フリルのつくり方とケーキへのポピュラーなあしらい方をご紹介します。ここではガレットフリルカッターを使っていますが、カーブをつけずにフリルを貼る場合は、ストレートフリルカッターを使うとよいでしょう。

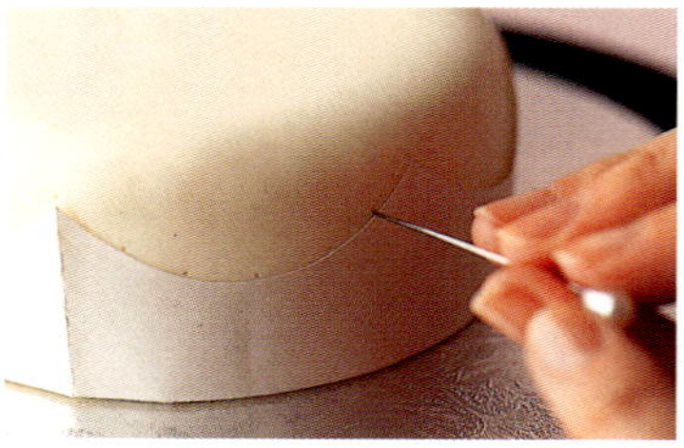

1 カバーリングしたケーキの側面に紙テープを巻いて長さをはかり、紙テープを切る。側面につけるカーブの数に合わせて紙テープを等分に折り、カーブの形を描いてそのラインにそって切り取る。1枚に広げてケーキ側面にあて、カーブのラインをマチ針や爪楊枝でマークする。

2 ボードにペーストをのせ、薄く（約1mm厚さ）のす。ガレットフリルカッターをあてて余分なペーストを除く。

3 ペーストのべたつきを防ぐため、ペーストの下に粉糖をふる。きき手で竹串を持ってペーストの縁にあて、反対側の手のひとさし指を竹串にあてる。スカラップの頂点で力を入れるようにして少しずつ転がし、フリルをつける。この時、内側の円を変形させないように注意する。変形してしまうと、①でマークしたラインにきっちりそわせることができない。

4 ①の各カーブの長さに合わせて③のペーストの輪を切る。①でマークしたラインに蒸留酒を塗り、ペーストを各カーブの端から端に向かって接着し、余分なペーストを切る。

5 フリルが重なる箇所は、上側にくるフリルの端を内側にふんわりと折りたたむ。

6 フリルの接着位置にそってロイヤルアイシング（口金＃0）でビーズ絞りをしてととのえる。

Reference
そのほかの作品例

☛ P.57
ケーキ側面とカウンターサンクトップの穴の縁にフリルをあしらっている。側面はフリルを数層重ねている。このようにフリルを重ねづけする場合、下側のフリルはボリュームをややひかえめにするとバランスがよい。

☛ 作品例

赤ちゃんのお祝いにぴったりなミニケーキ。ⓐの要領で側面にフリルを接着し、上面にベビーシューズをのせている。愛らしいフリルによってスイートな雰囲気に。適宜ロイヤルアイシングで小花を絞ったりペーストのリボンを組み合わせるなどして飾る。

2 *10*

ドレープ

Drapes

適するペーストの目安
モデリングペーストB (P.42)

ペーストの帯にひだを寄せるワーク。ケーキ側面の装飾などに使われます。
道具を使い分けることでひだの太さや数を自在にアレンジできます。

a 竹串を使う

ペーストの幅より長い竹串を用意します。ペーストに竹串を挟んだら、竹串をきっちり寄せてひだをしっかりつくるのがポイント。細いドレープづくりに適します。

1 フリルワーク（P.60）の①と同じ要領でケーキ側面にしるしをつけておく。ペーストを薄くのし、ケーキにしるした各カーブの長さに合わせて帯状に切る。ペーストの手前端を竹串にかぶせて巻きつける。

2 必要なドレープの数に合わせて竹串をペーストの表面と裏面に交互に置き、竹串をきっちりと寄せる。カッティングホイールで余分なペーストを切る。

3 竹串をそっと抜く。ペーストの両端をつまんで細くし、余分なペーストをカッティングホイールで切ってととのえる。

4 ケーキにマークしたラインに蒸留酒を塗り、③の両端を持ってラインにそわせ、中央から接着する。細棒でドレープの形をととのえる。

5 同じ要領でケーキの側面にドレープを貼る。

b フォーミングロッドを使う

専用のロッドを使うとゆるめのドレープが簡単につくれます。ケーキへのしるしづけやドレープの貼り方などはⓐに準じます。

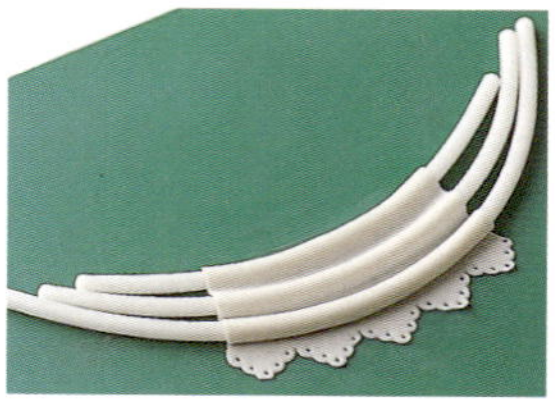

1 フォーミングロッドを並べてペーストをのせる。ロッドにペーストをしっかりそわせてひだをつくり、ロッドをそっと抜く。ペーストの両端をつまんで細くし、形をととのえる。（ここではアレンジとして、下側をレースカッターで抜いたペーストを使用。）

c フリーハンドでつくる

太いドレープも新鮮。手で形づくるので太さの加減が自由にできます。ケーキへのしるしのつけ方などはⓐに準じます。

1 ケーキ側面にマークしたラインに蒸留酒を塗る。帯状に切ったペーストの上縁を数mm内側に折り込み、ラインにそわせて貼る。

2 もう1枚のペーストも上縁を数mm折って蒸留酒を塗り、①にずらし重ねて貼る。下縁も数mm内側に折り込んで同様に接着する。（ここではアレンジとして、エンボッサーで模様をつけて着色したペーストを使用。）

作品例

白のポインセチアを飾った、六角形のクリスマスケーキ。ⓐの要領でつくった細いドレープを側面にあしらっている。各ドレープの中央が六角形の角にくるようにデザイン。ドレープを貼る前にフリルを接着してボリュームを出している。ドレープのつなぎ目にリボンをあしらう。

作品例

ⓑの要領でつくったゆるめのドレープをあしらったケーキ。ドレープのつなぎ目に飾ったリボンは、ペーストの帯の両端をフリルカッターで抜き、中心をねじって形づくったもの。側面のデザインに合わせてつくったプラークを上面にのせ、モデリングの人形(P.99)を飾る。

作品例

ⓒの要領でつくった太いドレープをあしらったケーキ。ドレープのつなぎ目に飾ったボタンは、平たい円形にしたペーストに、ドレープと同様の模様をつけたペーストをかぶせたもの。側面のデザインに合わせてつくったプラークを上面にのせ、モデリングの子ぐま(P.95)を飾る。

2 *11* ひも

Strings

適するペーストの目安
カバーリングペースト

フリーハンドで、またはシュガークラフトガンを使ってペーストをひも状に形づくるワーク。
シンプルでいて、工夫次第でさまざまなデコレーションができます。

a フリーハンドでつくる

太めのひもはフリーハンドでつくります。均等に力を入れることが、均一な太さに仕上げるコツです。

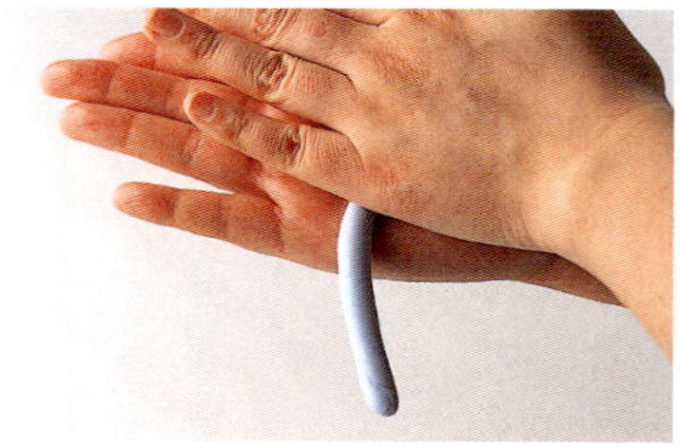

1 ペーストを適量とってソーセージ状にし、両てのひらで挟んで転がす。

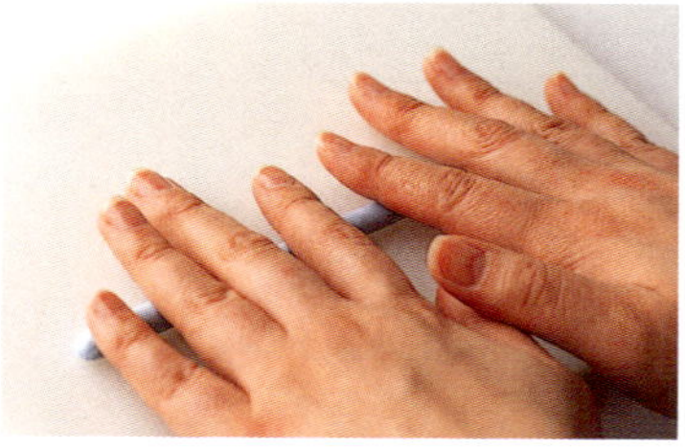

2 ボードに置いてさらにてのひらで転がして形をととのえる。スムーサーを使ってもよい。

3 色違いの2本のひもを組み合わせると、カラフルなロープができる。

b シュガークラフトガンでつくる

細いひもはシュガークラフトガンを使うと簡単につくれます。シュガークラフトガンからペーストが出にくい時は、ペーストにショートニングを10%量ほど加えると柔らかくなって扱いやすくなります。

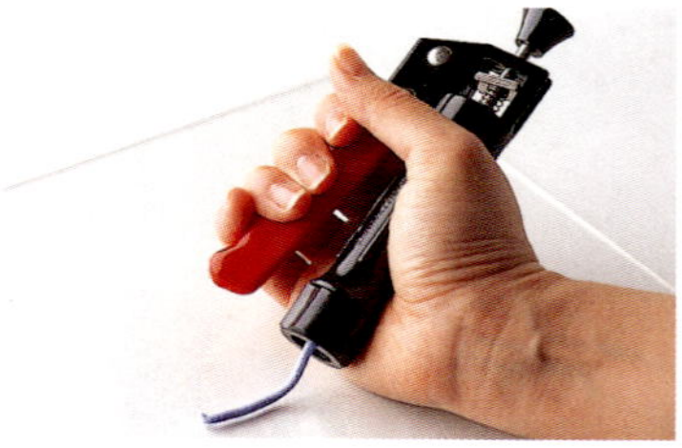

1 シュガークラフトガンにアタッチメント（細穴）をつけ、ペーストを入れる。本体とレバーを一緒にぎゅっと握ってペーストを絞り出す。

2 必要な長さになったら、細工用はさみでペーストを切る。

アタッチメントの種類と形のバリエーション

シュガークラフトガンにはアタッチメントが各種あり、さまざまな形がつくれます。下はその一例です。

細穴
ごく細いひもを絞れる。文字を形づくるのに便利。

三つ葉
写真のような断面のひもを絞れる。そのままでも、ねじっても使える。

細穴多数
ごく細いひもを一度にたくさん絞れる。まとめて、または丸めてフリンジに。人形の髪の毛にも活用できる。

シュガークラフトガンでつくった人形の髪。細穴多数のアタッチメントをつけて絞り出したペーストを、つくりたいヘアスタイルに合わせて少しずつ接着する。

☛ **作品例**（P.384）

☛ **作品例**

ⓐⓑの要領でつくったさまざまなひもやロープで飾った、お祝いのケーキ。ケーキにかぶせたカバーリングペーストはインレイワークの手法で花弁の形に数ヵ所抜き、テクスチュアピンで模様をつけた別のペーストをはめ込んで、ペーストの境目にひもを接着している。ひもを水引風に形づくった花をあしらう。

☛ **作品例**

お祝いのミニケーキ。上面にのせたへびは、ひもの太さに変化をつけて形づくったもの（右記①〜③参照）。'Good Luck' の文字やケーキの裾飾りは、シュガークラフトガンで絞り出した細いひもでつくっている。また、細いひもで水引を再現。のし袋や進物にあしらわれる紅白やカラフルな水引は、お祝いごとにぴったり。ここでは赤、白、青のひもで「淡路結び」風に形づくっている。

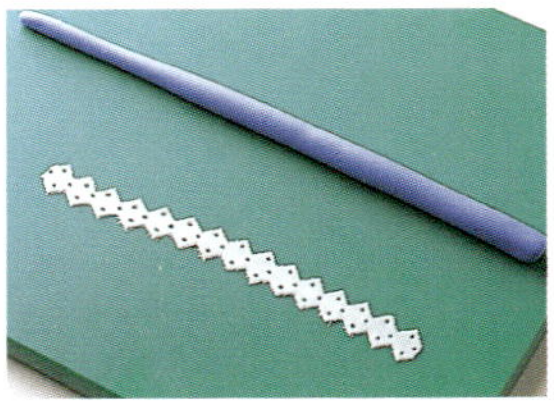

1 へびをつくる。青のペーストを使って、太めで片側が細いひもをつくる。白のペーストをのしてレースカッターで抜き、ひもの長さよりも短く切る。口金で穴をあけて模様をつくる。

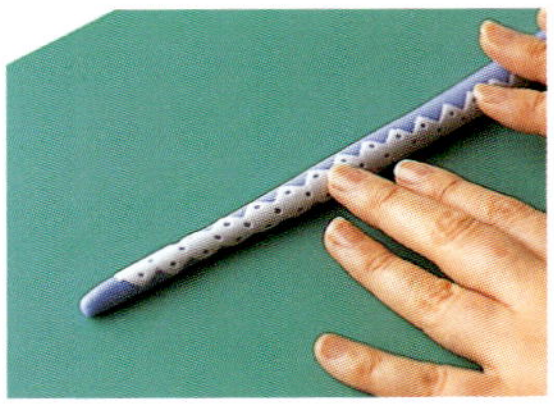

2 ひもにレースをのせ、軽く転がして密着させる。

3 ②をへびらしく巻き、首を立たせて爪楊枝をさす。青のペーストを丸めて頭を形づくり、目、鼻、口、舌をつけて爪楊枝にさし、形をととのえる。

2 12 帯&クイリング

Strips & Quilling

適するペーストの目安
モデリングペーストB（P.42）

さまざまなワークに活用される帯の基本のつくり方をご紹介します。
'quilling'とは、細長い紙を巻いて模様をつくる紙細工のこと。
ペーストのごく細い帯で再現できます。

帯

a フリーハンドでつくる

帯の幅を自由に決められます。

1 のしたペーストに定規をあて、カッティングホイールなどを使って一定の幅で切る。

b ストリップカッターを使う

細い帯がたくさん必要な時は、専用のカッターを使うと便利です。

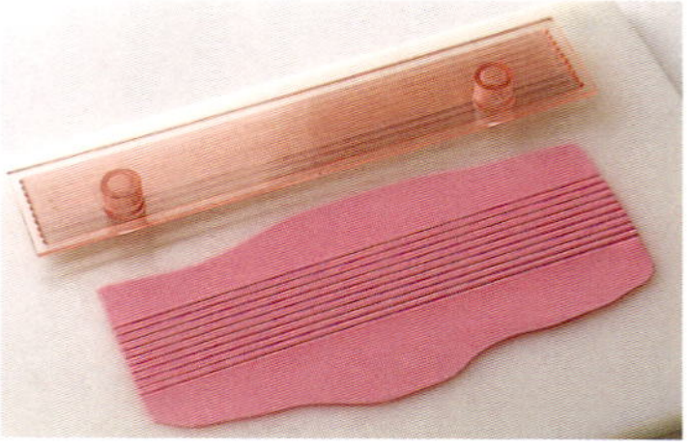

1 のしたペーストにストリップカッターを押しあてて切る。

c 帯のカーリング

ラッピング用リボン（P.69）などに見たてて使います。

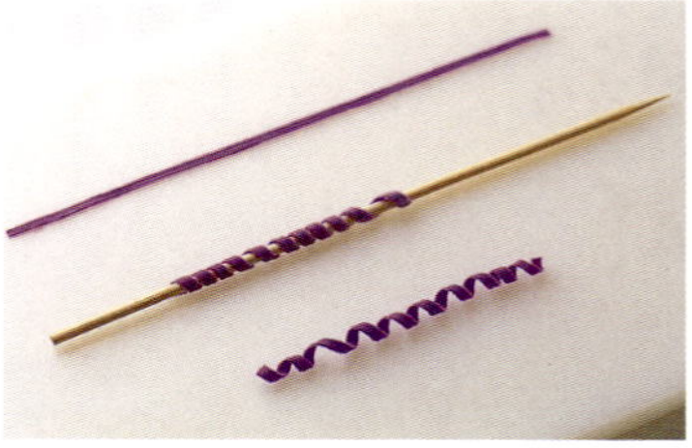

1 ペーストの帯を柔らかいうちに竹串や細棒に巻きつけてくせをつける。

クイリング

a 帯を巻いて形づくる

クイリングのパーツづくりの基本のやり方です。

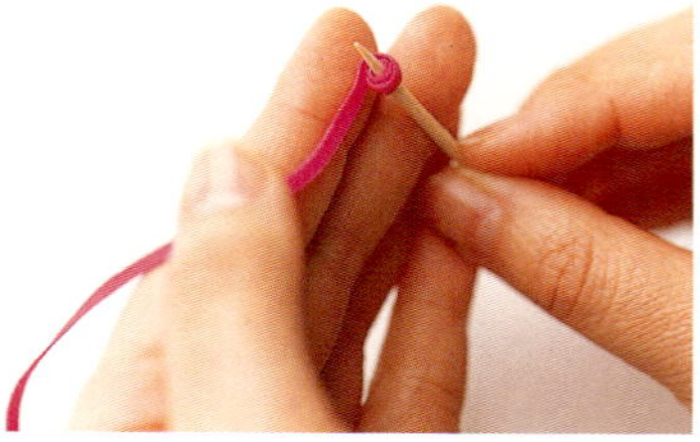

1 ペーストのごく細い帯を爪楊枝にきつく巻きつける。

2 ①をボードに置き、巻きをゆるめたり、つまんだりして形をととのえる。ペーストに水を加えて練ったグルー（P.406）を使ってしっかりと接着する。

b クイリングのバリエーション

ペーストの巻き方やゆるめ方、つまむ位置や向きの違いによってさまざまな形のパーツがつくれます。

①うず巻き
②だ円のうず巻き
③S字
④葉
⑤スクロール
⑥しずく・花弁
⑦ハート
⑧U字

☛ 作品例

上記のクイリングのパーツを組み合わせて花や蝶をかたどった、アジアンテイストのボード。下地のカバーリングペーストは、テクスチュアピンで模様づけしている。

☛ 作品例

帯の片側をうず巻き状にしたクイリングのパーツを、ケーキ上面縁などにあしらった作品。上面や側面の飾りは、ポインセチアに見たてて、レースフラワーカッターで抜いたペーストを組み合わせたもの。ケーキはボードごとカバーリングし、縁にシェルスティックでエンボス模様をつけている。現代的なイメージのクリスマスケーキ。

2 13 リボン

Ribbons

適するペーストの目安
モデリングペーストB（P.42）

帯（P.66）を使って、蝶結びをはじめ、さまざまな形状のリボンがつくれます。

a 蝶結び

蝶結びをじょうずにつくるには、まず本物のリボンで見本をつくるのがコツ。見本をパーツごとに切って長さや幅を確認し、各パーツと同じサイズにペーストを切って、それを形づくるとよいでしょう。

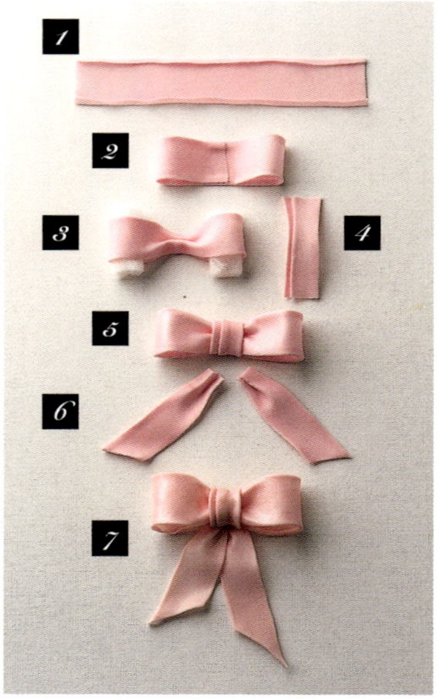

1 左右の輪をつくる。ペーストをのして帯状に切り、両長辺の縁を数mm内側に折り込む。

2 ①を両端からたたんで輪をふたつつくる。

3 ②をひっくり返して中央をつまみ、左右の輪にティッシュを挟んで形を保つ。

4 中央の結び目をつくる。のしたペーストを帯状に切って両長辺の縁を数mm内側に折り込み、片側を数mmずらして折り重ねる。

5 ④を③の中央に巻く。

6 左右のテール部分をつくる。のしたペーストを帯状に2枚切って、それぞれ下部を斜めにカットし、両長辺と下部の縁を数mm内側に折り込む。上部にギャザーを寄せる。

7 ⑤に⑥を接着し、自然なカーブをつけて乾かす。パール系のラスターカラーを塗って光沢を出すと、サテンのリボンのように仕上がる。

b レースのリボン

レースカッターを使います。

1 ペーストをのして適当なサイズの帯状に切り、両長辺にレースカッターをあててペーストをカットする。

2 ①の中央に別のペーストの帯を重ねる。口金の先端に粉糖をつけて（ペーストがくっつきにくくなる）ペーストに押しあてて穴をあけ、模様をつくる。適宜形づくる。

c ワイヤー入りリボン

大きなサイズのリボンをつくる時には、ワイヤーで補強すると形を安定させやすくなります。

写真のように大きなサイズのリボンの輪は、あらかじめ帯の両長辺の縁にワイヤー（＃26～＃28くらい）を置いて内側に折り込んでから形づくると、作業しやすく形を安定させやすい。

☛ **作品例**（P.31）

d リボンのバリエーション

蝶結びからラッピング向きのものまで、さまざまなリボンがつくれます。お気に入りのリボンを参考にしてつくるのも楽しいものです。

帯の輪と、カーリングした帯の組合せ。

ⓐⓑの要領でつくったレースの蝶結び。

ペーストの土台に帯の輪をとめていく。帯の縁にロイヤルアイシングを絞る。ラッピング用にぴったり。

エンボス模様をつけた蝶結び。

レースを2枚重ねた蝶結び。

ペーストの土台に帯の輪をとめていき、花を形づくる。中央にクイリングのうず巻きのパーツをとめて花芯に見たてる。

2 14 リボンインサーション

Ribbon Insertion

適するペーストの目安
モデリングペーストB（P.42）

短い帯をカバーリングペーストに等間隔にさし込んで、
あたかも1本のリボンを通したように見せるワークです。
ペーストで行なうパターンと、本物のリボンを使うパターンがあります。

a ペーストの帯を使う

帯にカーブをつけてリボンの自然なたわみ具合を表現します。

1 ケーキにさし込む帯の横幅を決める（ここでは1cm）。横幅＋たわみ分の5mm（計1.5cm）にペーストの帯を切り、細棒などにそわせてカーブをつける。

2 ケーキにかぶせたカバーリングペーストが柔らかいうちに、帯の横幅と帯をさし込む間隔を、紙テープと爪楊枝などを使って等分にしるしづけする。

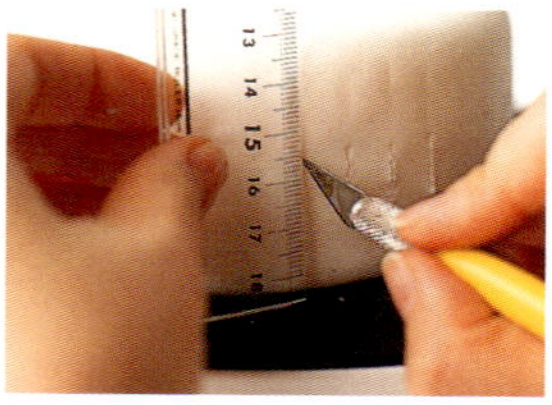

3 続いて、帯の縦幅に合わせてカッターナイフで切込みを入れる。

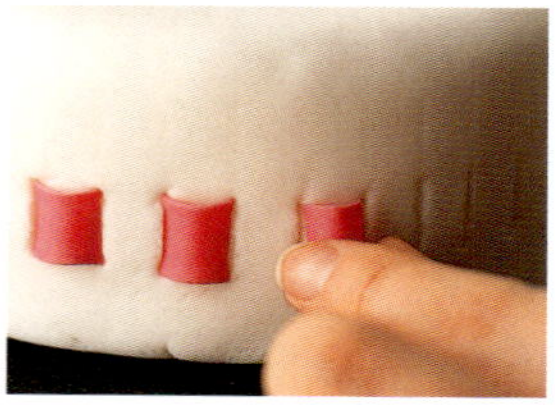

4 ①の帯の両端に蒸留酒を塗り、③の切込みにさし込んで接着する。

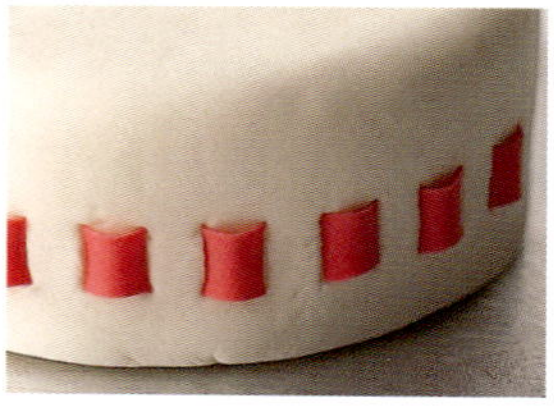

5 でき上がり。

b 本物のリボンを使う

本物のリボンを使う場合は、コシのあるリボンを選ぶのがポイント。ケーキを食べる時にはかならず取り除いてください。また、コンクールでは本物のリボンをケーキにさし込むことを禁止している場合があるので注意が必要です。ケーキへのしるしのつけ方などはⓐに準じます。

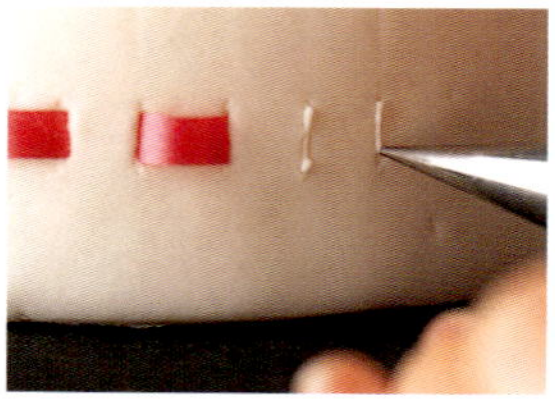

1 切込みにロイヤルアイシング（口金＃0）を絞り、リボンをさし込んで接着する。

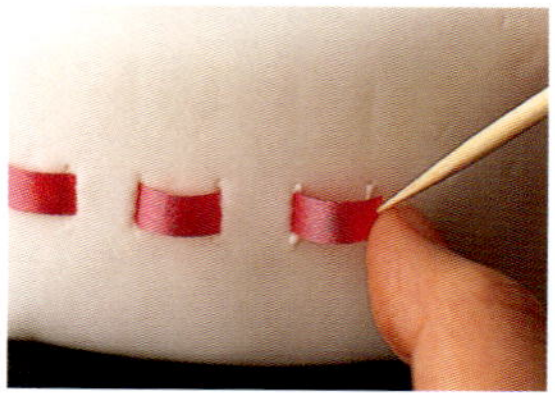

2 リボンはまず片端をさし込んでとめ、指と竹串または爪楊枝を使ってカーブをつけながら反対側の切込みにさし込むと、うまく接着できる。

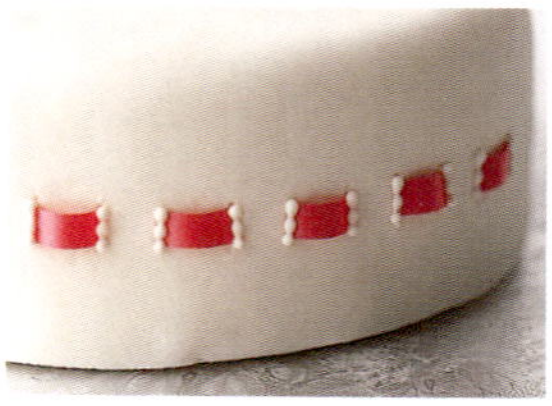

3 リボンとペーストの境目をロイヤルアイシングの絞りでととのえてもよい。

※なお、ここではⓐⓑともにダミーケーキを使用しているため、ターンテーブルに直置きしているが、本物のケーキは紙を敷くか、ボードにのせてからターンテーブルに置く。

☛ 作品例

リボンインサーションの応用例。テクスチュアピンでつけた筋目模様を利用して帯をさし込んでいる。帯をさし込む位置をしるしづけする必要がなく便利。また、ペーストの帯は上下の縁を数mm内側に折り込んでおくと、より美しい仕上がりになる。リボンインサーションに蝶結びを組み合わせた、リボンらしさがいっそう際立つデザイン。

Reference　そのほかの作品例

☛ P.163
本物のリボンを使ったリボンインサーション。ボードに巻いたリボンとともに、白地に赤い色が映えている。

☛ P.133
やはり本物のリボンを使ったリボンインサーション。レースペーパーをリボンでとめたようなかわいらしいデザイン。

2 15 テーブルクロス

Tablecloth

適するペーストの目安
モデリングペーストA (P.42)

カバーリングしたケーキに、ケーキ上面より大きく薄くのしたペーストをさらにかぶせて、
テーブルクロスをかけたように見せるワークです。
テーブルクロスに見たてるペーストは、薄ければ薄いほど美しさが増します。

a テーブルクロスを美しく仕立てる

円形のケーキカードやアクリルボードを利用すると、ペーストをきわめて薄く、かつきれいな円形に仕上げることができます。

1 ケーキをカバーリングし、側面にたらすテーブルクロスの長さを決める。ケーキの直径+(側面にたらす長さ×2)を直径とする、円形のケーキカード(またはアクリルボード)を用意し、上面にコーンスターチをふる。コーンスターチをふるのは、この後、円形カードの上でペーストを非常に薄くのす際に、ペーストがカードにくっつくのを防ぐため。ちなみに、コーンスターチは写真のようにガーゼなどに包むと、均一に薄くまぶすことができる。

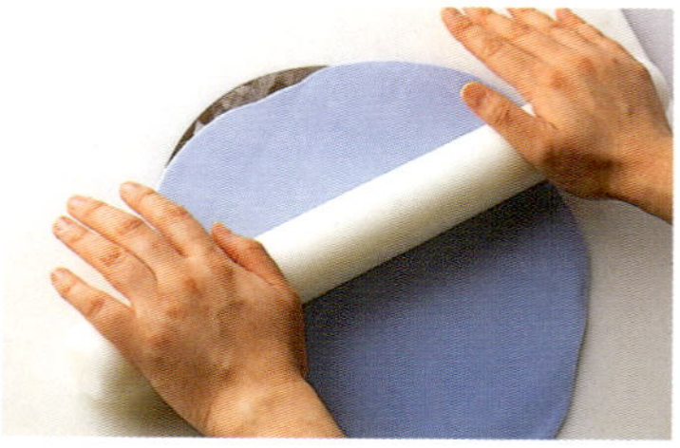

2 ペーストをノンスティックボードの上でだいたい①の円形カードくらいのサイズにのし、円形カードの上に移してさらにのす。

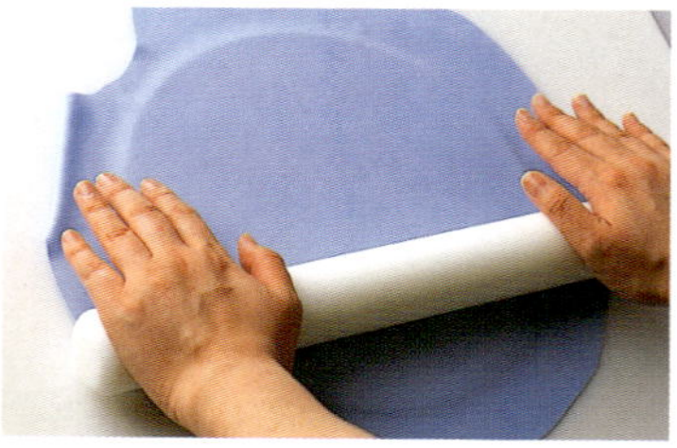

3 できるだけ薄くのす。

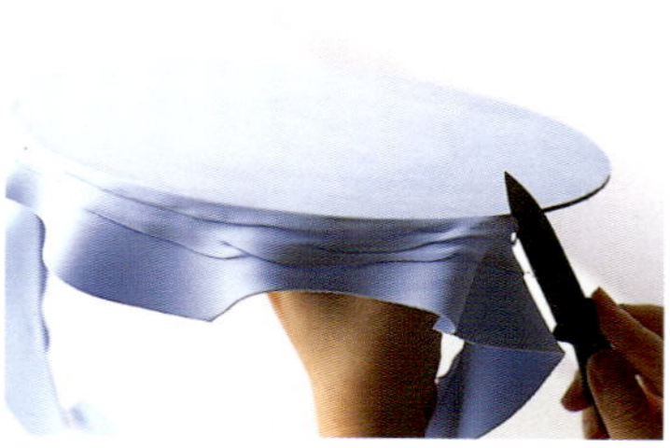

4 カードを持ち上げ、縁からはみ出したペーストを切り落とす。

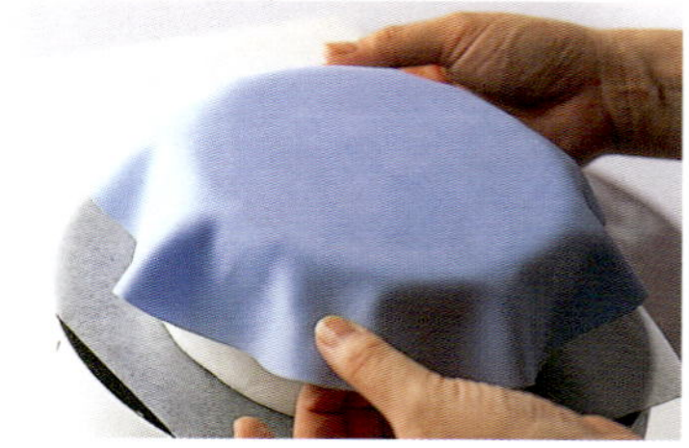

5 ペーストをカードからずらしながら、カバーリングしたケーキに移してかける。側面にたれるペーストの長さが揃うように気をつける。テーブルクロスのでき上がり。

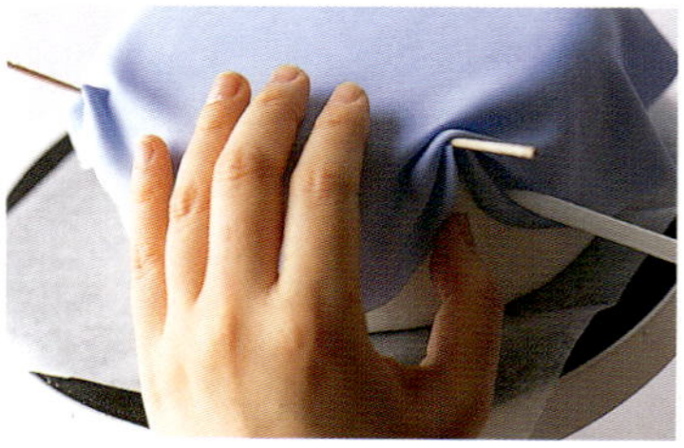

6 応用のデザイン。ひだを寄せながらペーストを数ヵ所持ち上げて爪楊枝でとめ、細棒でひだの形をととのえる。ペーストが固定したら爪楊枝をはずす。

☛ 作品例

ⓐの要領でテーブルクロスをかけたケーキ。テーブルクロスの縁にストリングの絞りを入れてレース編みの縁どりに見たて、爪楊枝をはずした箇所にロイヤルアイシングでリボンを絞っている。ケーキ上面に野バラとスズランをあしらう。

☛ 作品例

テーブルクロスワークを応用して帽子をかたどったケーキ。カバーリングしたケーキを帽子のクラウン（山部）に見たて、つばのサイズを見込んで、かぶせるペーストの円の直径を決める。ペーストを薄くのして、決めた円のサイズに切り、縁を数mm内側に折り込む。カバーリングしたケーキに中央から少しずらしてかぶせ、つばにひだを寄せる。ひだの内側にティッシュペーパーを挟んで支え、形をととのえて乾かす。

2 16 スモッキング

Smocking

適するペーストの目安
モデリングペーストA (P.42)

(P.42)

**布地を細かく糸ですくって絞り、ひだを寄せて模様をつくるスモッキング刺繍に見たてるワーク。
専用ローリングピンとピンセットを使ってペーストでベースをつくり、ロイヤルアイシングで模様を絞ります。
ペーストをつまむ位置やロイヤルアイシングの絞り方の違いによってさまざまな模様ができます。**

a ダイアモンド柄

スモッキングによってつくれる模様は多種多様。ここではポピュラーなダイアモンド柄を例にとり、スモッキングの基本のやり方をご紹介します。

1 ケーキをカバーリングし、スモッキングするペーストを接着する範囲とサイズを決めておく（ここではケーキの側面全体に4枚に分けて接着する）。1枚ずつつくっていく。ペーストをボードにのせ、普通のローリングピンで約3mm厚さにのし、次にスモッキングローラーで強めにのして筋目模様をつける。

2 1枚分のサイズに合わせてペーストをナイフで切る。この時、かならず筋の部分で切るようにする。隣合う山2本をスモッキング用ピンセットでつまむ。山2本おきに次々とつまみ、写真のように3段つまむ。

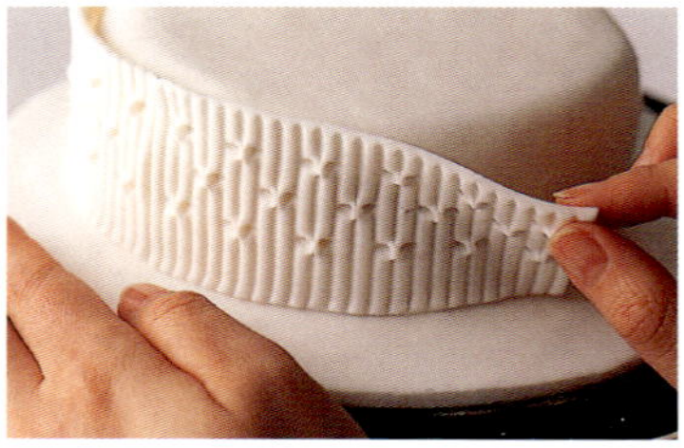

3 ②のペーストの裏面に蒸留酒を塗り、ケーキの側面に接着する。同じ要領でふたたび1枚つくって隣のスペースに接着する。

4 ペーストのつなぎ目は、つなぎ目を挟んで隣合う山2本をスモッキング用ピンセットでつまむ。残り2枚も同じ要領でつくって接着する。ただし最後の1枚は、残りのスペースのサイズをふたたびはかり（多少誤差が出るため）、模様がくるわないように筋の数を計算してつくる。

5 つまんでできたくぼみ同士を、ロイヤルアイシング（口金＃0）で写真のように絞ってつなげる。

6 さらに、くぼみ同士をつなぐ短い横ラインも絞る。あたかも糸で刺繍しているようにくぼみの奥までまわり込んでラインを絞るのが、本物らしく見せるポイント。

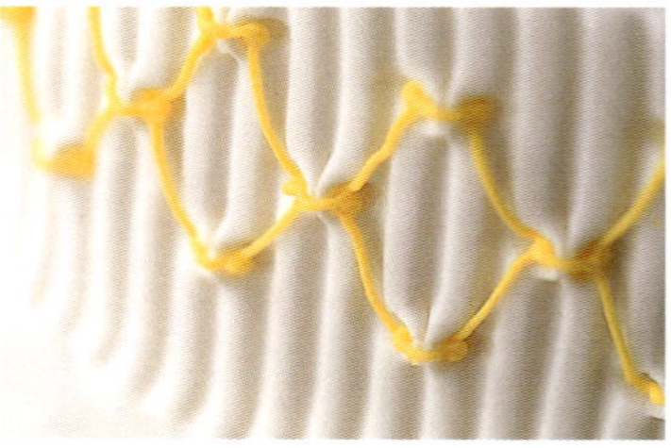

7 ダイアモンド柄のスモッキングのでき上がり。

1 スモッキングローラーで筋目模様をつけたペーストの両長辺を、ストレートフリルカッターで抜き、フリルにするスペースを除いてペーストをスモッキング用ピンセットでつまむ。ペーストの両長辺の縁に竹串をあててフリルをつける。

2 同じ要領で1枚ずつつくってはケーキ側面に貼る。

☛ 作品例
ダイアモンド柄のスモッキングをしたペーストを、ケーキ側面全体に接着したケーキ。ペーストは、上下の縁をフリルにしている（上記①～②参照）。ロイヤルアイシングの色に合わせて、黄色のマーガレットとリボンをあしらう。

スモッキングキット
スモッキングに使うスモッキングローラーとピンセット。スモッキングローラーは、小型のテクスチュアピンとしても活用できる。スモッキング用ピンセットは、プラスチック製のためペーストを切らずにつまむことができるすぐれもの。ちなみに金属製のピンセットは、ペーストが切れてしまうのでスモッキングには使えない。

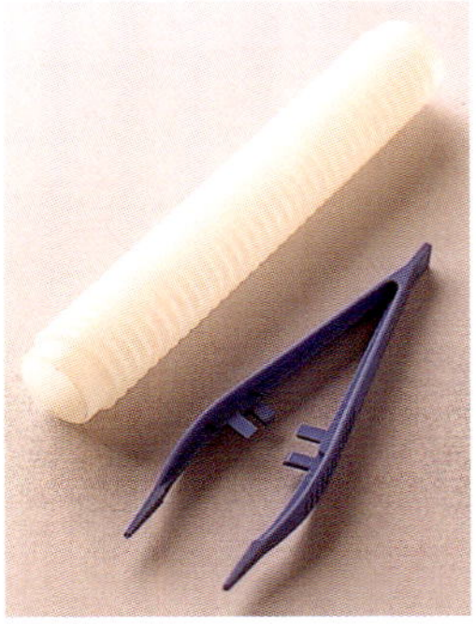

b スモッキング柄のバリエーション

ペーストのつまみ方とロイヤルアイシングの絞り方の組合せによって、さまざまなデザインができます。ここではⓐのダイアモンド柄をはじめ、代表的な3種類の柄をとり上げました。

ペーストをつまむ → **ロイヤルアイシング（口金 #0）を絞る**

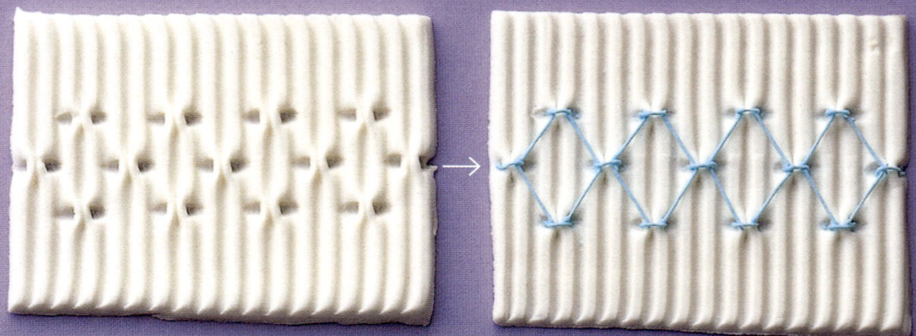

ダイアモンド柄（P.74）

隣合う山2本を山2本おきにつまむ。3段を互い違いの位置にする。

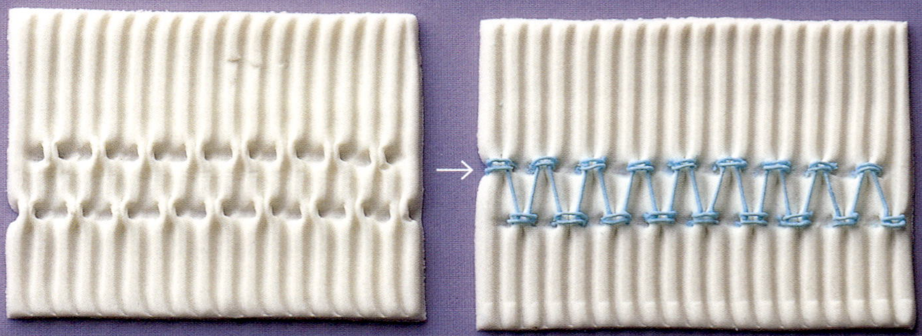

ハニカム柄

隣合う山2本を連続してつまむ。2段めは1段めと互い違いの位置にする。

トレリス柄

隣合う山2本を山2本おきにつまむ。2段めは1段めの2本めと3本めの山からはじめ、隣合う山2本を連続してつまむ。3段めは1段めの3本めと4本めの山からはじめ、山2本おきにつまむ。この要領でくり返す。

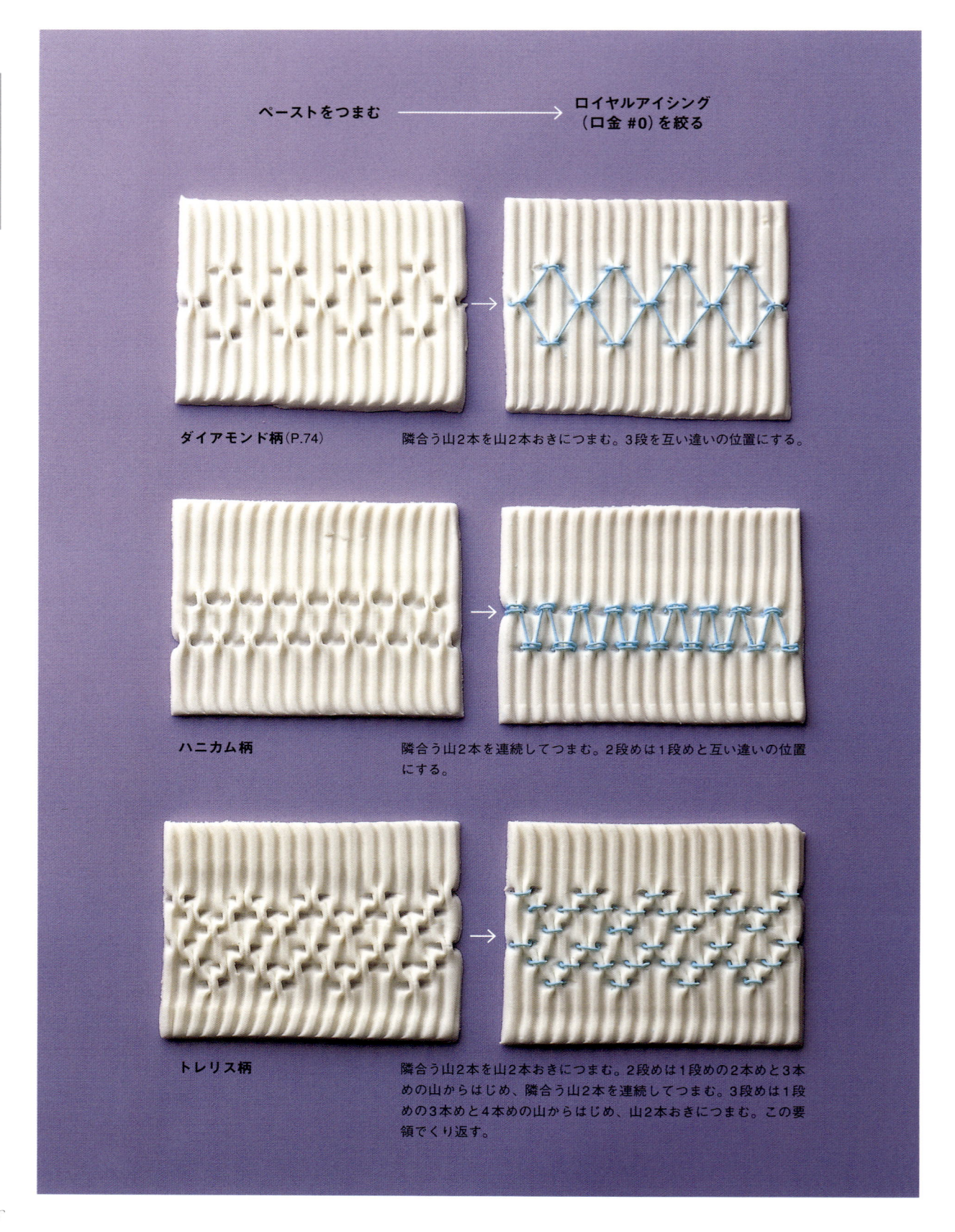

☛ 作品例

一度に広い範囲にスモッキング模様をほどこした参考例。スモッキングローラーのかわりにテクスチュアピンで筋目模様をつけたカバーリングペーストでケーキをカバーリングし、ペーストが柔らかいうちにスモッキング用ピンセットを使ってフリーハンドでペーストをつまむ。ロイヤルアイシングで模様を絞り、適宜小花なども絞って飾る。ボードのペーストにもテクスチュアピンで模様をつけ、絞りを入れてスモッキングに見たてている。上面にモデリングのうさぎを飾る。

2 17 キルティング

Quilting

適するペーストの目安
カバーリングペースト

2枚の布の間に綿などを入れて縫い合わせるキルティング刺繍に見たてて、ペーストに縫い目のラインをつけるワーク。模様のふっくら感を強調すると、よりリアルな表現になります。

a 縫い目のラインをつける

専用の道具を使うと、手軽に縫い目を再現できます。

ステッチホイールを使う

1 カバーリングペーストが柔らかいうちに、ステッチホイールでラインをひいて格子模様をつくる。

☛ **作品例**（P.377）

キルティングエンボッサーを使う

1 狭い範囲に細かいキルティング模様をつける時には、キルティングエンボッサーが便利。

☛ **作品例**（P.94）

b ふっくらしたキルティング模様をつくる

縫い目で囲むスペースをクッションのようにふっくらさせると、よりキルティングらしい雰囲気を出せます。

1 ペーストを約3mm厚さにのし、デイジーカッターで抜く。花弁部分を細工用はさみで切り離して使う。

2 ①の花弁の裏に蒸留酒を塗り、マジパニングしたケーキに1枚ずつ貼る。花模様ひとつにつき花弁6枚を使い、ケーキ上面に8つの花模様をつくる。

3 花模様のでき上がり。

4 カバーリングペーストを薄めにのして③の上からかぶせ、全体を密着させる。花弁の周囲を指でこすって花の輪郭をはっきりと出す。

5 花の中心をボーンスティックでくぼませ、花弁の周囲にステッチホイールでラインをひく。

6 丸めたペーストを花の中心につけ、ステッチホイールで各花をつなぐラインをひく。各花弁にリーフシェイパーで花脈をつける。

☛ 作品例

ⓑの要領で上面にキルティング模様をつけたケーキ。ケーキボードにも同じ要領でキルティングをし、キルティングのラインを色づけしている。ケーキ裾とボードの縁はクリンピングで模様づけ。ケーキ側面には、レースカッターで抜いたペーストをあしらっている。上面にモールディングの子ぐま(P.94)をのせる。

2 18 アップリケ

Applique

適するペーストの目安
モデリングペーストC (P.42)

布地に別布を縫いつけて模様をつくる手芸のアップリケに見たてるワーク。
メリハリのあるはっきりした色合いで構成すると、特にかわいらしさがひき立ちます。
アップリケするペーストは、絞りを加えたり、立体的に組み立てるなどひと工夫すると、楽しさが広がります。

a ペーストのパーツを貼りつける（花）

好みの模様を見本にしてパーツをつくり、ケーキやボードに貼りつけます。ディテールをていねいに表現すると、より印象的な作品に仕上がります。

1 好みの模様（ここでは花）の裏面にボール紙を貼って型紙をつくる。ローズピンクのペーストを1〜2mm厚さにのして型紙をあて、カッティングホイールで切り取る。

2 型紙を見本にして模様を仕上げていく。まずリーフシェイパーで花弁の輪郭をはっきりさせる。

3 ②を裏返し、フラワーシェイパーで花弁の輪郭をなぞる。

4 ふたたび表にして、リーフシェイパーで花脈をつける。

5 花弁にプラム、中心にホワイトをダスティングする。バーガンディーのダスティングパウダーを蒸留酒で溶き、花脈のラインを描く。

6 花の中心に薄茶色のロイヤルアイシング（口金＃2）を絞り、その周囲に、黄色のロイヤルアイシング（口金＃1）を絞る。

7 バーガンディーとレッドを混ぜて花芯にダスティングする。

8 ⑦のペーストが柔らかいうちに、貼る位置のカーブにそわせて接着する。

作品の裏面にもアップリケのパーツを貼ると、より完成度が高まる。

☛ 作品例

バスケットをとび出して、お花畑でお昼寝をする子犬をテーマにした作品。薄くのしたペーストをケーキ側面に巻き、固定して乾かす。ⓐの要領でつくった模様のパーツを適宜接着して仕上げる。蝶のパーツは、ティッシュペーパーなどで固定して乾かしたもの。ケーキ上面にモールディングの子犬(P.94)をのせる。

2 19 パッチワーク

Patchwork

適するペーストの目安

カバーリングペースト
モデリングペーストA (P.42)

小布を縫い合わせる手芸のパッチワークに見たてるワーク。
ペーストのパーツをつなぎ合わせて模様をつくります。専用カッターがあれば、複雑な模様も手軽につくれて便利。
また、マーブリングやステンシルなど、ほかのワークを組み合わせることで、さまざまな模様の布地を表現できます。

a ペーストのパーツをつなぎ合わせる

小布に見たてたペーストをつなぎ合わせて縫い目のラインをひきます。ペーストはカバーリングペーストを使うか、または作業しやすくするためカバーリングペーストにフラワーペーストを少量混ぜて使ってもよいでしょう。

1 ケーキをマジパニングする。上面と同じサイズに紙を切り、6等分に折って切り離し、型紙とする。

2 青のペーストを約2mm厚さにのし、①の型紙に合わせてカッティングホイールで3枚切る。

3 ②の裏面に蒸留酒を塗り、ひとつ飛ばしでケーキ上面に接着する。

4 白と青のペーストをマーブリング（P.48）して約2mm厚さにのし、①の型紙に合わせて3枚切って、ケーキ上面の残りのスペースに同様に接着する。

5 各ペーストの中央にステッチホイールで縫い目のラインをひく。

b パッチワークカッターを使う

小さなパーツごとに抜ける専用カッターを使うと、細かい模様も簡単につくれます。なお、小さなパーツでパッチワークをする場合はモデリングペーストAを使うと扱いやすいでしょう。

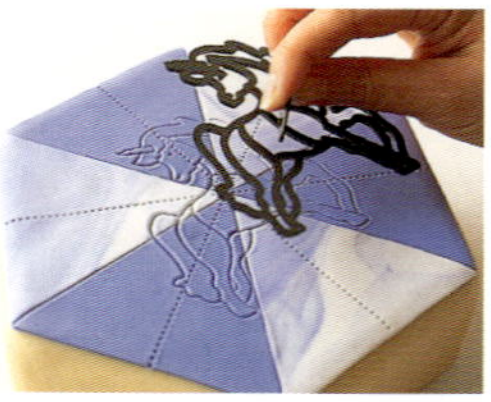

1 ケーキ上面にペガサスのパッチワークカッターを押しあてて跡をつける。ペガサスの周囲にステンシル（P.84）で好みの模様をつける。

2 白のペーストを約2mm厚さにのし、①のパッチワークカッターを押しあててペガサスの形に抜く。

3 白にしたいパーツのみ、細棒で押してペーストをはずす。

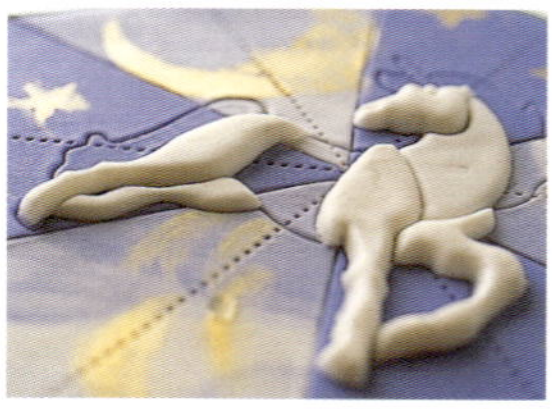

4 ③ではずしたペーストを、①の跡に合わせて貼る。手前に位置するパーツはやや盛り上げてととのえると、遠近感を表現できる。

5 紫のペーストを同様にのしてカッターで抜き、紫にするパーツのみはずして④の残りのスペースに貼る。リーフシェイパーでたてがみや尻尾、角などのラインをひき、目や鼻をつくる。

☛ 作品例

ⓐⓑの要領でパッチワークをした作品。ペガサスはミントグリーンのペーストを貼って鞍とし、ダスティングパウダーで着色して仕上げる。適宜型紙をつくってケーキ側面にもペーストを貼り合わせ、好みの模様をつけている。ケーキ上面縁と裾にペーストの帯を貼ると、よりパッチワークらしい雰囲気に。テクスチュアピンで模様をつけたボードにのせる。

2 20 ステンシル

Stencilling

適するペーストの目安
モデリングペーストC (P.42)
※カバーリングしたケーキに直接行なう場合を除く

'stencilling'とは、図案の形を切り抜いた型紙を素材にあてて色づけし、図案をその素材に写しとる技法のこと。
シュガークラフトでは、ダスティングパウダーやロイヤルアイシングでペーストに図案を写します。
パーツを立体構成してさらにおもしろみを加えてみました。

a パーツをつくり、同系色で色づけする（葉）

小さなパーツでステンシルの基本のやり方をご紹介します。2色以上のダスティングパウダーを使う時は、淡い色から塗るのが基本。また、色づけの前にペーストの表面にショートニングを薄く塗っておくと、ダスティングパウダーがしっかり定着しやすくなります。

1 型紙をつくる。ゴムマットの上に図案を置き、図案よりも大きく切ったステンシルシートをのせて周囲をセロテープでとめる。図案をカッターナイフで切り抜く。

2 ペーストを1〜2mm 厚さにのして図案よりも大きく切り、①のステンシルシートにのせてよく押す。ひっくり返してペーパータオルなどを敷いた上に置き、ペーストにショートニングを薄く塗って、平筆でスプリンググリーンのダスティングパウダーを全体に塗る。輪郭がはっきりするように、図案の縁は図案の外側から内側に筆を動かして特にしっかり色づけする。

3 次にモスグリーンのダスティングパウダーを、同様に図案の外側から内側に筆を動かしてスプリンググリーンの上に重ねて塗り、グラデーションをつける。

4 ペーストからステンシルシートをそっとはがす。

5 図案の周囲を1〜2mm 残して細工用はさみで切る。

6 リーフシェイパーで葉脈をつけ、ペーストが柔らかいうちにカーブをつけると、表現の幅がより広がる。乾かす。

☛ **作品例**
ステンシルのさまざまな手法をとり入れた作品。ⓐ～ⓕの要領でステンシルをして各パーツを接着する。春になって何かといそがしいうさぎの様子を表現した、躍動感のあるかわいらしい作品。◯図案→P.407～408

b パーツを スペース別に色づけする（うさぎ）

スペース別に色づけする時は、淡い色の箇所からはじめます。また、濃い色を塗る時にはほかのスペースに色がとばないように注意しましょう。そのほかの要領はⓐと同じです。

1 ブラウンとクリームのダスティングパウダーを混ぜ、うさぎの上着を除いた箇所に塗る。尻尾など色を濃くしたい箇所はブラウンの分量を増やす。

2 上着部分は、上着以外の箇所をステンシルシートなどでしっかり覆い、ブラックとブラウンのダスティングパウダーを混ぜて塗る。

3 にんじんも適宜着色し、ステンシルシートをそっとはがす。ブラックのダスティングパウダーを蒸留酒で溶いて爪楊枝につけ、目を描く。

c パーツを 立体的に組み立てる（桜）

ステンシルのパーツを組み合わせて立体化すると、よりユニークな表現になります。

1 ⓐの要領で花弁をつくる。着色はピンクとタンジェリン（オレンジ）のダスティングパウダーで行なう。別のペーストを丸めてくぼませ、内側にコーンスターチをふる（土台）。

2 花弁が柔らかいうちに土台に1枚ずつのせ、水で接着する。フラワーシェイパーなどで押さえて固定する。

3 花弁を5枚接着し終わったら細棒で中心を軽く押し、黄色のロイヤルアイシング（口金#2）を絞る。黄色のポレーン（P.251）をふって花粉に見たてる。

d ケーキに 直接ステンシルをする（茂み）

ステンシルはケーキに直接行なうこともできます。ケーキは同サイズのケーキカードごとカバーリングし、指の跡はつかないがマチ針はさせるくらいの固さまで乾かしておきます。

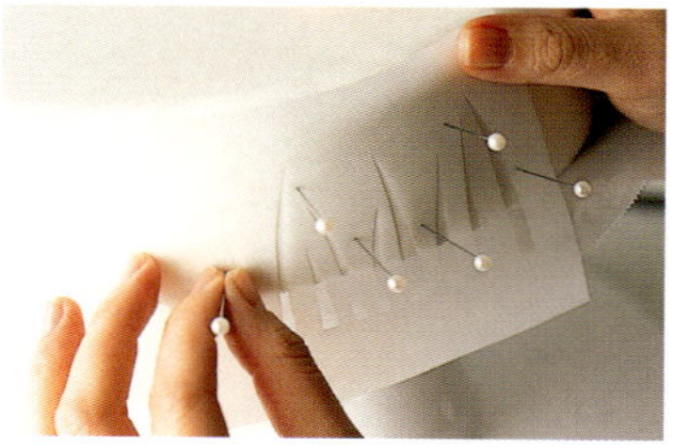

1 ターンテーブルにケーキをのせ、ターンテーブルの手前を高くしてケーキを手前にひき出す。ケーキ側面に茂みの型紙を、1/3ほど下にはみ出させてマチ針で固定する。

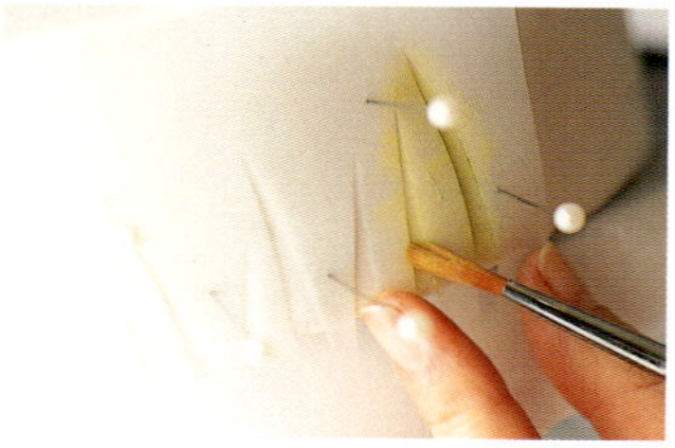

2 平筆でスプリンググリーンのダスティングパウダーを茂み全体に塗る。型紙をケーキの下まではみ出させているので、ケーキの裾まできっちり色づけすることができる。

3 モスグリーンのダスティングパウダーをところどころに重ねてグラデーションをつける。

4 型紙をそっとはがす。

5 モスグリーンのダスティングパウダーを蒸留酒で溶き、細筆で細かい部分を描く。

e ロイヤルアイシングによるステンシル（茂みの花）

ロイヤルアイシングでステンシルをすると、自然な立体感を表現できます。

1 柔らかめの黄色のロイヤルアイシングを用意する。茂みの花の型紙をケーキ側面にあて、水で湿らせた筆でロイヤルアイシングを塗る。筆は図案の外側から内側に向かって動かすようにする。

2 型紙をそっとはがす。乾かす。

3 花の中心にタンジェリン（オレンジ）のダスティングパウダーをつけて仕上げる。

f パーツの接着

丸めたペーストにパーツをさすなどして、全体のバランスをみながら少しずつケーキに接着します。

1 ケーキ側面にうさぎを接着する。パーツがまだ柔らかいうちに行なう。側面からはみ出す部分はパーツの裏にコットンなどをあてて固定し、乾かす。

2 丸めたペーストをケーキ上面に置いて土台とし、うさぎをさして固定する。桜も同様に土台のペーストに数個ずつさして固定する。

3 全体のバランスをみながらケーキとケーキボードにパーツを接着していく。土台にしたペーストは葉のパーツなどを利用して隠す。

2 21 バスレリーフ

Bas Relief

適するペーストの目安

モデリングペーストA（P.42）

'bas relief'は「浅い浮彫り」という意味。平面に模様を浮き上がらせた彫刻などに見たてるワークです。ここでご紹介する、形づくったペーストを順に貼って奥行きを出す手法のほか、プレッシャーパイピング（P.123）などでもバスレリーフを表現できます。3段階に奥行きをもたせたものは、3D（P.166）ともいえます。

☛ 作品例

ⓐの要領でつくった人形をパレットナイフでプラークに移し、接着する。髪の毛のポニーテール部分をつけ加える。ペーストでつくった風船を貼り、風船のひもなどをロイヤルアイシングで絞る。適宜ダスティングパウダーで着色して仕上げる。◯型紙→P.411

ⓐ 型紙を使う（人形）

奥に位置するパーツから順にペーストを形づくって型紙の上に貼っていきます。手前に位置するパーツを気持ち大きめにつくるのが、遠近感を表現するポイントです。

1 人形の型紙の上に透明アクリルボードを置く（写真ではこの段階にだけ型紙を置いているが、実際の作業では人形をつくり終わるまで型紙を下に敷いて作業する）。

2 型紙に合わせて頭、胴体、脚をそれぞれペーストで形づくり、ボードに貼る。ペーストを丸めて鼻をつけ、モデリングツールなどで目、口、耳をつくる。

3 ドレス、腕、大きなえりを順にペーストで形づくっては貼る。ドレスは、長方形に切ったペーストの下側をストレートフリルカッターで抜き、人形の胴に合わせてひだを寄せて接着。大きなえりは、カーネーションカッターで抜いたペーストを切ってフリルをつけ、接着する。ペーストをシュガークラフトガンで絞り出してつくった髪の毛を貼り、極小のペーストを丸めて目につけ、目の縁や頬、口などをダスティングパウダーで着色する。

☛ **作品例** (P.57)

b フリーハンドでつくる（うさぎ）

型紙を使わずにつくります。頭や脚の一部などを平面から離して造形すると、躍動感を出せます。

1 頭・顔をつくる。ペーストをしずく形に形づくり、細い側を細工用はさみで切って耳をつくる。細棒で耳をカップ状にし、縁を薄くして形をととのえる。ペーストをハート形にして鼻をつけ、細棒や爪楊枝を使って目、口をつくる。極小のペーストを丸めて目につける。

2 胴体、前脚、後脚、尻尾をそれぞれペーストで形づくる。

3 胴に頭を接着し、右の前脚、両後脚、尻尾を順に接着する。丸めたペーストを接着してブーケの土台とし、小さな穴を複数あけて、ブロッサムプランジカッターで抜いたペーストの小花をつける。ロイヤルアイシング（口金＃1）で小花の葉などを絞る。

4 一番手前に位置する左の前脚を小花のブーケの脇に接着する。尻尾の毛をロイヤルアイシング（口金＃1）で絞り、目、口、頬、耳などをダスティングパウダーで着色して仕上げる。目的の場所に適宜接着する。

2 22 モールディング

Moulding

適するペーストの目安
モデリングペーストA (P.42)

'mould（型）'にペーストを入れて形づくるワークです。
型の材質には数種類あり、模様もシンプルなものから細かなディテールのものまでさまざま。
お気に入りの型を揃えておくと、創作がより手軽に楽しめます。

a 硬質プラスチック製型を使う（くま）

もっとも一般的な材質の型。型の種類を問わずいえることですが、ペーストは、亀裂が入らないように、型に入れる前によくこねることが大切です。特に、でき上がりの表面にくる部分は充分にこねてなめらかな状態にしてから型に詰めましょう。

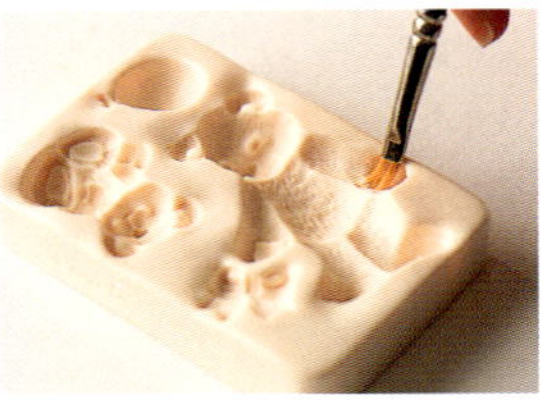

1 大小のくまと風船、リボンがつくれる型を使用。ここでは大きなくまをつくる。ペーストの型離れがいいように、型の内側に筆で均一にショートニングを塗る。

2 ペーストをよくこね、適当なサイズの俵形にして型に入れる。

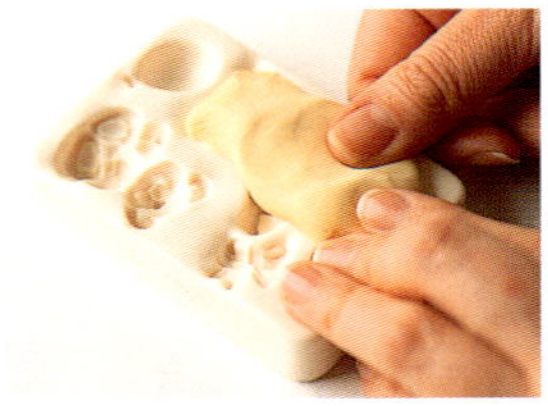

3 模様がきちんとつくようにしっかりとペーストを詰める。模様が細かい箇所は特に念入りに。余分なペーストを除いてととのえる。

4 型からとり出し、両脚をはさみで切り離すなど形に表情をつける。乾いたら、適宜ダスティングパウダーで着色する。

☛ 作品例
ⓐの要領でつくった大小のくまと風船を接着したボード。くまと風船は裏面にもふくらみをもたせて立体感を出し、大きなくまにはやはり同じ型でつくったペーストのリボンをつけている。ボードのペーストはインレイワークで雲や茂みの模様をつけたもの。風船のひもや鳥、小花などをロイヤルアイシングで絞って仕上げる。

ⓑ ゴム製型を使う（パール）

ゴム製型にはペーストを両側から挟めるタイプのものもあり、球形も簡単につくれます。

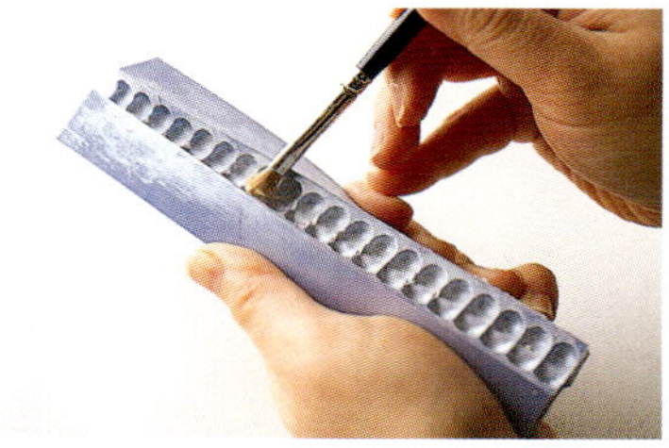

1 ゴム製のパール型を両側から開き、型の内側に筆で均一にパール系のラスターカラーをつける。ラスターカラーは着色と光沢感を出す目的のほか、ペーストの型離れをよくする役割もはたす。

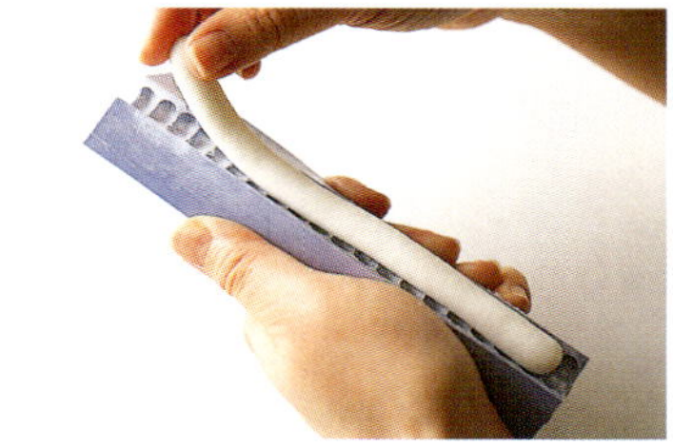

2 ペーストをよくこね、適当なサイズのソーセージ状にして型に入れる。

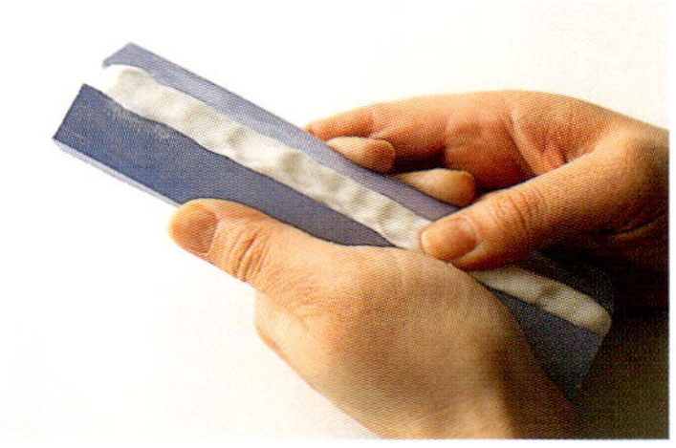

3 模様がきちんとつくようにしっかりとペーストを詰める。

4 型を両側から閉じ、はみ出したペーストをナイフスティックで取り除く。

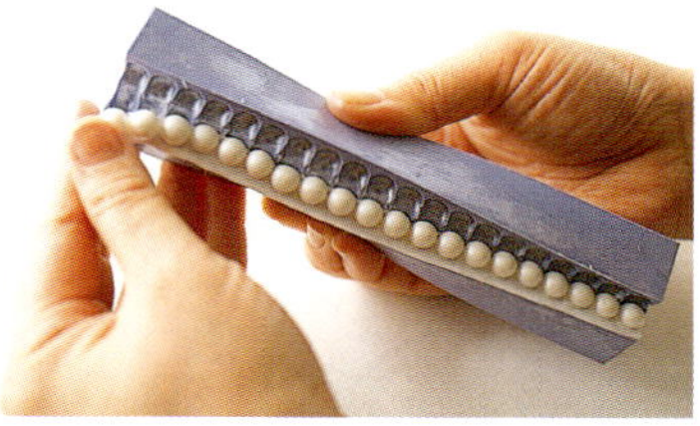

5 ふたたび型を両側から開き、ペーストをとり出す。パールが連なった形にでき上がる。

6 ⑤をボードに置いて余分なペーストをカッティングホイールで取り除く。乾かないうちに輪にしたり、目的の場所に適宜置く。

☛ **作品例**（P.93）

パールのバリエーション

パール型にも、粒のサイズが違うものや模様入りのものなど数種類あります。着色によっても仕上がりの雰囲気が変わります。

写真下はⓑの要領でつくったパール。右は、小粒の型でつくった2本のパールをからませて輪にしたもの。左は、各粒にバラ模様が入った型でつくったパールを輪にしたもの。

c シリコン製型を使う（レース）

シリコン製型は一般的に高価ですが、模様のディテールが大変細かく、リアルな表現ができることが魅力です。

1 表裏2枚セットのシリコン製レース型を使用する。表面側の型の内側に筆で均一にコーンスターチをまぶしつける（模様が非常に細かく、ペーストがくっつきやすいため）。

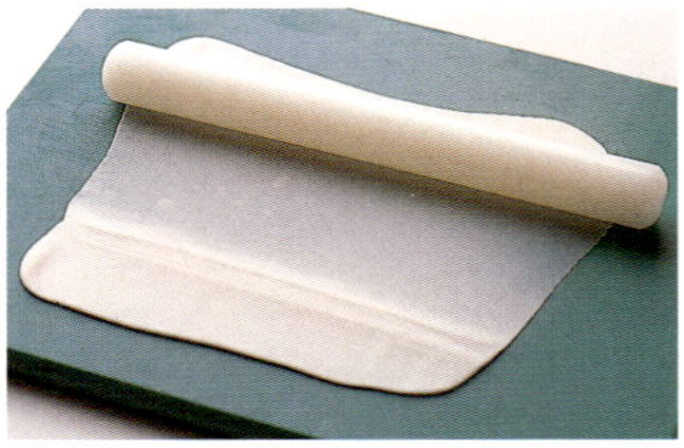

2 ペーストを型よりも大きく、ボードの色が透けるくらいに薄くのす。

3 ①に②をかぶせ、模様がきちんとつくようにコーンスターチを包んだガーゼで押してよく密着させる。

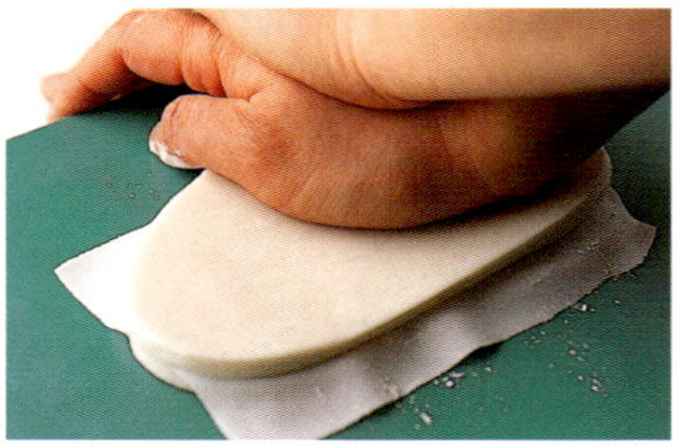

4 裏面側の型を模様を合わせて③にかぶせ、てのひらでしっかり押さえる。

5 型をはずす。

6 ペーストをボードにのせ、型の模様を見ながらカッターナイフやカッティングホイール、口金などを使って余分なペーストを取り除く。乾かないうちに目的の場所に接着する。

Reference　そのほかの作品例

☞ P.383
シリコン製型でつくったペーストのレースをケーキ上面に接着して側面にたらし、自然なカーブをつけて乾かしたもの。ところどころ透けた箇所が、レースらしさをいっそう強調している。

☛ 作品例

ⓒの要領でつくったレースを、ケーキやケーキボードに接着。ペーストでつくったハイヒール（P.189）にもレースをあしらっている。ケーキ上面に、ⓑの要領でつくったパールのネックレスを飾る。

☛ **作品例**

シリコン製型でつくった子ぐまと子犬。細かい毛並まで表現できるのは、シリコン製型ならでは。この子ぐまや子犬のように、深さがあり、なおかつディテールが非常に細かい型を使う場合、ペーストに確実に模様をつけるには、ペーストは2回に分けて型に詰めるとよい。まずのしたペーストを型に敷いてよく押さえる。模様のすみずみまでペーストが密着したことを確認したら、その上からペーストのかたまりを全体に詰める。型から出した子ぐまや子犬は、着色や装飾の仕方によって、同じ型でも違う雰囲気に仕上げることができる。なお、下に敷いたマットはオリジナルアイデアによるもの。キルティング模様をつけたペースト（P.78）をひと工夫し、縁を細かくカットしてフリンジにしている。

2 23 モデリング

Modelling

適するペーストの目安
モデリングペーストA（P.42）

'model'は「かたどる」という意味。
ペーストを使って動物や人形などさまざまなものを手で自由に形づくるワークです。
粘土細工のような楽しさが魅力です。

a 動物（子ぐま）

動物をつくる時は、頭、胴体、脚のペーストの量をほぼ同量にしてつくると、全体のバランスをとりやすくなります。作業中は、ペーストが乾いて亀裂が入らないように注意。ペーストができるだけ空気にふれないように、てのひらの中で形づくるようにします。これは、モデリング全般のポイントです。パーツ同士はペーストに水を加えて練ったグルー（P.406）などを使って接着します。

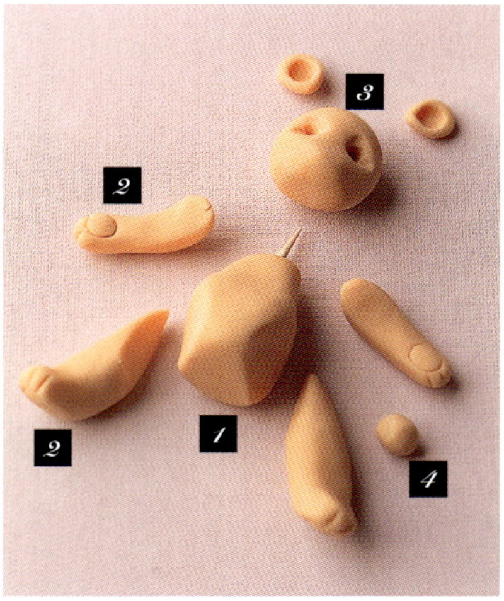

☛ **作品例**（P.63）

1 胴体をつくる。ペーストを円錐形にし、ほかのパーツと合体しやすいように形をととのえる。中心に爪楊枝（食用にはかわりにスパゲッティーを使うとよい）をさす。

2 前脚と後脚をつくる。左右対称にするため、それぞれ1本の棒状のペーストを2等分して形づくる。口金を押しあてて肉球をつくり、リーフシェイパーで指の筋をひく。胴体に接着し、座った姿勢に安定させる。

3 頭・顔をつくる。ペーストを丸め、顔の中央部がやや高くなるように形づくる。細部は下記の要領でつくる。

鼻：色が濃いめのペーストを小さく丸めてつける。

目：細棒を押しあててくぼみをつくり、色が濃いめのペーストを小さく丸めてはめ込む。

口：細工用はさみやモデリングツール、爪楊枝などを使ってつくる。

耳：小さく丸めたペーストをボーンスティックでカップ状にする。頭の両側を少々くぼませて接着する。

細部をつくり終わったら、胴体の爪楊枝にさしてとめる。

4 ペーストを丸めて尻尾をつける。

5 目や頬、耳、肉球などをダスティングパウダーで着色する。

子ぐまのバリエーション

同じ子ぐまでも表現方法はいろいろあります。

左記の要領でつくったパーツを向きを変えて接着し、形をととのえる。寝そべったような愛らしい姿。

☛ **作品例**（P.63）

よりぬいぐるみ風に仕立てた子ぐま。お気に入りのぬいぐるみなどを見本にしてつくっても楽しい。

b 動物のバリエーション

擬人化して姿勢や表情に変化をもたせると、動物をより楽しく、かわいらしく表現できます。ここではくまのウェディングをテーマに、ウェディングに集まったさまざまな動物を製作。ウェディング全体の情景はP.377をご覧ください。

新郎新婦のくま

新郎新婦のお父さん、お母さん

神父様のライオン

神父様のおともの犬

☛ 作品例（P.377）

お祝いにかけつけたうさぎ

酔っぱらっているくま

神父様のお話を聞くうさぎ

偶然通りかかってびっくりしているアザラシ

c 人形（カントリードール）

人形をつくる時は、洋服を着せることを考えて胴体を気持ち細めにつくると、全体のバランスがよくなります。また、思った以上に腕や脚は細く、手や足先は小さいものなので注意してください。ここでは、人形のなかでも小さな女の子をイメージしたカントリードールをとり上げました。

1 胴体をつくる。ペーストを円錐形にし、ほかのパーツと合体しやすいように適宜形をととのえ、中心に爪楊枝（食用にはかわりにスパゲッティーを使うとよい）をさす。ペーストを小さく丸めて爪楊枝にさし、首をつくる。

2 左右の脚と靴をつくる。脚は左右対称にするために1本の棒状のペーストを2等分して形づくる。靴はペーストをのしてラウンドカッターで抜き、足の裏に貼って余分なペーストを除く。同様に円形に抜いたペーストの中央よりやや上側をラウンド口金で抜いて輪の後ろ側を切り、足裏のペーストに前から合わせて余分なペーストを切り取って貼り合わせる。①の胴体に接着する。

3 ドレスをつくる。ペーストをのしてガレットフリルカッターで抜く。縁に爪楊枝をあててフリルにし、輪を切り離す（切った方が背中側）。片側の切り口を内側に数mm折り込み、これが上側になるように胴体に巻きつける。

4 エプロンをつくる。ペーストをのして帯状に切る。下側の縁をストレートフリルカッターで抜き、ラウンド口金で細かい穴をあけて模様をつくる。上部にひだを寄せて③のドレスの上から巻きつけ、背中側に蝶結び（P.68）をつける。

5 左右の腕をつくる。1本の棒状のペーストを2等分して形づくる。ボーンスティックを軽くあてて手のひらをつくり、細工用はさみで切込みを入れて指をつくる。④の胴体の両脇に接着する。

6 ドレスのえりをつくる。ペーストをのしてラウンドカッターで抜き、中央よりやや上側をラウンド口金で抜く。縁にボーンスティックをあててフリルにする。輪の後ろ側を切り、⑤の首元に貼る。

7 頭・顔をつくる。ペーストを丸め、細棒を押しあてて目のくぼみをつくる。ペーストを小さく丸めて鼻をつけ、細工用はさみやモデリングツール、爪楊枝などを使って口をつくる。ダスティングパウダーを蒸留酒で溶き、目や眉、口を描く。頬などを適宜ダスティングし、胴体の爪楊枝にさしてとめる。

8 髪の毛と髪飾りをつくる。シュガークラフトガンに細穴多数のアタッチメントをつけてペーストを絞り出し、パーツごとに分ける。髪飾りはペーストを小さく丸めてつくる。バランスをみながら⑦の頭に接着する。

9 でき上がり。

カントリードールのバリエーション

基本の形は同じでも、洋服やヘアスタイル、表情などを変えることによって、さまざまな人形ができます。

左記の要領でつくった女の子。洋服の色やヘアスタイル、目の色などを変えている。

左記の要領でつくるが、ヘアスタイルや洋服をアレンジ。ミニチュアフラワーをあしらう。

☛ **作品例** (P.63)

エレガントな人形

エレガントな雰囲気の大人体形の人形をつくる場合は、プロポーションを工夫します。

大人体形の人形は、8頭身（以上）のバランスでつくるのがポイント。脚は長くデフォルメした方が格好がよい。立ち姿の人形をつくる場合は、まず、ワイヤーを通した脚のパーツを、発泡スチロールでつくった人形用の土台にさしてとめ、脚が完全に乾いてから順に胴体などを接着して仕上げると、安定がよい。

☛ **作品例** (P.375)

2 24 パスティヤージュ

Pastillage

適するペーストの目安
パスティヤージュ
モデリングペーストC（P.42）

しっかりと固く厚みが均一な板状のパーツをつくるワーク。
組み立ててボックスなどをつくったり、そのままプラークやカードとして使います。

a ボックス

板状のパーツを組み立てる場合、各パーツにゆがみのないことがポイント。底やふたの厚み、側面の高さなどを均一にすることが重要です。ここではだ円のボックス（型紙→P.415）を例に基本的なつくり方をご紹介します。なお、P.102のミニボックスの側面のように強いカーブをつける場合は、パスティヤージュではひびが入りやすいのでモデリングペーストCを使うとよいでしょう。

1 底板とふたをつくる。パスティヤージュをある程度のしたら、ルーラーや定規などを両脇に置いてさらに2〜3mm厚さに均一にのす。

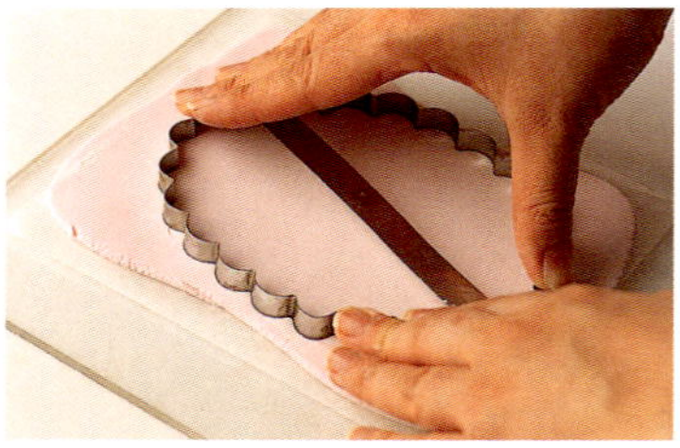

2 ①の生地を2等分してシリコンペーパーにのせ、ゆがまないようにアクリルボードに置く。2枚とも波型でだ円のプラークカッターで抜くか、型紙に合わせてカットする。

3 約1日置いて乾かし、ひっくり返して裏面も充分乾かす。

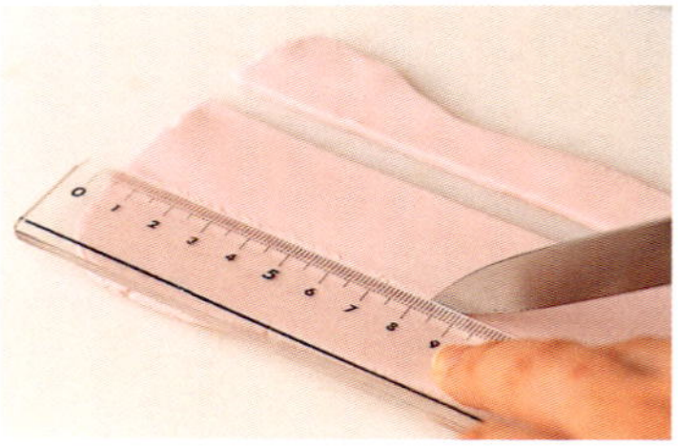

4 側面をつくる。①と同じ要領でパスティヤージュを2〜3mm厚さにのす。型紙に合わせて1枚切り、型紙より長めにもう1枚切る。

5 ④が乾かないうちに底板に接着する。③の底板の内周に筆で水（卵白ははみ出した部分が乾いた時に光ってしまうので使わない）を塗る。

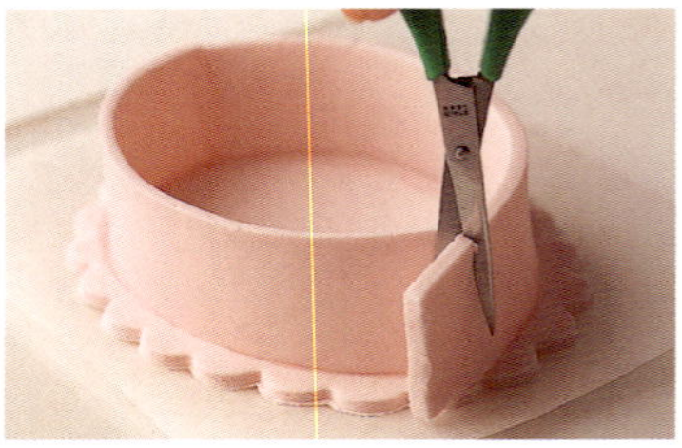

6 水を塗った位置に④を立てて接着する。まず、型紙のサイズのペーストを立て、端に水を塗ってもう1枚をつなげて立てる。余分のペーストを切り、1枚めとつなぐ。乾かす。

7 サンドペーパーで表面をととのえる。ふたをかぶせる。さまざまに飾って仕上げることが可能。

☚ 作品例

かわいらしい円形ボックス２種。ボックスをつくる基本的な要領は ⓐ と同じ。パスティヤージュをラウンドフリルカッターで２枚抜き、底板とふたに使用。どちらも縁にラウンド口金で穴をあけてレース風の模様をつけている。ペーストのロープにシュガーフラワーをあしらったリースで飾る。クッキーやキャンディなどを詰めて贈るのも素敵。

☛ 作品例

モデリングペーストCでつくった、直径6～8cmのアイデアフルなミニボックス。上段ふたつは、テクスチュアピンでペーストにエンボス模様をつけたもの。上段右は底板にも模様づけしている。中段ふたつは、花などのパーツをインレイワークでうめ込んだもの。ひな祭りをイメージしてピンクと若草色をメインカラーにし、子ぐまのおひな様をしのばせている。下段左は、インレイワークでふたにハート模様をつけたもの（P.58）。ハートを持たせた子ぐまを入れて、バレンタインデーのキュートな贈りものに。下段右は、ふたと側面にテクスチュアピンでエンボス模様をつけたもの。

b カード・プラーク

ゆがまないように気をつけて作業します。

1 パスティヤージュを1〜2mm厚さにのし、プラークカッターで抜く。平らな場所にフラワーフォーマーを2本並べてペーストがくっつかないようにコーンスターチをふり、ペーストが乾かないうちにのせてカーブをつける。そのまま乾かす。

2 ロイヤルアイシング（口金＃0）で文字を絞る。カードの縁と文字をゴールドのラスターカラーで着色する。目的の場所に置く。

☛ **作品例**（P.180）

☛ **作品例**
'Merry Christmas' の文字を絞ったプラークとポインセチアを飾った、クリスマス用のミニケーキ。プラークはカッターで抜いた後、筆の柄の先端などで縁にくぼみ模様をつけている。ペーストを挟んでケーキから少々浮かせることで、よりプラークがひき立つ。

c 鉢・タイル

パスティヤージュ特有の乾いた質感、凹凸のない平面的で固い質感は、植木鉢やタイルなどの表現にも活用できます。

ベージュのパスティヤージュを発泡スチロールに貼り、素焼きの鉢を表現。茶系のダスティングパウダーで色づけして素朴な雰囲気を出している。

☛ **作品例**（P.280）

のしたペースト6枚にエンボス模様をつけ、発泡スチロールの周囲に貼ってタイルの鉢に見たてている。

☛ **作品例**（P.357）

Chapter 3

ロイヤルアイシングのワーク

Working with Royal Icing

ロイヤルアイシングを使ったワークは、ケーキデコレーションの手法として古くから受け継がれてきました。なかには伝統的ワークと呼ばれる手法も少なくありません。ロイヤルアイシングを口金で絞るさまざまなテクニックは、ほかのどの分野にも類がないシュガークラフト特有のものといえます。

シュガーペーストの作業に比べ、ロイヤルアイシングの作業は練習が必要です。はじめての方はシュガーペーストによるデコレーションにロイヤルアイシングのワークを少しずつ加えて慣れるとよいでしょう。ロイヤルアイシングを絞る時の手に余分な力が入らないようになれば、慣れてきた証拠です。あとは手が自然に絞る感覚を覚えていくはずです。

絞りのテクニックは、練習すればするほど身につくのでやりがいがあります。そして、創作のデザインの幅をさらに広げます。よりアーティスティックな作品を追求するには大変効果的なワークといえるでしょう。

3 01 ロイヤルアイシングのレシピ

Royal Icing Recipes

**ロイヤルアイシングは、使う口金のサイズに合わせて固さを調整してつくります。
ここでは基本のレシピと固さの目安、用途例をご紹介します。
また、この例にもとづいて、各ワークの頁に「適する口金とロイヤルアイシングの固さの目安」を記載しています。**

a ロイヤルアイシングの基本レシピと用途

ロイヤルアイシングは、使う口金のサイズに合わせて粉糖の量を変え、固さを調整してつくるのがポイントです。口径が細い口金を使う場合は、柔らかめのロイヤルアイシングが適します。これは固めのロイヤルアイシングは細い口金で絞りにくいためです。逆に、口径の太い口金を使う場合は、形をきちんと絞れる固めのロイヤルアイシングが適します。ただし、パイピングバッグを握る力や手の温度などによっても、ちょうどいい固さは変わってきます。ここでご紹介する固さを目安に、適宜調整してください。

材料（基本量）
卵白——30g
粉糖——200g～

1 ミキサーボウルに卵白を入れてビーターでほぐし、粉糖を少しずつ加えて泡立てる。卵白30gに対して粉糖200gが、ソフトピーク（右記）のロイヤルアイシングの目安。より固く仕上げるには、適宜粉糖の量を増やして泡立てる。なお、サイズの違う口金を数種使う時は、ソフトピークのロイヤルアイシングを親種として適宜小さな容器に移し、粉糖を加えてパレットナイフで混ぜて固さを調整するとよい。

卵白のこと

卵白は生卵白、乾燥卵白、どちらを使ってもかまいません。乾燥卵白は保存がきき便利です。乾燥卵白大さじ1に水（湯ざましを使った方がいたみにくい）大さじ3を加えてよく混ぜ、30分以上休ませてから茶漉しなどで漉したものが約30g。これはおよそ卵のL玉1個の卵白の分量に相当します。生卵白、乾燥卵白のどちらを使った場合も、ロイヤルアイシングの色は時間経過とともに多少黄色っぽくなります（生卵白の方が早く黄ばむ）が、水で溶いたスーパーホワイト（P.399）を少量加えると、黄ばみをある程度抑えることができます。

粉糖のこと

粉糖には下記のような種類があり、使う口金のサイズに合わせて選びます。

全粉糖
グラニュー糖100%でできた粉糖。英語では 'bridal sugar' と呼ばれる。湿気を含みやすくダマになりやすいが、水分に溶けやすい。口径の細い口金に適する。

オリゴ糖入りの粉糖
ダマになりにくく、水分にも溶けやすい。口径の細い口金に適する。

コーンスターチ入りの粉糖
水分に溶けきることがむずかしいため、口径の細い口金には向かない。口径の太い口金を使うパイピングフラワーなどには適する。各種ペーストの材料としても問題ない。

ロイヤルアイシングの固さの目安

ソフトピーク
ビーターを持ち上げると角がたれるくらいの固さ。
【用途例】ケーキのコーティングや、#2以下の細めの口金を使う場合など

フルピーク
ビーターを持ち上げるとピンと角が立つくらいの固さ。
【用途例】#3以上の口金を使う場合や、形をしっかり表現したいシェル絞りなど

#1 以下の口金を使う場合

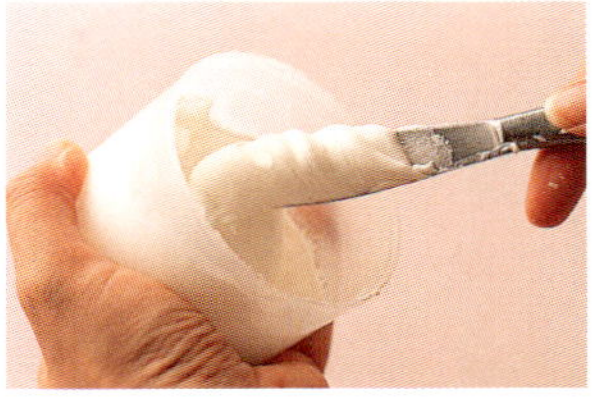

口径の細い#1以下の口金を使う時は、口金にロイヤルアイシングが詰まりやすいので、ダマを防ぐために粉糖は全粉糖またはオリゴ糖入りの粉糖を使うとよいでしょう。さらに、エクステンションワークなどで#0以下の口金を使う時は、絞りが切れやすくなるのを防ぐため、できるだけ気泡ができないように、ロイヤルアイシングは使用分をそのつど小さな容器でパレットナイフを使ってつくることをおすすめします。

#00 の口金を使う場合

エクステンションワークなどで口径のもっとも細い#00の口金を使う時は、特に口金にロイヤルアイシングが詰まりやすいので、絞り袋に入れる前にロイヤルアイシングを目の細かいガーゼなどで漉します。

ロイヤルアイシングの漉し方

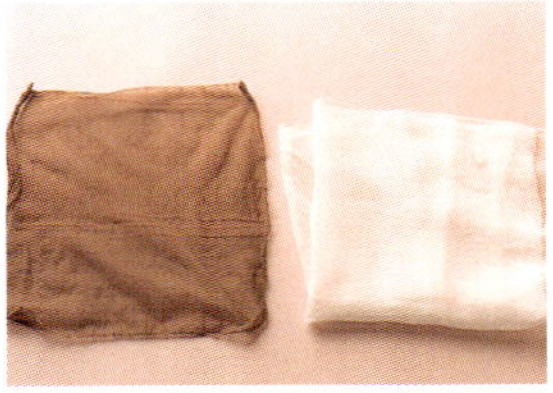

1 適当なサイズに切ったガーゼやストッキングなどを用意する。

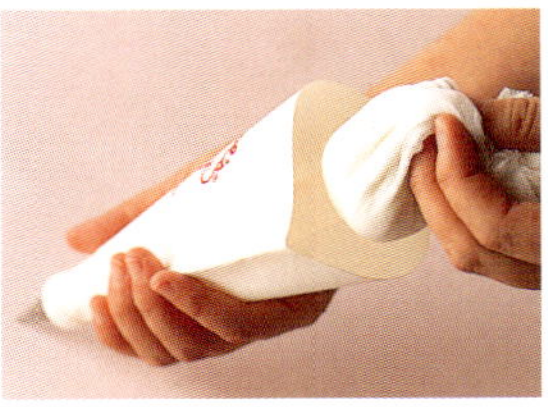

2 ①にロイヤルアイシングを包み、使用する絞り袋のできるだけ口金の近くまでさし入れる。

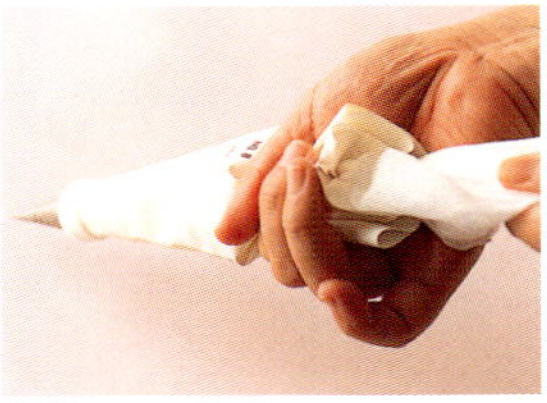

3 片方の手で絞り袋の口を押さえ、きき手でガーゼの袋の端をひいて、ロイヤルアイシングを漉しながら絞り袋に移し入れる。

ランナウトアイシング (P.160)

ランナウトワークには、ソフトピークのロイヤルアイシングに水を加えてゆるめたランナウトアイシングを使います。

b ロイヤルアイシングの着色

ロイヤルアイシングの着色はソフトピークの段階で行ないます。色が濃くなりすぎないように、爪楊枝で加減しながら色素を加えましょう。

1 ソフトピークのロイヤルアイシングを使用分だけ小さな容器にとり、爪楊枝で色素（水で溶いた国産の食用色素、またはリキッドカラーやペーストカラー）を加える。

2 パレットナイフで均一に混ぜる。色が薄ければ爪楊枝で色素をたす。ペーストカラーは加えすぎると乾きにくくなるので注意する。

3 作業に入る前に、①～②の要領で着色したロイヤルアイシングを、使用する色の数だけ揃えて密閉容器に入れておくと使いやすい。

c ロイヤルアイシングの保存

でき上がったロイヤルアイシングは乾燥を防ぐため密閉容器に入れ、常温で保存します。ただし、保存は2日間が限度。徐々にコシがなくなってくるので、できるだけ、使用する分をそのつどつくるようにしましょう。

d ロイヤルアイシングの微調整

ロイヤルアイシングが固すぎる時は少量の水または柔らかいロイヤルアイシングを加え、逆に柔らかすぎる時は粉糖を加えて調整します。なお、湿度の高い季節はクリーム・オブ・ターター（酒石酸）を少量加えると、絞ったロイヤルアイシングの乾きが早くなります。また、水または湯で溶いておいたCMC（P.398）をロイヤルアイシングに少量加えると、やや強度が増して仕上がりが若干壊れにくくなり、プレッシャーパイピングやランナウトワークなどに有効です。ただし、＃０以下の口金を使う場合は詰まりやすく、絞りにくくなります。

3 02 パイピングバッグ

Piping Bags

ロイヤルアイシングは通常パイピングバッグに入れ、絞り出して使います。
パイピングバッグには、いくつかの種類があります。
使用するロイヤルアイシングの固さや量など、状況に応じて使い分けるとよいでしょう。

a パイピングバッグの種類

材質によって大まか3種類に分けられ、それぞれ用途によって向き不向きがあります。

グラシン紙製

- ロイヤルアイシングを少量使う場合に向く。
- 紙なのでやや握りづらい。
- 使い捨てで、洗う必要がない。

つくり方

1 グラシン紙を正方形に切って対角線で折り、折り目をはさみで切って三角形にする。

2 三角形の長辺を持ち、片側から紙を巻いてふたつの角を合わせる。この時、下の穴はしっかり閉じた状態にする。

3 ②で合わせた角をずらさずに、反対側からも紙を巻く。下の穴はしっかり閉じた状態を保つ。

4 上部のとがった箇所を内側に折り込み、ゆるまないように固定する。つなぎ目はセロテープでとめる。

5 先端を切って内側から口金を入れる。口金の1/2くらいがバッグの先から出ているようにする。ロイヤルアイシングを入れたら上部を折りたたんで閉じる。

OPシート（厚手のセロファン）製

・柔らかめのロイヤルアイシングを少量使う場合に向く。
・色が透けて見えるので、特に数種類の色を使う場合に便利。
・小さなドット絞りや細いライン絞りをする場合は、口金をつけなくてもよい。
・使い捨てで、洗う必要がない。

つくり方
グラシン紙の場合と同じ。ただし、ロイヤルアイシングを入れて上部を折りたたんだら、セロテープでしっかりとめる。口金をつけない場合は、ロイヤルアイシングを入れてから先端をはさみで切る。切り口は口金#1より小さいサイズにする。

ポリエステル製

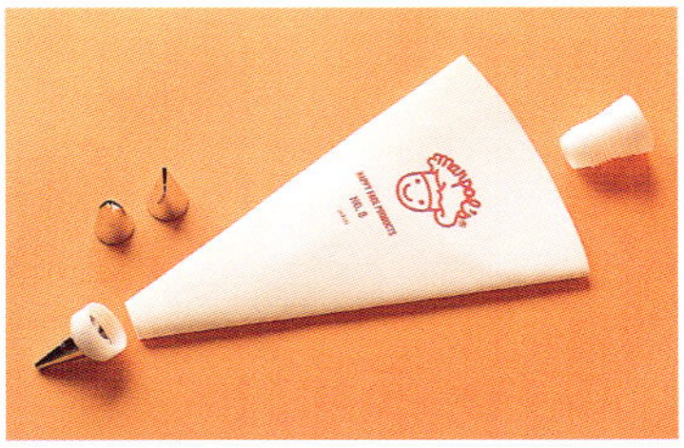

・ロイヤルアイシングの固さを問わないが、特に固めのロイヤルアイシング（パイピングフラワー用など）に向く。また、同色のロイヤルアイシングをたくさん絞る場合に向く。
・口金を交換できるアダプター（カップリング）をつけることができるので、同色のロイヤルアイシングで口金を数種類使いたい時に特に便利。
・洗って何度でも使える。裏表を間違えないように注意。

b パイピングバッグの持ち方

パイピングバッグのサイズによって持ち方が変わってきます。

大きなパイピングバッグの場合

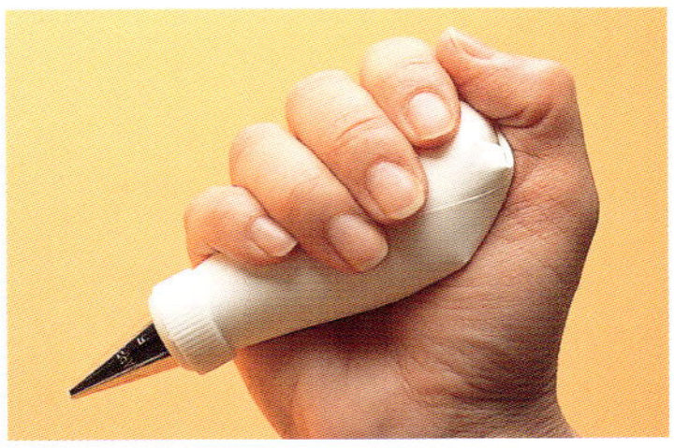

パイピングバッグの上部をねじって折り、てのひら全体で握る（バッグに入れるロイヤルアイシングの量は、握れるくらいまでにとどめる）。親指で上部を押さえ、上部から押し出すようにしてロイヤルアイシングを絞り出す。

小さなパイピングバッグの場合

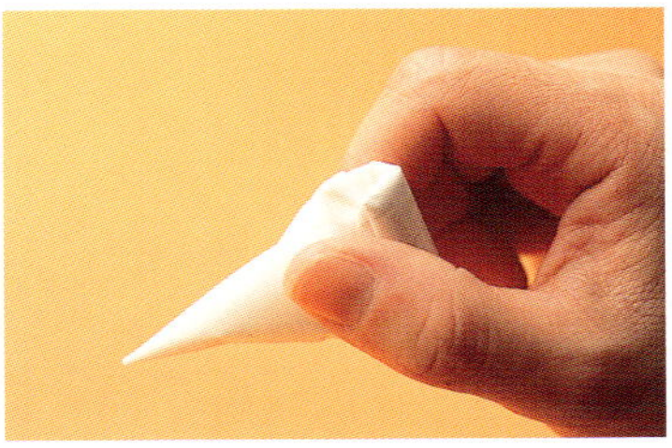

鉛筆を持つような感じで握り、親指に力を入れてロイヤルアイシングを絞り出す。文字などを絞る時に特に適したやり方。

3 03 口金と基本の絞り

Piping Tubes & Basic Piping

パイピングバッグにつける口金には、絞れる形、サイズともにさまざまな種類があります。
ここでは口金の種類と、基本の絞り方をご紹介します。

a 基本の4つの口金

もっともよく使われる口金です。口金は同じ種類であれば番号が小さいほど口径が細くなります。たとえば、ラウンド口金は#00が一番細く、0、1、2…の順に太くなります。

①**ラウンド**　**【用途例】**ドット絞り、ビーズ絞り、ライン絞りなど
②**スター**　**【用途例】**スター絞り、シェル絞りなど
③**リーフ**　**【用途例】**葉の絞り、パイピングフラワーなど
④**ペタル**　**【用途例】**花弁の絞り、パイピングフラワーなど

b 口金のバリエーション

多種多様の口金が市販されています。ここでご紹介するものはごく一部。数を揃えていくと絞りの表現の幅が広がります。

⑤**カールドペタル**　**【用途例】**バラ、スズランの絞りなど
⑥**フルブラウンローズ**　**【用途例】**バラ、松ぼっくりの絞りなど
⑦**ボーダー**　**【用途例】**ボーダー、ダリアの絞りなど
⑧**リボン**　**【用途例】**リボン、バスケットの絞りなど
⑨**モンブラン**　**【用途例】**芝生、髪の毛の絞りなど
⑩**フルテッド**　**【用途例】**フリル、ガーベラの絞りなど

c 基本の絞り方

ラウンド口金とスター口金を使った基本の絞りをマスターしましょう。

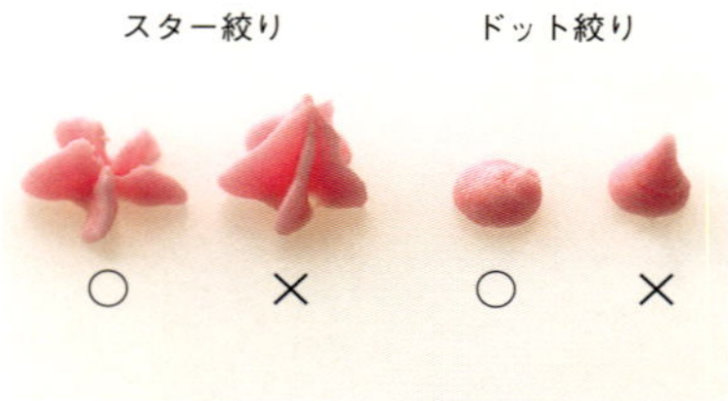

スター絞り（スター口金）／**ドット絞り**（ラウンド口金）
どちらの絞りも、絞る面に対して口金を垂直にし、充分なボリュームが出るまで絞ったら、力を抜いて静かに口金を離す。先がとがらないように注意する。

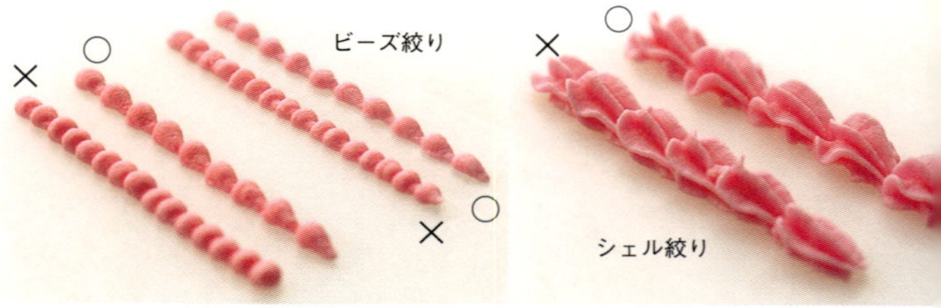

ビーズ絞り（ラウンド口金）／**シェル絞り**（スター口金）
どちらの絞りも、絞る面に対して口金を45度にし、充分なボリュームが出るまで絞ったら、力を抜いて進行方向に口金をひき、ふたたび絞りはじめる。力の入れ方に一定の強弱をつけ、間隔を詰めすぎず絞りにメリハリをつけることがポイント。

ライン絞り（ラウンド口金）
絞りはじめたらパイピングバッグを持ち上げ、口金を進行方向に倒しながら進んで目的点に向かって絞り下ろす。絞る力が強すぎたり進む速度が遅すぎるとラインがたるみ、その逆でもラインが切れやすいので注意。絞る力と進む速度のバランスを保つのがポイント。

d 絞り模様のバリエーション

口金の種類やサイズ、口金の動かし方によって、さまざまな絞り模様ができます。ケーキのサイドデコレーションなどに使われます。

ドット：左頁。

ビーズ：左頁。

リバース：ラウンド口金を使う。

ハート：ラウンド口金を使う。

スター：左頁。

シェル：左頁。

ロープ：スター口金を使う。

Cライン：スター口金を使う。

コーネリー：MまたはWの文字のようなカーブをつけ、途切れず重ならないようにラインを絞る。

ガーランド：格子模様にラインを絞り、シェル絞りで外枠をつくる。スカラップ状の形。

バスケット：リボン口金を縦横交互に動かして絞る。

小花：小花はラウンド口金、葉はリーフ口金を使用。

ステム＆リーフ：小花と茎はラウンド口金、葉はリーフ口金を使用。

ドロッピングフラワー：花はペタル口金、葉はリーフ口金を使用。

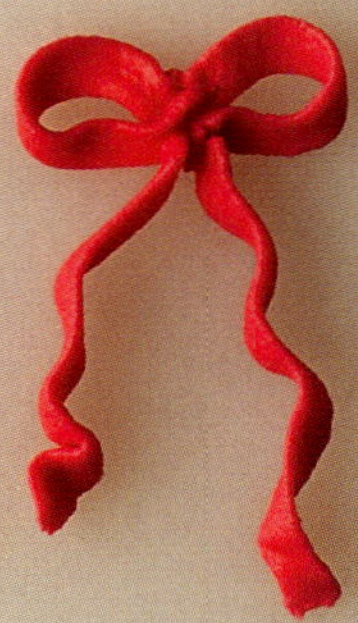

リボン：ペタル口金を使用。

3 04 パイピングフラワー

Piped Flowers

適する口金の目安
#101〜#104、#65〜#70
適するロイヤルアイシングの目安
固め

フラワーネイルと呼ばれる道具にロイヤルアイシングを絞って花を形づくるワークです。
フラワーネイルは3種類あり、つくりたい花に合わせて使い分けます。
絞りの花はペーストでつくる花よりも壊れにくく、シュガークラフトだからこそ表現できる独特なかわいらしさが魅力です。

a フラットネイルに絞る（バラ）

まず、一番ポピュラーなフラットネイルに絞るやり方をご紹介します。パイピングフラワーには固めのロイヤルアイシングが向きますが、美しく絞るポイントは、力よりも慣れです。何回か試して効率よく絞れるコツをつかみましょう。

フラットネイル
くぼみのない花を絞る時に使う。
【用途例】バラ、カーネーション、パンジーなど。

1 フラットネイルにロイヤルアイシングを少量塗り、四角く切ったワックスペーパーを貼る。ローズ色のロイヤルアイシングを口金#104で紙の上に絞っていく。まず、口金のスリットの幅の広い側を紙の中央にあてて軸とする。軸を動かさずに口金を寝かせぎみにしてネイルをまわしながら1周絞る（土台）。

2 次に、口金のスリットの幅の広い側を下にして①の土台の中央に垂直にあて、ネイルをまわしながら約1周半絞る（1層め）。

3 1層めのほぼ上半分に重なるように同様に口金をあて、ネイルをまわしながらさらに約1周半絞る。1周絞ったら少しずつ口金の位置を下げ、絞り終わりが土台につくようにする（2層め）。

4 2層めと同じ要領で3層めを絞る。中心部分ができ上がる。

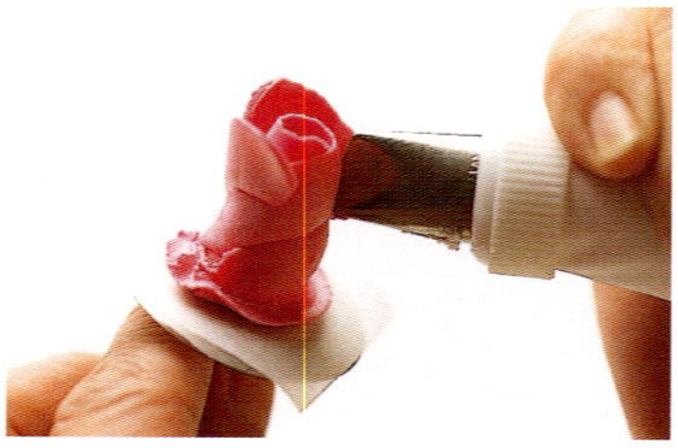

5 同様に口金のスリットの幅の広い側を下にして、3層めの上部の周囲に花弁を互い違いに3枚絞る。

作品例

ⓐの要領でつくったバラを上面に飾ったケーキ。ケーキ中央にロイヤルアイシングをドーム状に絞り、乾かないうちにバラを接着する。上面縁には、ロイヤルアイシングをハート形に絞ったパーツを接着してストリングの絞りを入れ、口金#101でフラットネイルに絞った小さなすみれをあしらっている。

6 口金をやや外側に傾け、⑤の周囲にさらに同様に5枚絞る。紙ごとネイルからはずして乾かす。

7 裏面をはさみで切り、緑のロイヤルアイシングを口金#10で絞る。絞りためたら力を抜き、口金を真上にゆっくりとひく。

8 ⑦と花の境目に口金#70で葉を絞る。

9 でき上がり。なお、⑦⑧は必要なければ絞らなくてもよい。

b カップネイルに絞る（マーガレット）

カップネイルにアルミホイルをぴったり敷いて絞ることで、花弁に自然なカーブをつけることができます。アルミホイルは絞った花が乾きはじめたらはずすのがポイント。花の裏側まで乾くとはずれにくくなるので気をつけましょう。

カップネイル
くぼみの浅い花を絞る時に使う。
【用途例】 マーガレット、ハイビスカスなど。

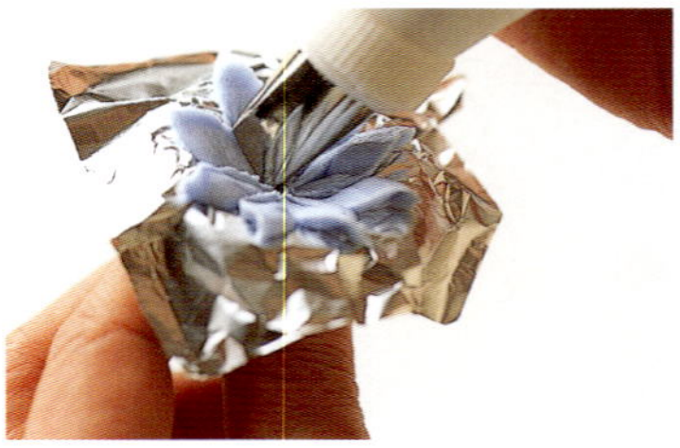

1 カップネイルにロイヤルアイシングを少量塗り、四角く切ったアルミホイルを貼ってネイルにそわせる。口金#103で花弁8枚を絞っていく。スリットの幅の広い側を下にして口金をネイルにそわせ、各花弁を外側から中心に向かって絞る。

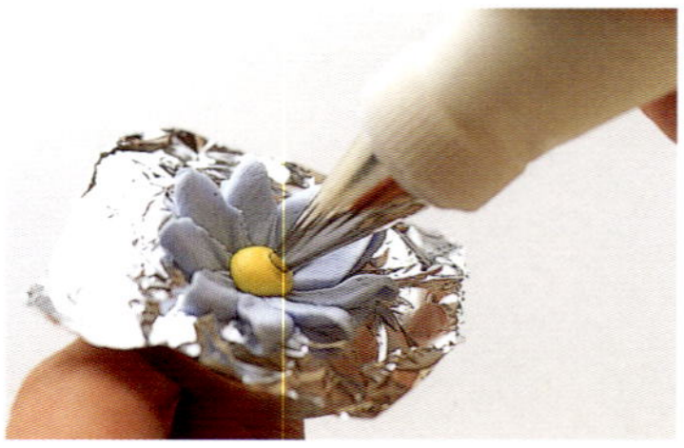

2 花弁を絞り終わったら、口金#5で花芯を絞る。

3 花芯にグラニュー糖をふり、アルミホイルごとネイルからはずす。花の表側が乾いたらアルミホイルをはずして裏側も乾かす。ⓐの要領で裏面に絞りを入れてもよい。適宜ダスティングパウダーで着色する。

c リリーネイルに絞る（ゆり）

くぼみの深い花は、リリーネイルにアルミホイルをぴったり敷いて絞ります。なお、アルミホイルにショートニングを薄く塗っておくと、花の裏側まで乾いてしまった場合でもアルミホイルをはずしやすくなります。

リリーネイル
くぼみの深い花を絞る時に使う。
【用途例】ゆり、朝顔など。

1 リリーネイルにロイヤルアイシングを少量塗り、大きめに四角く切ったアルミホイルを貼ってネイルにそわせる。口金#70で花弁6枚を絞っていく。まず、向かい合う花弁2枚を絞り、その間にさらに向かい合う花弁を2枚ずつ絞る。スリットを平らにかまえて口金をネイルにそわせ、各花弁を中心から外側に向かって絞る。ネイルの深さよりも長く絞り、力を抜いてゆっくりと口金をひく。親指とひとさし指で花弁の形を適宜ととのえる。

2 花弁を絞り終わったら、アルミホイルごとネイルからはずす。花の表側が乾いたらアルミホイルをはずして裏側も乾かす。適宜ダスティングパウダーで着色し、口金#2で花芯を絞る。

3 花芯が乾かないうちにグラニュー糖をふる。ⓐの要領で裏面に絞りを入れてもよい。

Reference
そのほかの作品例

☛ P.151
パイピングフラワーは小さくつくることもできる。口金＃101Sを使ってフラットネイルに絞ったミニバラを、ケーキにあしらっている。フラットネイルのかわりに爪楊枝の先端に絞ることも可能。

☛ P.125
口金＃14を使ってフラットネイルに絞ったあじさいをデコレーション。フィギュアパイピングの動物とバランスのとれた小さなサイズがかわいらしい。

d パイピングフラワーのバリエーション

3種類のフラワーネイルを使い、多種多様の花がつくれます。各段とも左端よりプロセス順。右端ができ上がりまたは裏面の状態です。

フラットネイルに絞る

矢車草：【口金】土台と花弁は#103、花芯は#14、#2、裏面は#10、葉#70。

カーネーション：【口金】土台と花弁は#103、裏面は#10、がく#2。各花弁に細工用はさみで細かい切込みを入れる。

パンジー：【口金】土台と花弁は#104、花芯は#2。

ダリア：【口金】土台と花弁は#74、裏面は#10、葉#70。同じパイピングバッグに白とピンクのロイヤルアイシングを入れて絞る。

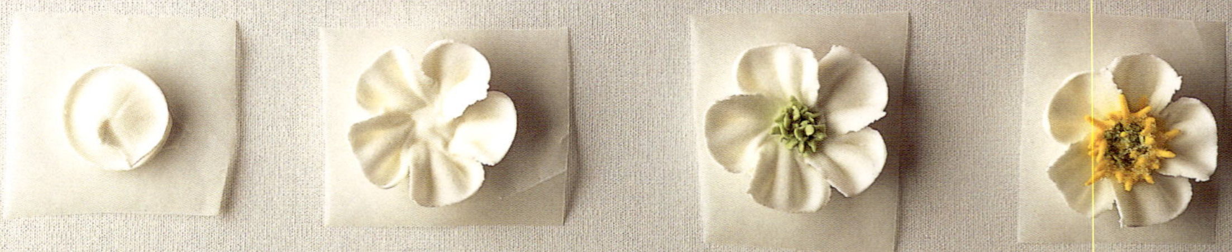

野バラ：【口金】土台と花弁は#104、花芯は#14、#2。

ラッパスイセン：【口金】土台と花弁は#104、裏面は#2。ラッパ形の副冠の縁に口金#2でビーズ絞りをしてグラニュー糖をまぶす。

松ぼっくり：【口金】土台は #10、鱗片は #97。

くちなし：【口金】土台と花弁は #104、裏面は #5、葉 #70。

リリーネイルに絞る

朝顔：【口金】土台は #104、花弁は #103、花芯と花弁の模様は #2。

カップネイルに絞る

ガーベラ：【口金】花弁は #81、花芯は #14、#2、裏面は #5。花弁は長く絞り、先端を指でつまんでととのえる。

ひまわり：【口金】花弁は #67、花芯は #14、裏面は #10、がく #65。花弁は充分に絞りためる。

ハイビスカス：【口金】花弁は #104、花芯は #3、#2、裏面は #5、葉 #70。大きなウエーブをつけて花弁を絞る。

☛ 作品例

3種類のフラワーネイルを使ってつくったさまざまなパイピングフラワーを飾ったケーキ。ランナウトのフルカラーをケーキ上面とケーキボードに飾った、ロイヤルアイシングづくしのデコレーション。

☛ 作品例

パイピングフラワーをまとめた、迫力満点のバスケット。パイピングフラワーはつくれる花のサイズに限度はあるが、口金の使い方などアイデア次第でいろいろな花づくりが可能。種類と数をふんだんに揃えると、存在感のある作品になる。バスケットはロイヤルアイシングでバスケット絞りをして表現している。

3 05 プチシュガー

Sugar Cubes

適する口金の目安
#101、#101S
適するロイヤルアイシングの目安
柔らかめ

角砂糖の表面にロイヤルアイシングで花などを絞る（ミニチュアパイピングフラワー）ワーク。
手軽にできてかわいらしく、ケースに詰めれば贈りものにもぴったり（P.369）。
初心者の方にも人気の高いワークです。

a 花を絞る（バラ）

絞る要領は基本的にパイピングフラワー（P.112）と同じ。口金のサイズをかえて角砂糖にじかに絞ります。角砂糖の面いっぱいに大きく絞ることで華やかさが増し、花のかわいらしさがよりひき立ちます。

1 ロイヤルアイシングを絞る角砂糖の面を選ぶ。ザラザラした面（写真左上面）はさけ、つるんとした面（写真右上面）に絞る。

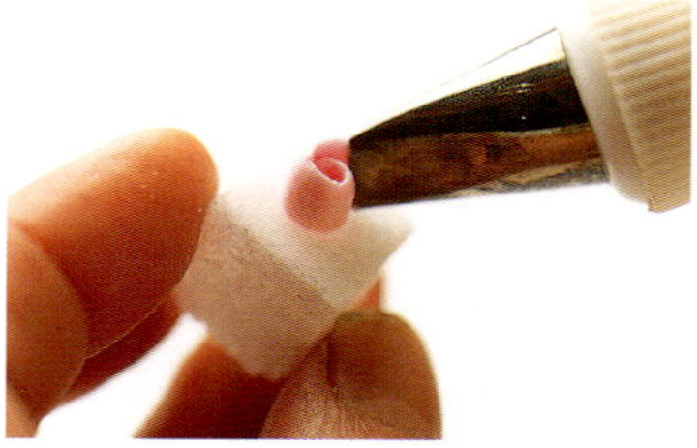

2 ①で選んだ面にロイヤルアイシングを口金#101で絞っていく。口金のスリットの幅の広い側を下にして角砂糖の面の中央に垂直にあて、角砂糖をまわしながら約1周半絞る。

3 ②の周囲に花弁を5枚絞る。

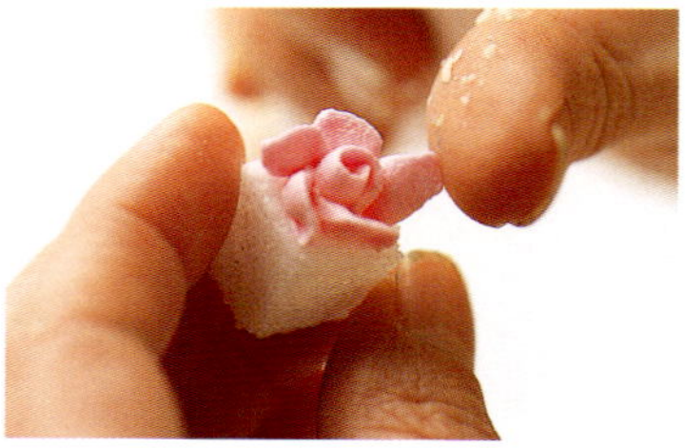

4 適宜指で形をととのえる。

5 でき上がり。コーヒーや紅茶に添えれば、この上ないかわいらしさ。

b　プチシュガーのバリエーション

口金の種類や絞り方、色づけなどの工夫によって、さまざまな花がつくれます。ロイヤルアイシングが乾く前に、好みの箇所にグラニュー糖をまぶしてもよいでしょう。それぞれ左端よりプロセス順。右端ができ上がりです。ただし、写真左下のふたつは、でき上がりのみをご紹介しています。

[口金のサイズなど]
矢車草：花弁は #101S、花芯は #2。
デイジー（ピンク）：花弁は #101、花芯は #2。
スズラン：花弁は #61、茎は #2。
あじさい：花弁は #14。同じパイピングバッグに2色を入れて濃淡をつける。
ひまわり：花弁は #65、花芯は #2。
ブルーベル：花弁は #65、花芯は #14。
葉：#67。
デイジー（白）：花弁は #101、花芯は #2。
ダリア：花弁は #101、花芯は #2。同じパイピングバッグに2色を入れてツートンカラーに絞る。
野バラ：花弁は #101、花芯は #14、#2。
パンジー：花弁は #101、花芯は #2。
ベルフラワー：花弁は #65、花芯は #2。
ポピー：花弁は #101、花芯は #14、#2。
ポピーのつぼみ：花弁は #101、茎は #2、がくは #14。
バラのつぼみ：花弁は #101、茎とがくは #2。

☛ 作品例

プチシュガーは花以外にもさまざまなものを絞って飾れる。テーマを決めて絞るのも楽しい。これはクリスマスのプチシュガー。ポインセチアの花弁やクリスマスツリーの葉は口金#65を使用している。やはりロイヤルアイシングを絞ってつくったクリスマスリースとともに。

Reference　そのほかの作品例

☛ P.237

あじさいを絞ったプチシュガーを、シュガーモールドのケースにしのばせて。こんな演出で贈るのも素敵。

3 06 フィギュアパイピング

Figure Piping

適する口金の目安
#2～
適するロイヤルアイシングの目安
固め

口金の位置を動かさずにロイヤルアイシングを絞りためることを、
プレッシャーパイピング'Pressure Piping'といいます。
フィギュアパイピングは、プレッシャーパイピングのボリュームを調節しながら動物などを形づくるワークです。

a ひと息に絞る（鳥）

鳥の胴体を見本に、フィギュアパイピングの基本のやり方をご紹介します。ポイントは、絞りためたロイヤルアイシングのボリュームをよく確認すること。必要なボリュームに達したのを確認してから、ゆっくりと口金をひくようにします。なお、ロイヤルアイシングにパイピングジェル（P.224）を少量混ぜると、乾きにくく作業しやすくなります。

1 鳥の胴体をつくる。口金#3をつけたパイピングバッグにロイヤルアイシングを入れ、ワックスペーパーに対して口金を45度の角度にかまえる。紙から口金を少し浮かせて胴を絞りためる。

2 胴が充分なボリュームに達したら、そのまま力を抜いてゆっくりと口金の位置を上に移動させ、ふたたび絞りためて頭を形づくる。

3 頭が充分なボリュームになったら力を抜き、ゆっくりと口金をひいてくちばしをつくる。水で湿らせた筆をあてて形をととのえる。

1 羽と尾のパーツをつくる。ロイヤルアイシング（口金#1）でワックスペーパーにそれぞれ絞り、乾かしておく。

2 上記①～③の要領で胴体を形づくる。

3 ②が柔らかいうちに①をさして接着し、乾かす。

4 ダスティングパウダーを蒸留酒で溶いて目とくちばしを描き、適宜色づけする。

b パーツを順に絞る（うさぎ）

胴体を絞ったらいったん口金を離し、胴に接したほかのパーツを順に絞りためて形づくります。

1 口金#10を使って、ⓐと同じ要領で胴体を絞りためる。

2 口金#5にかえて太ももを絞りためてふくらみをつけ、尻尾、後脚、前脚、頭、耳を順に絞りためる。口金#2にかえて鼻を絞る。

3 さらに口金#5で前脚に、口金#2で顔にふくらみをプラスする。水で湿らせた筆をあてて形をととのえ、モデリングツールで目や耳のくぼみをつける。

4 水で湿らせた筆で全体の形をととのえる。乾いたらⓐと同じ要領で適宜着色して仕上げる。

c ケーキ側面にじかに絞る

フィギュアパイピングは絞ったものをケーキに接着するのが一般的ですが、ケーキにじかに行なうこともできます。特にケーキ側面にフリーハンドで絞ると、ユニークなサイドデコレーションになります。

ケーキ側面にじかに絞った猫と犬。口金#10でまず胴体を絞りため、ほかのパーツを順に絞りためる。「側面に絞る」という制約が、かえっておもしろい姿を生む。

☛ **作品例**（右頁）

☛ 作品例

ⓐⓑの要領でつくった鳥やうさぎを配し、ⓒの要領でケーキ側面に犬や猫をじかに絞った作品。フィギュアパイピングでつくった動物には、ペーストでつくった動物とはまた違うかわいらしさがある。P.377の作品例と比較してみるとおもしろい。そのほかのデコレーションもすべてロイヤルアイシングの絞りによる。ケーキ上面に飾った木は、ボール紙などを円錐形にしてワックスペーパーを貼った上からロイヤルアイシング（口金#74）で葉を絞り、乾かしてから紙をはずしたもの。

3 07 シンプルエンブロイダリー

Simple Embroidery

適する口金の目安
#0 ～ #1
適するロイヤルアイシングの目安
柔らかめ

ライン絞りやドット絞り（P.110）を組み合わせて、小花などのシンプルな刺繍模様に見たてるワーク。
ケーキのサイドデコレーションなどに効果的です。

a フリーハンドで絞る

ごくシンプルな小花模様などは、フリーハンドで絞ることが可能です。

☛ 作品例

小花やステム＆リーフ模様をフリーハンドで絞ったケーキ。なお、このケーキはシュガーペーストでカバーリングせず、マジパニングの状態で仕上げている。ケーキの上面と側面を別々にマジパニング。上面のマジパンはセルクルで抜き、細棒で縁に模様をつけている。

Reference
そのほかの作品例

☛ P.73

テーブルクロスに見たてたペーストにシンプルな刺繍模様の絞りを入れている。ケーキボードも同様に刺繍模様の絞りでデコレーション。

b　トレースして絞る

トレース（P.404）すると、初心者の方でもぐんと模様を絞りやすくなります。シンプルエンブロイダリーなら、大まかな跡をつけるだけでも充分。身近なカッター(抜き型)やモデリングツールを利用するとよいでしょう。

1 カバーリングペーストが柔らかいうちに各種カッターやエンボッサーを押しあてたり、フラワーシェイパーやリーフシェイパーなどでラインをひく。これらの跡をガイドに小花などの模様を絞る。

3 *08*

チュールエンブロイダリー

Tulle Embroidery

適する口金の目安
#0
適するロイヤルアイシングの目安
柔らかめ

チュールレースにロイヤルアイシングで模様を絞るワークです。
そのままフワッと飾ったり、パーツを貼り合わせて立体物をつくることもできます。
ウェディングケーキの演出にもぴったりな、繊細で美しいワークです。

a チュールレースの種類

チュールレースには大まかに下記の3種類があります。固さに違いがあり、ナイロン製(ソフトタイプ)、ナイロン製(ハードタイプ)、コットン製、の順に固くなります。また、コットン製は価格が高めで、やや黄色みがかっているのが特徴です。チュールエンブロイダリーにはナイロン製のチュールレースを使います。

ナイロン製(ソフトタイプ)
柔らかな質感を表現したいものに向く。
【用途例】チュールエンブロイダリーのハンカチーフ、ウェディングベールなど。

ナイロン製(ハードタイプ)
ある程度の'張り'が必要な立体物づくりに向く。
【用途例】チュールエンブロイダリーのベビーカーなど。

コットン製
しっかりした固さが必要な立体物づくりに向く。
【用途例】シュガーソリューション(P.240)によるチュールボックスやパラソルなど。

b 平面で仕上げる(ハンカチーフ)

チュールエンブロイダリーの基本のやり方をご紹介します。チュールレースにロイヤルアイシングを絞る時は、乾いた時に絞り模様がはずれないように、柔らかめのロイヤルアイシングをチュールレースの網目に押し込むようにして絞るのがポイントです。また、直線の絞り模様ははずれやすいのでさけた方がよいでしょう。なお、ここではフリーハンドで模様を絞っていますが、ワックスペーパーの下に図案を敷いて絞ることもできます。その場合、チュールレースが見やすいように、図案は部分的に敷きます。また、本物のハンカチーフを横に置き、それを見ながら絞ってもよいでしょう。

1 ナイロン製のチュールレース(ソフトタイプ)を正方形に切ってワックスペーパーにのせる。チュールレースとそこに絞った模様を見やすくするため、濃い色の紙を下に敷いたり、濃い色のテーブルの上で作業するとよい。ロイヤルアイシング(口金#0)をチュールレースの目に押し込むようにしっかりと絞る。

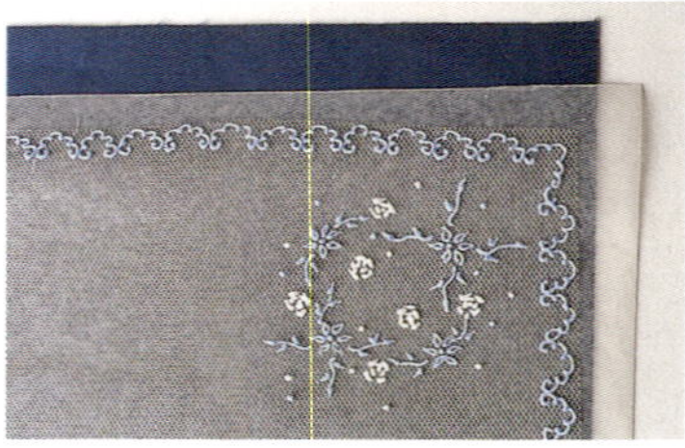

2 角部分のアップ。

Reference そのほかの作品例

☛ P.387
チュールレースのベールを飾ったウェディングケーキ。ナイロン製(ソフトタイプ)のチュールレースを必要な長さに切り、ロイヤルアイシングで模様を絞る。ギャザーを寄せてケーキにとめる。

作品例

ⓑの要領でつくったチュールエンブロイダリーのハンカチーフ。フワッとあしらうと柔らかな質感がより際立つ。お気に入りのハンカチーフの刺繍を見本にするのもおすすめ。なお、ロイヤルアイシングの絞りが少々はずれてしまっても、飾るとそれほど目立たないので、あまり気にしなくてだいじょうぶ。

c 立体物をつくる（ベビーカー）

ナイロン製のチュールレース（ハードタイプ）にロイヤルアイシングで模様を絞ってパーツをつくり、パーツ同士をビーズ絞りでしっかりとめてベビーカーに仕立てます。ロイヤルアイシングの絞り模様は、チュールレースにより強度をもたせる役割もはたします。

1 画用紙またはボール紙（ある程度固さがある紙）を型紙Aに合わせて切り、折り目をつける。

2 ワックスペーパーに型紙を写し、外側に約1cm折返し分をとって切る。折返しが重なる箇所には切込みを入れる。

3 ②に①をのせ、折返し部分を内側に折ってセロテープでとめる。

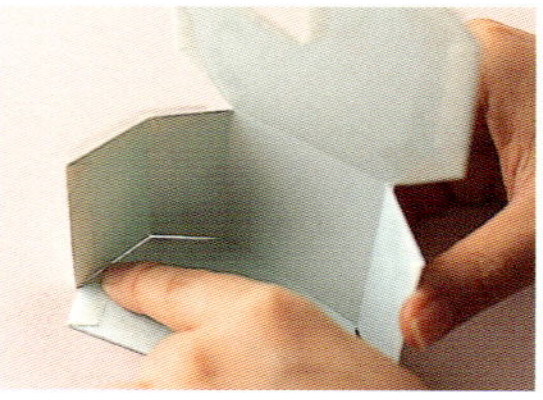

4 さらに画用紙同士を内側からセロテープでとめて、ベビーカー本体の形にする。外側に絞り模様のガイドとなるラインを適宜ひいておく。

5 ④の側面よりも少しゆとりをもたせたサイズにチュールレースを切る。④の側面の周囲にロイヤルアイシング（口金#1）を絞ってチュールレースを接着し、はみ出したゆとり分を切る。

6 ④の中央部分も⑤と同じ要領でチュールレースを接着する。④でひいたラインにそってビーズ絞りをし、さらに適宜フリーハンドで絞り模様を加える。

7 チュールレース同士の境目にもビーズ絞りをしてしっかり接着する。乾かす。

8 完全に乾いたらチュールレースから④をそっとはずす。ベビーカー本体のでき上がり。

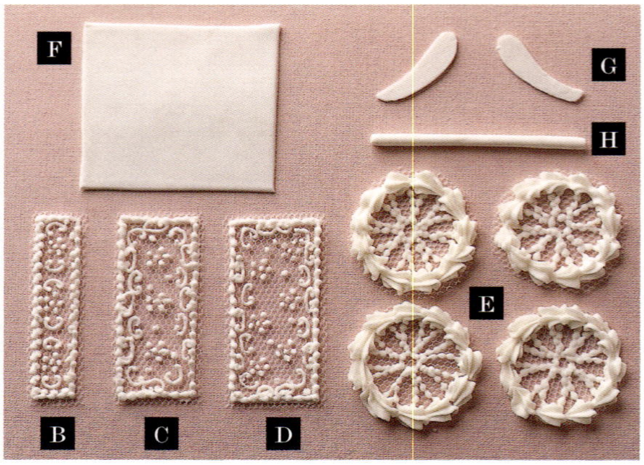

9 残りのパーツをつくる。本体に接着するパーツとして型紙B、C、Dに合わせてチュールレースを切り、周囲にロイヤルアイシング（口金#1）を絞って適宜絞り模様を加える。車輪用に型紙Eに合わせてチュールレースを4枚切り、適宜模様を絞り、周囲に口金#14でシェル絞りをする。モデリングペースト（P.42）またはフラワーペースト（P.246）をのし、底板用に型紙F、ベビーカーの持ち手用に型紙Gに合わせて切る。やはりベビーカーの持ち手用に型紙Hに合わせてモデリングペーストを棒状にする。

10 底板Fの周囲3辺にロイヤルアイシングを絞って本体に接着し、はみ出した余分なロイヤルアイシングを筆で取り除く。さらに、Bを本体の上部前方に、C、Dを底板から順につなげて本体の下部前方に接着し、持ち手GとHも接着する。

11 ⑩を適当な高さの台にのせる。車輪Eの裏面の上部3ヵ所と中心部分にロイヤルアイシングを絞る。

12 本体に車輪を接着し、台にのせたまま乾かす。

作品例

ⓒの要領でつくったベビーカーを上面に飾ったケーキ。ベビーカーはパスティヤージュのプレートにのせると、より安定がよい。ケーキ側面にはⓑの要領で絞り模様を入れたチュールレースをフワッと巻き、リボンで固定している。鳥はフィギュアパイピングによるもの。白1色で統一した、繊細でいてインパクトのあるデコレーション。○型紙→P.410～411

3 09 ブロイダリーアングレイズ

Broderie Anglaise

適する口金の目安
#00～#0
適するロイヤルアイシングの目安
柔らかめ

ペーストが柔らかいうちに小さなくぼみをつけ、くぼみの周囲にロイヤルアイシングを絞って
小花模様などに仕上げるワーク。別名'Eyelet（小穴）'とも呼ばれます。
レースペーパーのようなかわいらしさが特徴的なワークです。

a 筆の柄の先端でくぼみ模様をつくる

手持ちの筆を使ってくぼみがつけられます。くぼみは小さい方がかわいらしさが際立ちます。

1 プラークをつくる。パスティヤージュ（P.43）を約3mm厚さにのし、ドイリーカッターで抜く。ペーストが柔らかいうちに表面に筆の柄の先端を押しあててくぼみをつけ、小花や葉模様をつくる。円形のくぼみはペーストに対して垂直に、だ円のくぼみはペーストに対して45度の角度で筆をかまえてつくる。茎はリーフシェイパーでラインをひく。プラークの縁に口金#2で穴をあける。

2 ダスティングパウダーを蒸留酒で溶き、小花と葉模様のくぼみに細筆で塗る。

3 ②のくぼみの周囲にロイヤルアイシング（口金#0）を絞って縁どる。茎のラインも絞る。

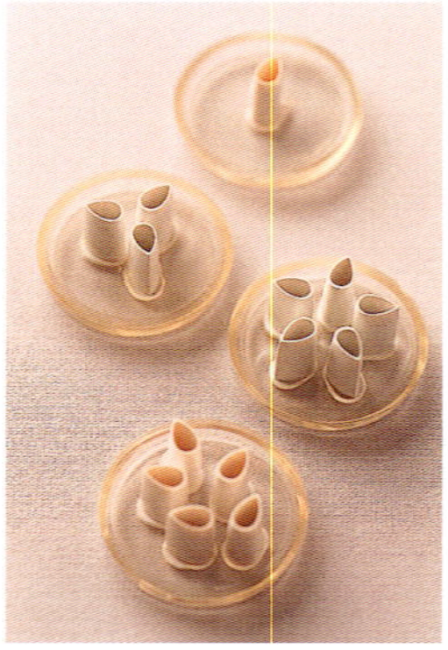

アイレットカッター
ブロイダリーアングレイズのくぼみは左記のように筆の柄の先端でつけることができるが、アイレットカッターと呼ばれる専用の道具を使ってもよい。花弁の数などの違いにより各種ある。

4 でき上がり。プラークの縁をビーズ絞りでととのえてもよい。

☛ **作品例**

ⓐの要領でつくったブロイダリーアングレイズのプラークを上面に飾ったケーキ。プラークはペーストを挟んでケーキから少々浮かせ、より存在感をもたせている。側面のパーツはモデリングペーストを使用。同様にくぼみをつけて着色し、柔らかいうちにケーキ側面に貼ってロイヤルアイシングを絞っている。側面のパーツに加えたリボンインサーションが、ブロイダリーアングレイズのかわいらしさをいっそう強調している。

3 10 ブラッシュエンブロイダリー

Brush Embroidery

適する口金の目安
#0～#1
適するロイヤルアイシングの目安
柔らかめ

ロイヤルアイシングで絞ったラインを筆でのばして模様を描くワークです。
花脈や葉脈を表現しやすいため、モチーフとして花がよく選ばれます。
ここでは、材料や仕立て方を工夫した応用例もあわせてご紹介します。

a 絞ったラインを筆でのばす

ブラッシュエンブロイダリーの基本のやり方です。筆で塗りのばしたい距離などに応じて、絞りためるロイヤルアイシングの量を調節するのがポイント。絞りためるロイヤルアイシングの量が多いほど、筆で長い距離をひっぱることができます。なお、ロイヤルアイシングにパイピングジェル（P.224）を少量混ぜると、乾きにくく作業しやすくなります。

1 図案を適宜起こし、ペーストにトレース（P.404）する。

2 奥に位置する葉や花弁からはじめる。図案にそって1～2cmずつロイヤルアイシング（口金#1）を絞っては、乾かないうちに、水で湿らせた平筆でロイヤルアイシングをがくや葉の根元の方向にひっぱって塗りのばす。平筆はペーストに対して45度の角度で持つ。

3 ②の要領で仕上げていく。広いスペースやボリュームを出したい箇所は、ロイヤルアイシングを多めに絞る。

4 大きな花弁の例。ロイヤルアイシングを図案にそって多めに絞りためては、平筆でがくの方向に塗りのばす。

5 口金#1～2で花芯などを絞って仕上げる。

作品例

ロイヤルアイシングを数色使ってブラッシュエンブロイダリーを行なった作品。パンジーはオレンジと黄色、または白と紫、葉は黄緑と緑のロイヤルアイシングを使用。各色を隣合せで絞って同時に筆でのばしたり、1色が乾いてから重ねてほかの色を絞ってのばすなどしてグラデーションをつけ、微妙な色合いを表現している。

作品例

同じ図案でも選ぶワークによって雰囲気が変わる。左はブラッシュエンブロイダリーによるパンジー、右はチューブエンブロイダリー（P.138）によるパンジー。なお、左のパンジーは赤のロイヤルアイシングでブラッシュエンブロイダリーをした後、白のロイヤルアイシングで部分的にふたたびブラッシュエンブロイダリーをしている。

b パイピングジェルでのばす

やり方はⓐと同じですが、絞ったラインを、水ではなくパイピングジェルで湿らせた筆でのばします。通常のブラッシュエンブロイダリーとはまた違う、独特な質感を表現できます。

上面のバラ模様が、ロイヤルアイシングで絞ったラインを、水ではなくパイピングジェルで湿らせた平筆で塗りのばしたもの。陶器の質感にも似た、柔らかな印象。

☛ **作品例**（P.381）

c パーツを立体構成する（花）

ブラッシュエンブロイダリーでパーツをつくってケーキに貼ることもできます。パーツにカーブをつけると、よりユニークな表現になります。

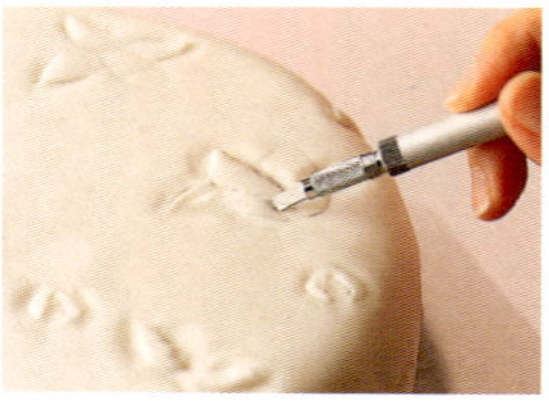

1 図案を適宜起こし、カバーリングしたケーキにトレース（P.404）する。カバーリングペーストが柔らかいうちに、図案のラインにカッターナイフで切込みを入れて立ち上がらせたり、図案の周囲を削ったりして立体感を出す。

2 花弁をつくる。図案に合わせて適宜花弁の型紙をつくってワックスペーパー片をのせて固定し、ⓐの要領でブラッシュエンブロイダリーを行なう。ただし、口金は太いもの（#2など）を使い、ロイヤルアイシングは花弁全体に厚く行き渡るように、ボリュームをもたせて絞る。フラワーフォーマーにのせてカーブをつけて乾かす。

3 ①にじかにブラッシュエンブロイダリーをしたり、②のパーツを貼ったりして花を形づくり、ロイヤルアイシングで花芯や茎の絞りを加える。葉はケーキにじかにブラッシュエンブロイダリーをしたもの。適宜着色して仕上げる。

作品例
ⓒの要領で花模様を仕上げたケーキ。花弁は数枚を重ねて貼ることで立体感が増す。3次元的な奥行きをもたせたものは、3Dともいえる。

3 11 チューブエンブロイダリー

Tube Embroidery

適する口金の目安
#00 ～ #0
適するロイヤルアイシングの目安
柔らかめ

ロイヤルアイシングを刺繍糸に見たて、刺繍のステッチをまねて模様を絞るワークです。
刺繍のデザインを参考に、さまざまなステッチにチャレンジしてみてはいかがでしょう。

a サテンステッチ

短い距離をうめるのに向きます。なお、ⓑ、ⓒにもいえることですが、シンプルな模様であれば、写真のようにカッター(抜き型)などを使って跡をつけると、鉛筆によるトレース（P.404）よりも微妙な立体感が出て、より刺繍らしいふっくらとした仕上がりになります。

1 間隔を詰めてライン絞りをして面をうめる。

b ロング&ショートステッチ

長い距離をうめるのに向きます。

1 長短をつけたラインを間隔を詰めて絞って面をうめる。絞りの切り目は、隣のラインとは異なる位置にする。

c ステムステッチ

植物の茎など、細長いスペースをうめるのに向きます。

1 短いラインを斜めに間隔を詰めて絞って面をうめる。

☛ 作品例

ケーキとボードの表面にトレースをし、サテンステッチ、ロング＆ショートステッチ、ステムステッチを組み合わせてしゃくやくを絞り、花芯をドットで絞っている。ペーストでつくったしゃくやくをあしらう。ひとつの作品にしゃくやくをふたつの方法で表現。同じモチーフでもテイストが異なる点がユニーク。

Reference そのほかの作品例

☛ P.388

サテンステッチ、ロング＆ショートステッチなどを組み合わせてケーキ側面にしゃくやくを絞った作品。このように淡い色を主体にして絞る場合は、絞りのラインをはっきりと出し、陰部分は濃い色で絞るなどして、メリハリをつけることが大切。作業中、時々離れてながめ、適宜絞りたして仕上げている。ケーキにあしらったペーストのしゃくやくとの対比がおもしろい。

ⓓ クロスステッチ

ラインを交差させて絞って模様をつくります。格子模様の生地目は、ペーストに筋目模様のテクスチュアピンを縦横に転がすなどして表現するとよいでしょう。

1 カバーリングペーストをローリングピンで約3mm厚さにのす。さらに、筋目模様がついたテクスチュアピンを縦横に転がして格子模様をつける。格子模様は、網状の生地目がついた布などをペーストにあて、上からローリングピンを転がしてつけることもできる。

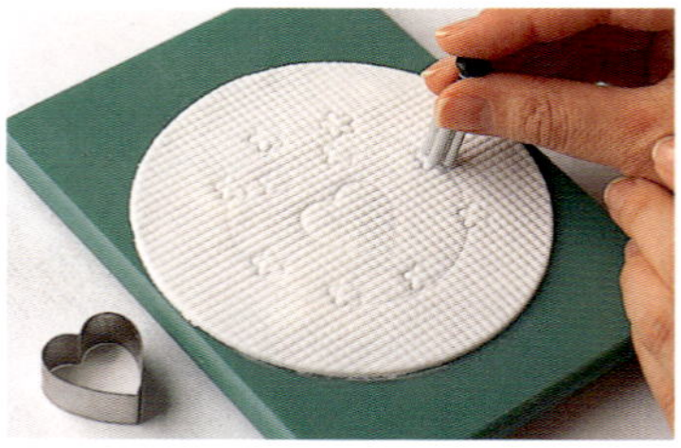

2 ①を目的に合わせたサイズに切る。セルクルや各種カッター（抜き型。ここではハートカッターとブロッサムプランジカッター）などを押しあてて模様の跡をつける。

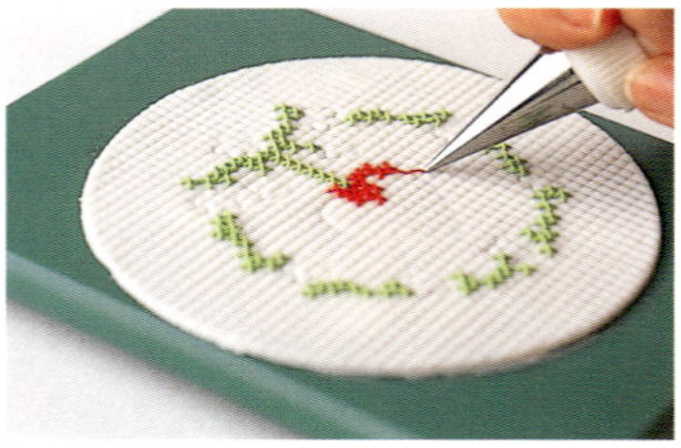

3 ②でつけた跡をガイドに、ロイヤルアイシング（口金#0）を使って、フリーハンドで短いラインを交差させて絞って模様をつくる。

☛ 作品例

ケーキをカバーリングする。ⓓの要領で格子模様をつけ、カッターで模様の跡をつけたペーストを柔らかいうちにかぶせ、レースカッターで抜いたペーストを縁に貼ってひだを寄せて乾かす。表面にやはりⓓの要領でクロスステッチの模様を絞る。ボードのペーストにも同様に格子模様をつけ、クロスステッチやリボンのラインを絞っている。

e ドットステッチ

ロイヤルアイシングで格子模様のプラークをつくり、さらにドット絞りで模様をつくります。ドット絞りのボリュームに差をつけると、立体感を表現できます。1枚のレースのような繊細な仕上がりです。

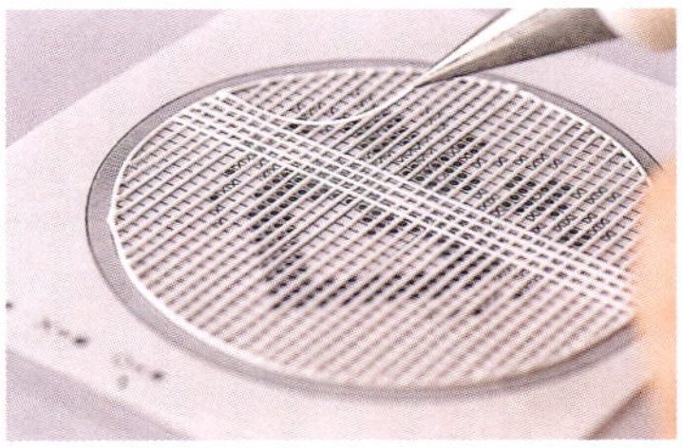

1 アクリルボードに型紙を置き、OPシート（またはワックスペーパー）を重ねてセロテープでとめる（なお、大きなパーツをつくる場合は、OPシートははがれにくいので注意）。ロイヤルアイシング（口金#0）で内側の円周を絞る。続けて格子模様を口金#00で絞る。

2 外側の円周を口金#0で絞り、円の外枠をランナウトアイシング（P.160）でうめてプラークにする。乾かす。

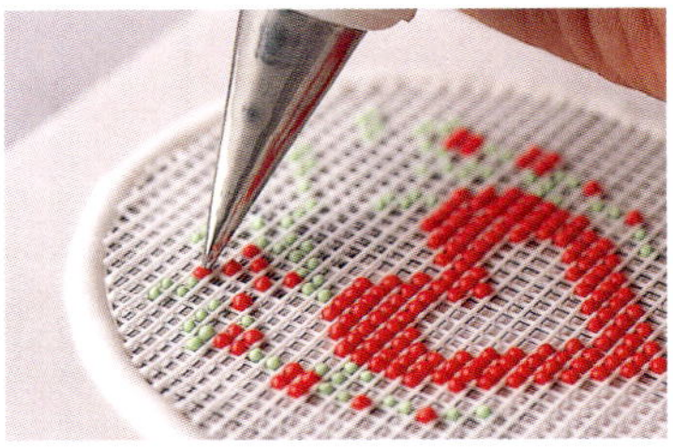

3 型紙の模様に合わせ、格子の中に口金#0で色別に順にドットを絞る。ここでは赤のドット絞りにボリュームをもたせて立体感を出している。

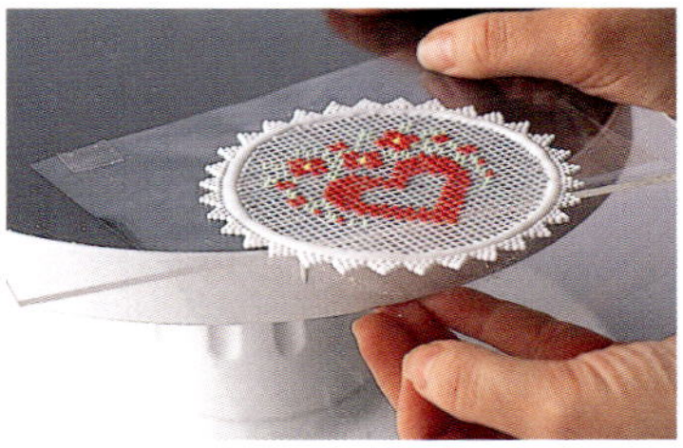

4 プラークの縁にもフリーハンドで適宜ドットを絞って飾る。充分に乾かしたらOPシートをとめたテープをはがし、型紙をはずす。プラークをアクリルボードごとターンテーブルにのせ、OPシートごとアクリルボードの前方にそっとずらしてプラークを一部はがし、アクリルボードの上でパレットナイフを使って全体をはがす。プラークをのせる場所にしるしをつけておき、ロイヤルアイシングを少量絞って接着する。壊れやすいので慎重に作業する。

☛ 作品例
ⓔの要領でドットステッチを仕上げたプラークを接着したケーキ。ボードもドット絞りで飾り、統一感をもたせている。ケーキ側面には、ランナウトでつくったリボンを接着し、ステム＆リーフを絞っている。○型紙→P.408

3 12 レースピース
Lace Pieces

適する口金の目安
#0
適するロイヤルアイシングの目安
柔らかめ

**ロイヤルアイシングで絞り模様のパーツをつくり、
ケーキから浮かせて接着することで透かしのレースのように見せるワーク。
繊細優美な印象が強く残るワークです。**

a 小さなレースピース（蝶）

レースピースワークでもっともポピュラーなのが、小さなレースピースを複数つくってケーキに連続して接着し、レースの縁飾りのように見せる手法です。レースピースは壊れやすいので、扱い方がポイント。また、壊れた場合を考え、実際に使う数よりも多めにつくっておくのが基本です。ここでは、ケーキからはずれにくいレースピースの接着法のアイデアもあわせてご紹介します。

1 レースピースをつけたい箇所の長さをはかり、型紙の幅で割り算をして、必要なレースピースの数を確認しておく。アクリルボードに型紙を置き、ワックスペーパーをのせてセロテープでとめる。

2 型紙のラインをなぞってロイヤルアイシング（口金#0）を絞る。絞りのライン同士は完全にくっつけるようにする。ちなみに、模様は細かい方が壊れにくい。また、できるだけ同じ太さで絞ることも、壊れにくくするポイント。完全に乾かす。

3 レースピースが乾いたら、ワックスペーパーをとめたテープをはがす。親指の爪をレースピースの下にあててそっと持ち上げるようにしてひとつずつ紙からはがしては、ケーキに接着する。親指の爪は、絞り模様のなかでもじょうぶそうな箇所にあてるとよい。

4 レースピースの接着の仕方。ケーキ表面のペーストが柔らかいうちに、レースピースの接着点に合わせてあらかじめカッターナイフなどで切込みを入れておく。切込み箇所にロイヤルアイシング（口金#0）を絞り、レースピースを指でひとつずつ接着する。切込みを入れてちょっとした‘棚’をつくっておくと、ただロイヤルアイシングを絞って接着するよりも、レースピースが落ちにくく、また、好みの角度に接着しやすい。レースピースが固定したのを確かめて指を離す。余計な力が入ってレースピースを壊さないように気をつける。

5 レースピースをすべてつけ終わったら、適宜接着点の上に1周ビーズ絞りをしてととのえる。

☛ 作品例

ⓐⓑの要領で大小の蝶のレースピースを接着。小さなレースピースは後方にいくほど角度を徐々に上向きにして接着し、正面から見やすく仕上げている。ケーキ上面のカバーリングペーストはP.44と同じバラ模様。華やかでかわいらしい作品。○型紙→P.409

b 大きなレースピース

レースピースは、ⓐのように複数を連続してケーキにあしらうほか、単独でケーキの大きなオーナメントとしてもよく使われます。つくる要領は基本的に小さなレースピースと同じ。ただし、小さなレースピースよりもよりはがしにくく壊れやすいので、下記のような工夫をするとよいでしょう。

はがし方 1

1 レースピースが完全に乾いたら、ワックスペーパーをとめたテープをはがし、型紙をはずす。レースピースをアクリルボードごとターンテーブルにのせ、ワックスペーパーごとアクリルボードの前方にずらしながら少しずつはがす。半分ほどはがしたら、あとはアクリルボードの上でパレットナイフではがすとよい。

☛ **作品例**（P.143）

はがし方 2

1 ワックスペーパーのかわりにシリコンペーパーを使うと、ピースが乾くにつれて自然に紙からはがれる。これは、小さなレースピースの場合は気づかないうちにはがれて壊すことがあるのでおすすめしないが、大きなレースピースの場合は有効な方法。

☛ **作品例**（右頁およびP.381）

強度を増す方法 1

写真の蝶のレースピースのように、型紙のアウトラインや主要なラインを2重に絞ったり、または太めの口金（#1）で絞ると、強度が増す。

☛ **作品例**（P.370）

強度を増す方法 2

型紙のアウトラインを絞って内側に格子模様を絞り、その上に重ねて型紙の模様を絞っても、強度のある壊れにくいレースピースがつくれる。

接着の仕方

大きなレースピースも小さなレースピースと同様にロイヤルアイシングを使ってケーキ等に接着し、周囲にコットンなどを置いて完全に乾くまで固定する。なお、ケーキの上面縁から側面にかけてあしらう場合、右頁右下写真のようにケーキにひっかけやすいデザインにしておくと、固定させやすい。

c　レースピースの側面飾りバリエーション

レースピースはさまざまにケーキにあしらうことができます。ケーキ側面を飾るアイデア例を集めました。

ひいらぎの葉模様のレースピースを数個合わせてケーキ側面に接着。中心にひいらぎの実の絞りを加えている。

☛ **作品例**（P.395）

クリスマスリースの模様を絞ったレースピースに、さらにリボンやひいらぎの実の絞りを加えて、ケーキ側面に接着している。

☛ **作品例**（P.395）

カーブをつけたレースピースの側面飾り。上段にあしらった大きなレースピースは、発泡スチロール製ダミーケーキの側面にワックスペーパーを貼り、その上から模様を絞ってカーブをつけている。下段のレースピースは、フラワーフォーマーを使って同じ要領で模様を絞ってカーブをつけたもの。ちなみに、レースピースにあしらった小花はオリジナルアイデアによるもの。小花模様を絞った内側に筆でロイヤルアイシングを塗ってオーガンジー風の布地感を出している。

☛ **作品例**（P.375）

ケーキ上面縁にひっかけやすいように、型紙のデザインに角をつけたレースピースの側面飾り。

☛ **作品例**（P.381）

作品例

迫力のある大きなレースピースがインパクトを与える作品。この作品のように、大きなレースピースを翼のように大胆に配するスタイルは、'South African Style(南アフリカ様式)' 'Wing Lace' として知られている。あしらった花は、オレンジ色が鮮やかな菊の大輪。

作品例

日本の夏をイメージさせる涼しげな金魚鉢をモチーフにした、フィリグリーボックス。フィリグリー 'filigree' とは「線条の透かし細工」を意味し、レースピースのなかでも格子模様など特に精緻な絞りの飾りをさしてこう呼ばれる。ボックスの各パーツは、ランナウトワークで周囲を強化したもの。格子模様を一部絞らずにおき、そのスペースに水中の泡や水中花をランナウトワークでうめてつくる。上面には金魚のブラッシュエンブロイダリーのパーツを貼っている。適宜透明なパイピングジェルを塗り、水中の雰囲気を表現している。

3

13 ストリング

String Work

適する口金の目安
#0 ～ #1
適するロイヤルアイシングの目安
柔らかめ

'string'は「糸」や「弦」という意味。ロイヤルアイシングをケーキから浮かせて弧のラインに絞り出し、連続模様をつくるワークです。同じ幅で長さを変えて絞ったり、一定の間隔をおいて追いかけるように絞ったりすることで、複雑な模様ができ上がります。

a オリエンタルスタイル

ストリングワークにもさまざまなやり方と模様がありますが、ここではケーキの上下を返してロイヤルアイシングを絞る「オリエンタルスタイル」と呼ばれるやり方をご紹介します。この呼び名は、一説には東洋で生まれた水引のアートから連想して名づけられたといわれています。

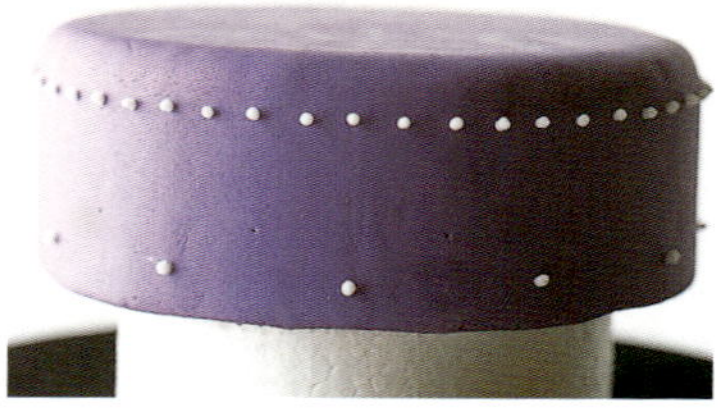

1 ケーキ周囲の長さを紙テープではかって2枚切り、決めた弧の間隔に合わせてそれぞれ等分に折る。ここでは上側の弧用として1枚を24等分、下側の弧用としてもう1枚を12等分に折る。それぞれ紙をケーキにあててとめ、マチ針などでしるしをつける。上側の弧用のしるしは、各しるしの中央にさらにしるしをつけて48等分にする。しるしの箇所にロイヤルアイシング（口金#1）でドットを絞る。

2 下側のストリングから絞りはじめる。ケーキをひっくり返して、ケーキよりひとまわり小さい発泡スチロール台などにのせ、ターンテーブルに置く。ターンテーブルを手前に少し傾け、ロイヤルアイシング（口金#0）をドットからドットへと、ケーキから浮かせて弧を描いて絞り、1周する（1段め）。さらに、同じドット間でもう少し長い弧を絞って1周し（2段め）、さらに弧を長めにして3段めを絞る。それぞれの弧の長さが1周を通して揃うように気をつける。弧の長さを確認して絞り終えるのがコツ。

3 続いて上側のストリングを絞る。ひとつのドットからスタートし、ひとつ飛ばしたドットへと弧の長さを変えて2本絞ったら、今度は先ほど飛ばしたドットからふたたびひとつ飛ばしたドットへと、同じ要領で2本絞る。これを繰り返して1周する。

4 ③の要領で、弧を長くしてもう3本ずつ絞り1周する。乾かす。

5 ケーキの上下をもとにもどす。上側のストリングを、③と同じ要領で、絞りのスタート地点をひとつずつずらして2本ずつ1周絞って仕上げる。下側のストリングも、②と同じ要領で3段絞って仕上げる。弧の接点にドット絞りをしてととのえる。

※なお、ここではダミーケーキを使用しているため、ターンテーブルに直置きしているが、本物のケーキは動かないようにボードにロイヤルアイシングで接着し、ターンテーブルに置く。

Reference
そのほかの作品例

☞ P.205
ミニチュアウェディングケーキの3、4段めにストリングを絞っている。ケーキをひっくり返さずに仕上がる、シンプルなストリングワークの例。

☛ 作品例

ⓐの要領でオリエンタルスタイルのストリングワークをほどこしたケーキ。ケーキの高さを超えて張り出した、弧を描く絞りの層が美しい。ストリングワークだけで充分な存在感がある。

3 14 オーバーパイピング

Overpiping

適する口金の目安
#5 〜 #1
適するロイヤルアイシングの目安
固め〜柔らかめ

ロイヤルアイシングの絞りを数層重ねるワークです。シュガークラフトのなかでも古くから伝わる装飾法で、'Traditional Style''Over Piped Style'などとも呼ばれます。ロイヤルアイシングでコーティングしたケーキにほどこすのが正式ですが、現在ではペーストでカバーリングしたケーキにも行なわれています。

a クッションリング

オーバーパイピングには、同じ絞りを重ねる、同じ絞りを口金のサイズをかえて重ねる、異なる絞りを重ねる、などのやり方があり、重ねる層にボリュームをもたせると華やかで重厚なデコレーションになります。ここでは、ライン絞りをクロスさせて重ねる 'Cushion Ring' と呼ばれるやり方をご紹介します。

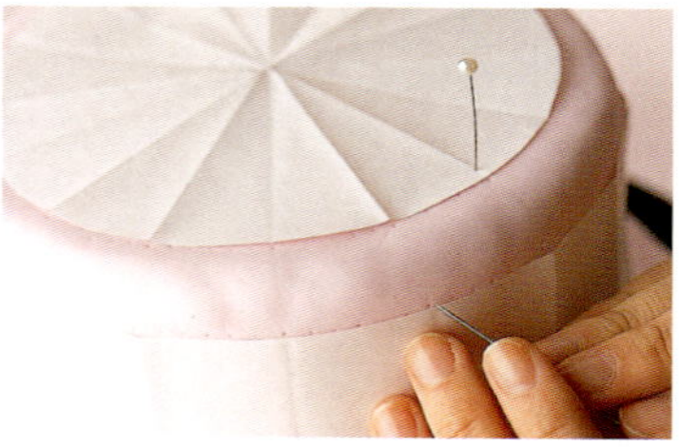

1 ケーキボードに接着したケーキを、ターンテーブルにのせる。ケーキの上面よりもやや小さめの円形に切った紙に16等分の折り目をつけ、ケーキ上面にマチ針でとめる。紙の周囲にオーバーパイピングのスタート地点を示すしるしを、16等分した1区画をさらに6等分してマチ針でつける。また、ケーキ周囲の長さに合わせて紙テープを切って16等分の折り目をつけ、ケーキ上面からやや下がった側面にとめる。この時、上面と側面の区画の位置を揃えるようにする。側面にとめた紙の上側の周囲にも、16等分した1区画をさらに6等分したしるしをつける。

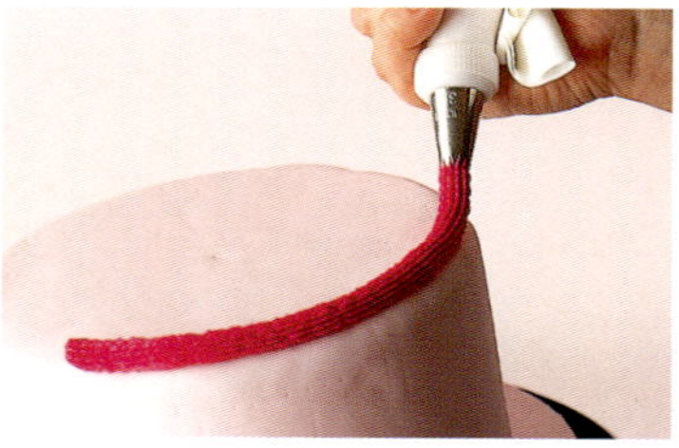

2 ケーキの上面縁に赤のロイヤルアイシング(口金#199)を絞る。この絞りがオーバーパイピングの土台となる。

3 白のロイヤルアイシング(口金#5)を、上面のしるしから一定の間隔をつけて側面のしるしへと斜めに絞っていく。

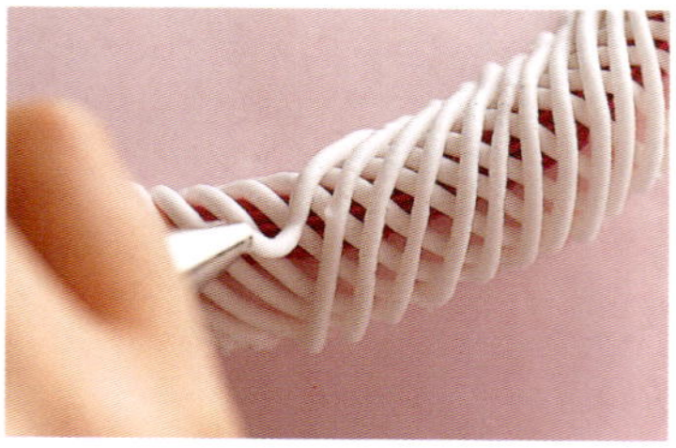

4 1周絞り終わったら(1層めA)、その上から今度は向きを逆にして同じ要領で1周絞る(1層めB)。

5 絞りのラインがゆがんでしまった時は、水で湿らせた筆で補正するとよい。1層め(AB)を絞り終わったら、その上から口金#4で1層めのラインAをなぞって絞り(2層めA)、さらにその上からやはり口金#4で1層めのラインBをなぞって絞る(2層めB)。同じ要領で口金の口径を#3、#2、#1と徐々に細くして5層の交差模様を絞る。すべて絞り終わったら、絞りのラインの両端を適宜ビーズ絞りなどでととのえる。

絞りのラインが、同じ向きでひとつ前の絞りのラインの中心に正確にのっていることが大切。ひし形のすき間から赤い土台が見えるように仕上げる。

作品例

ⓐの要領で上面縁にオーバーパイピングをしたケーキ。ケーキ側面とケーキボードにも、口金 #16、#5 ～ #2 を使ってオーバーパイピングをしている。このようにオーバーパイピングでケーキ全体をデコレーションする手法は、ジョセフ・ランベス氏が有名にしたことから'Lambeth Style'とも呼ばれている。

3 *15* エクステンション

Extension Work

適する口金の目安
#00〜#0
適するロイヤルアイシングの目安
柔らかめ

'extension'は「拡張、延長」という意味。ケーキ表面からライン絞りを浮かせて模様をつくるワークです。
レースカーテンのような繊細な美しさが特徴。
基本から応用までさまざまな手法をご紹介します。

a エクステンションワークの注意点

エクステンションワークはごく細いライン絞りをするため切れやすく、ロイヤルアイシングの扱い方や絞り方に特に注意が必要です。ここではそのポイントをまとめました。「#1以下の口金を使う場合」「#00の口金を使う場合」の項(P.107)もあわせて参照してください。

ボードの選び方とロイヤルアイシングの扱い方

・ⓑ〜ⓔではダミーケーキを使用しているため、ターンテーブルに直置きしているが、ケーキをボードにのせた状態でエクステンションワークを行なう場合は、ケーキとボードのサイズの差が大きくなるほど作業しにくくなるので、ボード選びに注意する。
・絞りが切れやすくなる原因である気泡をできるだけ少なくするため、ロイヤルアイシングは、使用分をそのつど小さな容器でパレットナイフを使ってつくる。
・ロイヤルアイシングは、パイピングバッグに入れる前に容器の縁にこすりつけるようにして気泡をつぶす。
・ロイヤルアイシングの材料に全粉糖を使った場合、時間がたつと固くしまってくるので、パイピングバッグには少量ずつ入れて作業する。
・ロイヤルアイシングの材料に生卵白を使うとなめらかで絞りやすいが、変色が早いので注意する。
・口金#00を使う場合は特にロイヤルアイシングが詰まりやすいので、かならずガーゼなどで漉してからパイピングバッグに入れる。また、パイピングバッグもそのつど取り替えるようにするとよい。

ターンテーブルの調整とパイピングバッグのかまえ方

・ブリッジを絞る時は、ターンテーブルの手前を少し持ち上げておくと絞りやすい。
・ブリッジに向かってライン絞りをする時には、ターンテーブルを手前に傾けてラインがたるまないようにする。
・ボードにのせたケーキをターンテーブルにのせ、上記のようにターンテーブルに傾斜をつける場合、ケーキはロイヤルアイシングでボードに接着しておき、さらにボードの下にすべり止めマットを敷くとよい。
・絞りと目線の位置を揃える。
・パイピングバッグを持つ手は肘をついて安定させて、もう片方の手を添えて支え、絞りのラインがぶれないようにする。

ブリッジに向かってライン絞りをする時のポイント

・ケーキとの接点となるロイヤルアイシングの絞りはじめは、ケーキ表面にしっかりと密着させて絞る。
・絞る力を一定にし、ラインの太さを一定に保つ。
・口金と絞りのラインにできるだけ角度をつけないようにする。
・ラインを手前にひき、たるまないように気をつける。
・絞る力に対して手のひきが遅すぎると、ラインがたるんで切れやすい。
・逆に、絞る力に対して手を早くひきすぎてもラインが切れやすい。
・ライン絞りの補正は、湿らせた筆で行なう。

☛ 作品例

エクステンションワークのさまざまな手法をとり入れた作品。ⓑ～ⓔの要領でエクステンションワークを行ない、さらに絞りを加えてデコレーションしている。

b ブリッジを土台にする

もっとも基本的なエクステンションワークの方法です。ブリッジと呼ばれる‘張り出し’をまず絞り、ブリッジに向かってラインをまっすぐに下ろして絞ることで、ライン絞りをケーキ側面から浮かせます。

1 ケーキ周囲の長さを紙テープではかって切る。

2 決めたブリッジの数に合わせて①を等分に折り、紙の上下にスカラップを描いて切る。なお、ここでは上側と下側のスカラップの位置に変化をつけ、上側はスカラップの中央が折り目にくるようにしている。

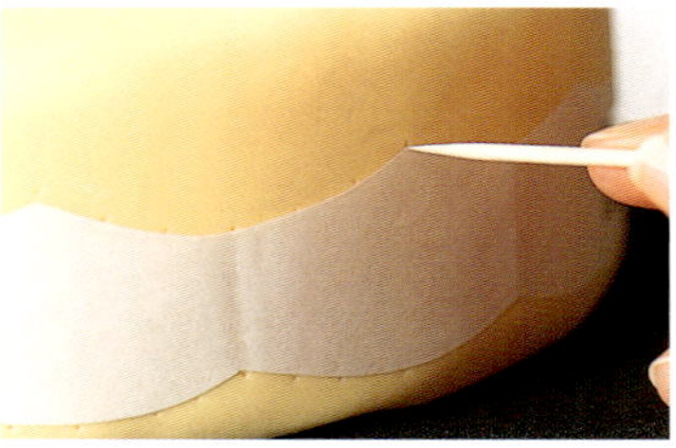

3 ②をケーキ側面に巻いてセロテープでとめ、スカラップにそって爪楊枝でしるしをつける。紙テープをはずす。

4 ケーキをターンテーブルにのせ、ターンテーブルの手前を少し持ち上げる。下側のしるしにそってロイヤルアイシング（口金#1）をケーキ側面に密着させて1周絞る（1層め）。

5 1層めが乾いたら、1層めに接して2層めを絞り、乾かす。口金を#0にかえ、同じ要領で計5～6層絞ってブリッジを完成させる。

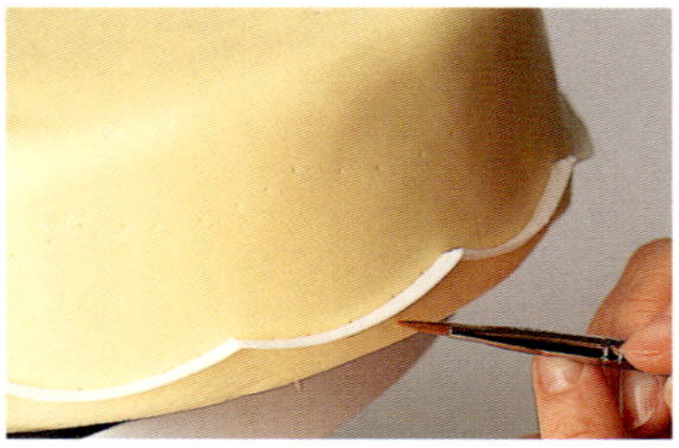

6 途中、層の間にすき間ができてしまった時は、湿らせた筆で軽く押さえて補正する。

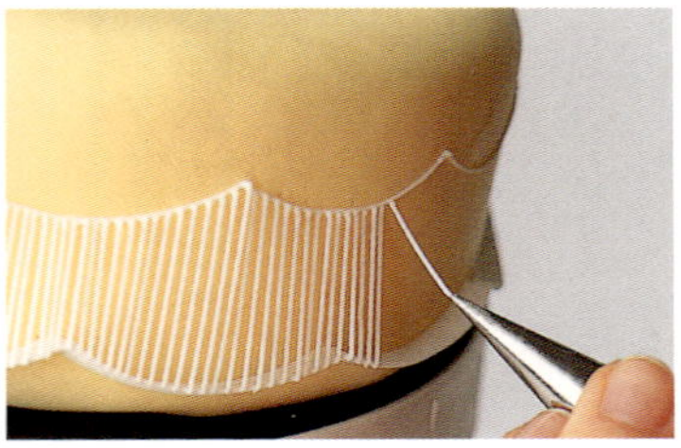

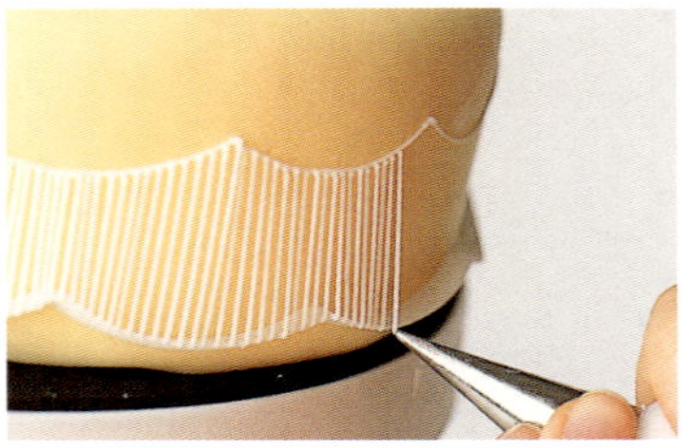

7 ブリッジが完成したら、上側のスカラップのしるしにそって口金#1でケーキ側面に密着させて1周絞る。ターンテーブルを手前に傾け、上側のラインからブリッジに向かって、口金#00でロイヤルアイシングをまっすぐに下ろして絞る。パイピングバッグに込める力を徐々に抜いてブリッジでとめ、余分なロイヤルアイシングを残さないようにする。絞り終わりは口金をブリッジの裏側にはらうようにすると、仕上がりが美しい。

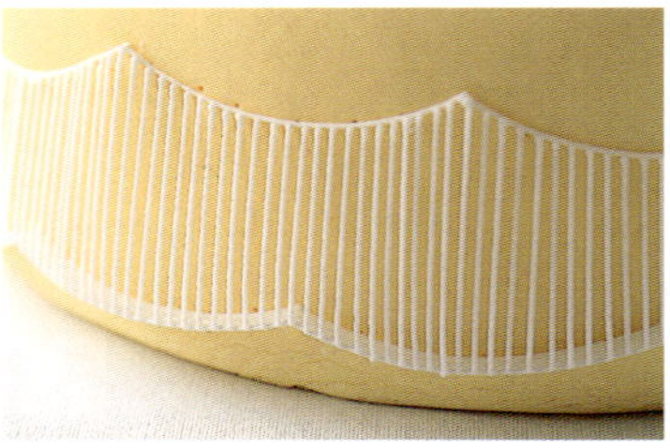

8 エクステンションワークのでき上がり。なお、上側のラインよりも下側のブリッジの方がやや幅広になるので、ラインを下ろして絞る時、下側の間隔を気持ち広めにとるようにするとバランスがよい。等間隔で同じ太さにまっすぐに絞り、絞りのラインが揃っていることが望ましい。また、慣れてきたら上側の絞りはじめを隣と接するようにすると、ラインの間隔が密になってより美しい見ためとなる。

c ブリッジにカーブをつける

基本的な要領はⓑと同じですが、ブリッジの絞りの幅を1層め以降少しずつ短くして、ブリッジにカーブをつけます。

1 ブリッジの幅を1層め以降少しずつ短くして計5〜6層絞る。層の間にすき間ができてしまった時は、湿らせた筆で軽く押さえて補正する。

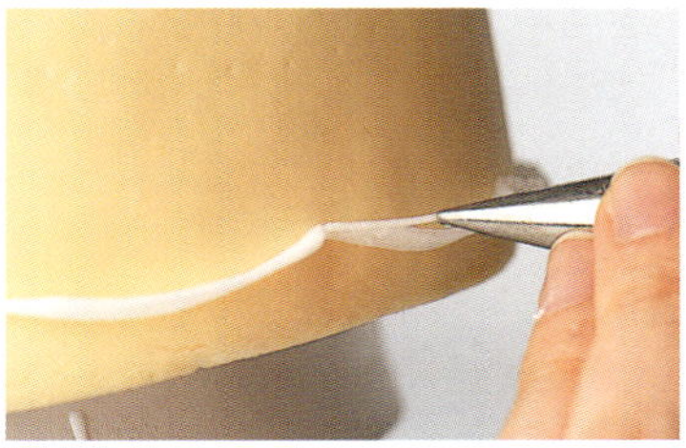

2 ブリッジを5〜6層絞り終わったら、最後にすべての層の両端に接するように1層絞る。

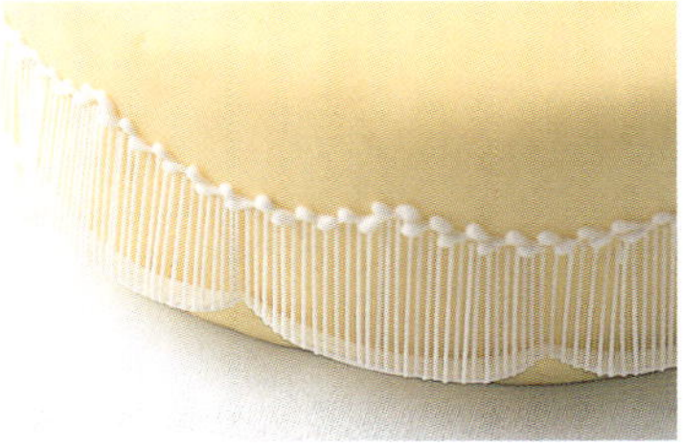

3 ブリッジが完成したら、上側のスカラップからロイヤルアイシング(口金#00)をまっすぐに下ろして絞る。なお、上側のスカラップにそってライン絞りはしておかなくてもかまわない。最後に上側のスカラップにそって口金#0でビーズ絞りなどをしてととのえる。

d フローティング

'floating' とは「浮いている」という意味。大きなパーツをエクステンションの絞りで支えて浮かせます。

1 ここではランナウトのパーツを浮かせる。パーツそのもの(または同サイズに切った紙など)をケーキ上面に置き、周囲に爪楊枝でしるしをつける。

2 パーツを垂直に持ち上げ、角砂糖で支える。

3 角砂糖をさけ、ケーキにつけたしるしからパーツの端に向かってロイヤルアイシング(口金#00)を下から上へまっすぐに絞る。

4 ③の絞りが乾いたら角砂糖を順次はずし、そのスペースにも同様にロイヤルアイシングを絞る。

5 パーツが宙に浮いたような、でき上がり。

e ブリッジレス

基本的な要領はⓑと同じですが、ブリッジそのものもケーキから浮かせて絞る手法です。

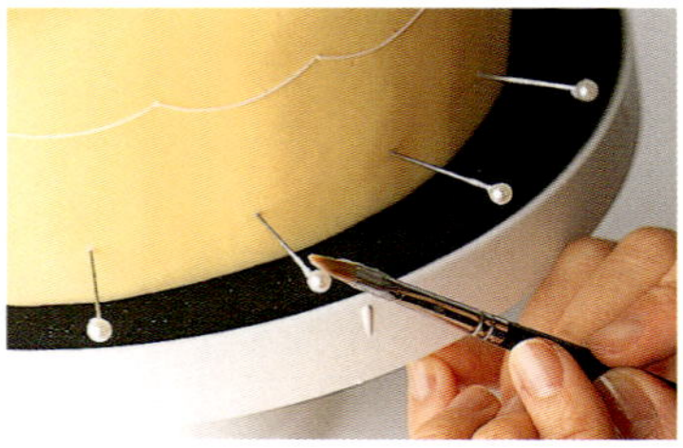

1 上側のスカラップのしるしにそってロイヤルアイシング（口金#0）をケーキ側面に密着させて1周絞る。下側の各スカラップの端にマチ針をさし、これから絞るロイヤルアイシングがくっつかないようにマチ針に筆でショートニングを薄く塗る。

2 マチ針同士をつなぐように、口金#0で1周ライン絞りをする。乾かす。

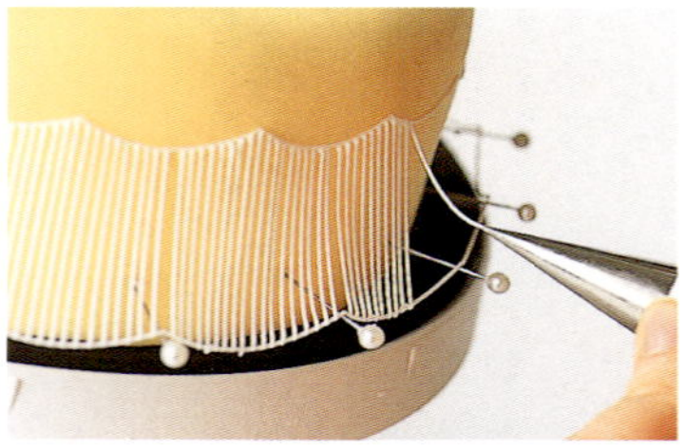

3 ターンテーブルを手前に傾け、上側のスカラップから②で絞ったラインに向かって、ⓑと同じ要領でロイヤルアイシング（口金#00）をまっすぐに下ろして絞る。マチ針をさした箇所はさける。

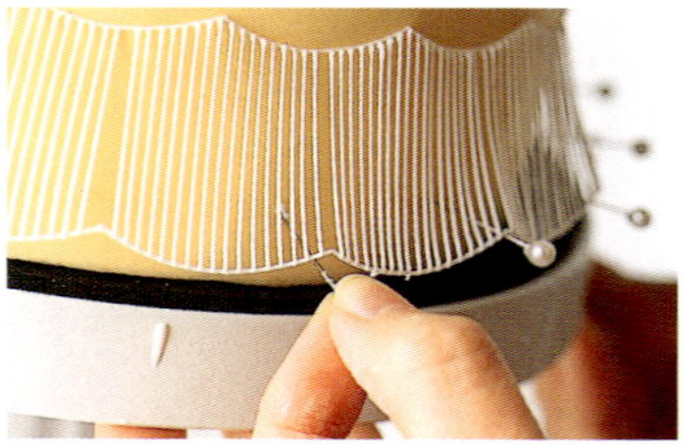

4 途中、③の絞りが乾いたらマチ針を順次はずし、そのスペースにも同様にロイヤルアイシングを絞りながら、1周絞る。

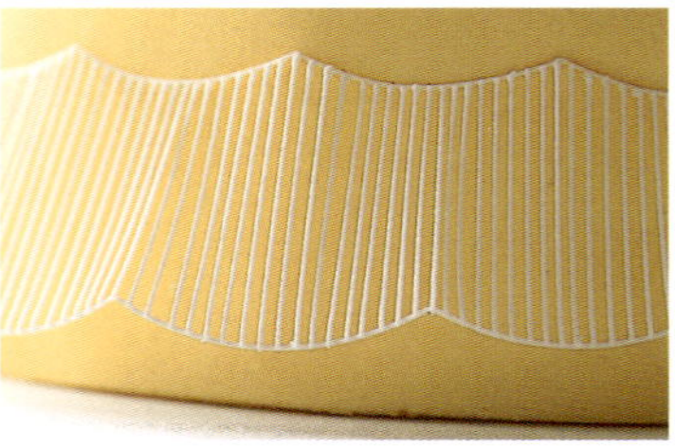

5 ロイヤルアイシングの絞りが宙に浮かんだようなでき上がり。

f ブリッジレスのエクステンションワークを層にする

ⓔのブリッジレスのエクステンションワークを数層絞ると、この上なく精緻で華やかなデコレーションになります。

☛ 作品例（P.380）

ブリッジレスのエクステンションワークを3層絞る場合、3層分のブリッジ用のしるしをあらかじめケーキにつけておく。ブリッジに向けて下ろすライン絞りはほぼ同じ位置からはじめる。作業は下段からはじめ、下段のエクステンションワークを進めながら中段のブリッジ用にマチ針をさし、下段を絞り終わったら中段用のマチ針をつなぐラインを絞って同様にエクステンションワークをする。上段も同様に絞って仕上げる。写真はケーキ側面中央を境に3層ずつ絞った例。3層絞って乾かしたら、ケーキをひっくり返してまた3層絞る。縁にストリングなどの絞りを加えるといっそう精緻な仕上がりに。

☛ 作品例

ⓔの要領でケーキ側面にブリッジレスのエクステンションワークをほどこした作品。ケーキにペインティングした淡いトーンの野バラが、エクステンションの絞りのすき間から透けて見えて美しい。

g エクステンションワークのいろいろ

エクステンションワークは、直線や曲線に絞ったパーツを支柱にしたり、ブリッジのかわりに各種パーツに向かって絞るなど、さまざまなバリエーションが可能です。

直線パーツを支柱とする

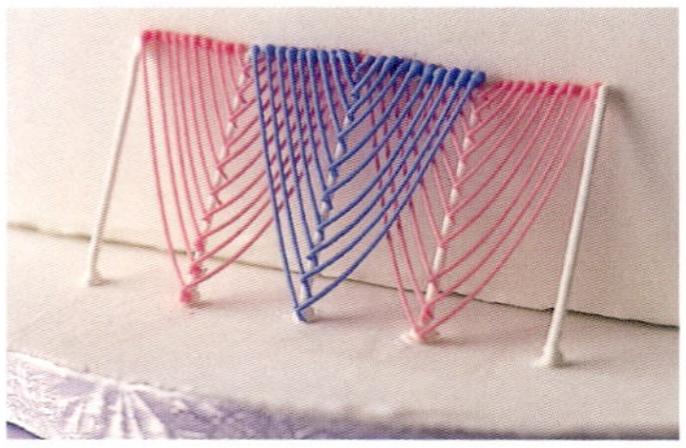

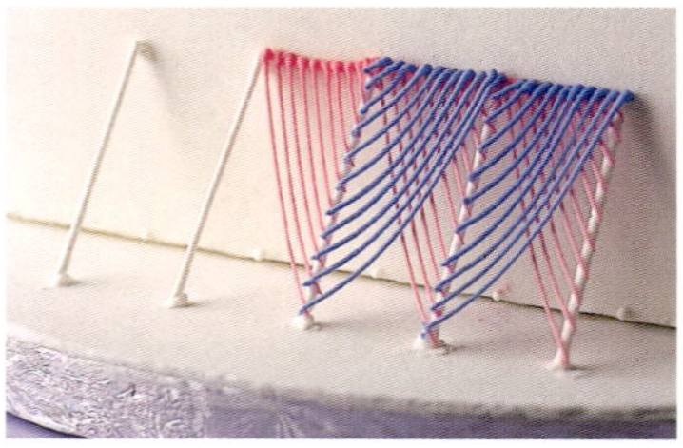

ワックスペーパーなどにロイヤルアイシング（口金#2）で直線ラインを絞ってパーツをつくる。これをケーキ側面からボードに立てかけて接着し、エクステンションの絞りの支柱とする。写真上は、支柱をひとつ飛ばしにして支柱の両側からピンクのロイヤルアイシング（口金#00）で斜めにエクステンションの絞りを入れ、間の支柱に青のロイヤルアイシングで同様の絞りを重ねたもの。写真下は、支柱の片側にのみピンクでエクステンションの絞りを入れ、もう片側に青で逆方向から同様の絞りを重ねたもの。

曲線パーツを支柱とする

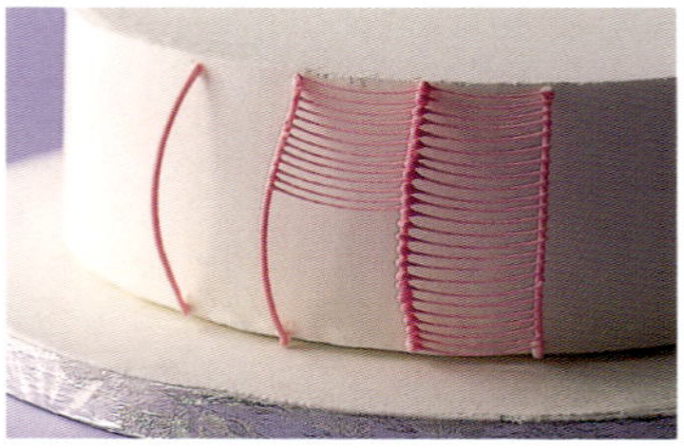

ワックスペーパーなどにロイヤルアイシング（口金#2）で曲線ラインを絞ってパーツをつくる。写真上は、パーツをケーキ側面に縦に接着、写真下はパーツを同様に横に接着して支柱とし、それぞれ口金#0で支柱をつなぐライン絞りを入れている。

輪のパーツを支柱とする

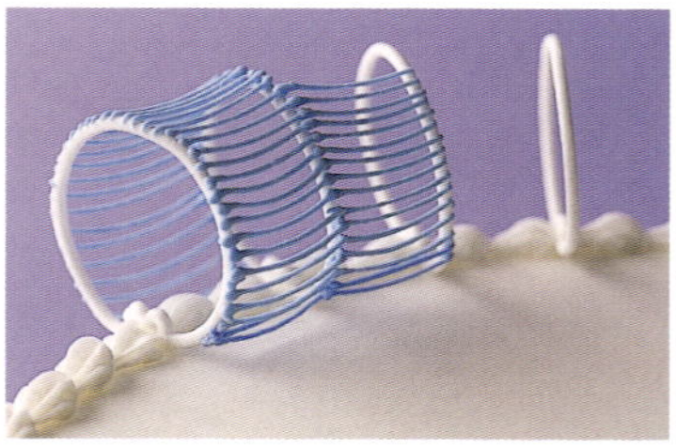

ワックスペーパーなどにロイヤルアイシング（口金#3）で輪を絞ってパーツをつくる。ケーキ上面縁に口金#14でシェル絞りをし、絞りの境目に輪のパーツを立てて接着する。口金#0で輪と輪をつなぐライン絞りを入れる。

ランナウトのパーツを利用する

ケーキボードにランナウトのカラーを接着し、ケーキ側面からランナウトカラーに向かってロイヤルアイシング（口金#0）でラインを絞る。乾いたら、向きを変えて重ねて絞る。

☛ **作品例**（右頁）

作品例

ケーキ側面からボードにかけて、左頁の要領でエクステンションワークを行なった作品。ケーキ上面には、ランナウトの円形プラークからフローティングのエクステンションワークでランナウトカラーを浮かせたパーツを接着している。ケーキボードに配した花模様のランナウトのパーツに合わせ、ケーキ側面に花模様のブラッシュエンブロイダリーをほどこす。

3 *16*

ランナウト

Runouts

適する口金の目安
#0～#1
適するロイヤルアイシングの目安
ランナウトアイシング

**まず型紙のラインを絞り、その内側をゆるめのロイヤルアイシングで満たして模様を仕上げるワークです。
小さなパーツからフルカラーと呼ばれる大きなパーツ、パーツの立体構成まで、さまざまな表現方法があるワークです。**

a ランナウトアイシングのつくり方

型紙の内側をうめる「ランナウトアイシング」は、型紙のラインを絞ったロイヤルアイシングに水を加えてつくります。

1 型紙のラインを絞ったロイヤルアイシングに水を適量加えてゆるめる。適する濃度は、うめるスペースのサイズによる。狭いスペースの場合は、パレットナイフなどをさし込んでからひくと跡が10秒カウントで消えるくらい、広いスペースの場合は5秒カウントで跡が消えるくらいがちょうどいい。気泡を落ち着かせるため、少しおいてから使う。

b ランナウトワークの注意点

ランナウトワークを美しく仕上げるには、ランナウトアイシングの絞り方と乾かし方が決めてです。

・型紙にそってロイヤルアイシングを絞る時は、口金#0で内側の細かい模様から絞りはじめ、最後に外枠を絞る。
・ロイヤルアイシングで型紙のラインを絞り終えたら、すぐにランナウトアイシングを内側に絞ってうめる。
・ランナウトアイシングは、ロイヤルアイシングのラインに確実に接するようにし、また、表面張力でとどまるくらいまでたっぷりと絞る。
・ランナウトアイシングは乾くとやや沈むので、絞り方がたりないと貧弱な仕上がりになり、壊れやすくもなる。
・立体的な効果を出したい場合は、遠近感を考えてランナウトアイシングの絞り方に強弱をつける。
・気泡ができた場合は、すぐに針または爪楊枝でつついて消す。
・隣合うスペースは時間をおいてランナウトアイシングを絞りうめる。すぐに絞ると決壊して境目がなくなることがある。特に、隣合うスペースに異なる色を使う場合は、境目で色が混じり合うことがあるので注意する。
・ランナウトアイシングをうめ終わったら、すぐにライトの下に置いて表面を早く乾かす。乾かすのに時間がかかると、ザラザラした表面になる。

c 狭いスペースをうめる（小さなカラー）

'collar' は「えり」という意味。えりのようにケーキ上面やケーキボードに貼るランナウトのパーツを「カラー」と呼びます。ここでは数枚で飾る小さなカラーを例に、ランナウトの基本の方法をご紹介します。

1 アクリルボードの上に型紙を置き、OPシートをのせてセロテープでしっかりとめる。ロイヤルアイシング（口金#0）を内側の模様から絞りはじめる。

2 型紙のすべてのラインを絞る。

3 7秒カウントで跡が消えるくらいのランナウトアイシングを、口金#0〜1をつけたパイピングバッグに入れ、②で絞ったアウトラインの内側に絞ってうめる。

4 でき上がったパーツはライトの下に置いて表面をできるだけ早く乾かす。表面が乾いたらランプから離し、自然乾燥させる。

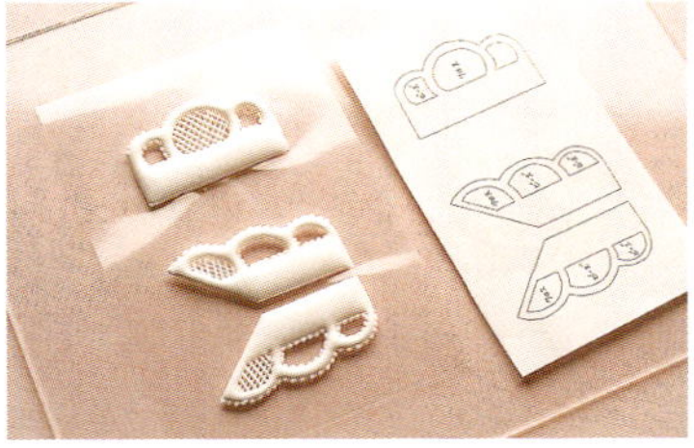

5 パーツが完全に乾いたらOPシートをとめたテープをはがし、型紙をはずす。

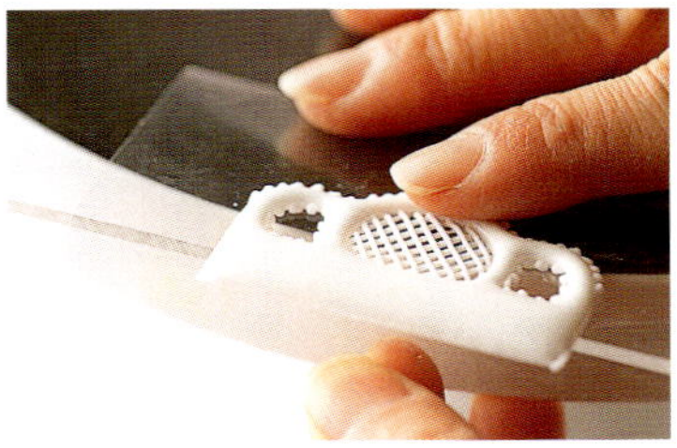

6 パーツをアクリルボードごとターンテーブルにのせ、OPシートごとアクリルボードの前方にそっとずらし、安定した広い面から少しずつパーツの端をはがしておく。その後、手またはパレットナイフで完全にはがす。壊れやすいデザインのパーツは慎重に作業する。決めた場所にロイヤルアイシングで適宜接着する。

d 立体感を出す（ベル）

場所によってうめるランナウトアイシングのボリュームを変え、立体感を出すやり方です。ここでご紹介するように、スペースごとにボリュームを変えたり、アイシングの色を変える（P.164）場合は、アイシングが混ざり合わないように、隣合うスペースは時間をおいて作業します。

1 ⓒの要領で型紙とOPシートをセットし、型紙のベルのラインにそってロイヤルアイシング（口金#0）を絞る。10秒カウントで跡が消えるくらいのランナウトアイシング（口金#0〜1）を、ベルの内側にあたる部分の中央に少量絞る。爪楊枝でランナウトアイシングを広げ、ごく浅くうめる。

2 ベルの表側は上部だけにランナウトアイシングを多めに絞り、爪楊枝でひっぱりながらカーブをつけて下部をうめる。まず、右側のベルを低めにうめ、乾いたら左側を高めにうめて遠近感をつける。

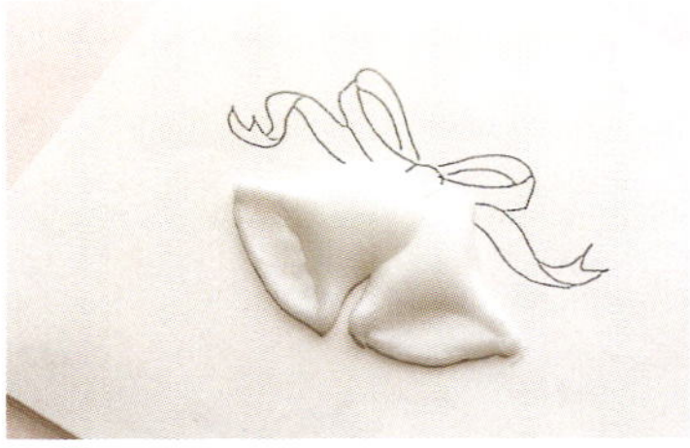

3 ⓒの要領でライトの下で乾かし、その後自然乾燥させる。

4 最後にベルの口や中の鈴をロイヤルアイシング（口金#0）で絞って乾かす。ⓒと同じ要領ではがして適宜接着する。なお、リボン部分は非常に細いスペースなので、プレッシャーパイピング（P.123）で仕上げている。

e パーツを立体的に組み立てる（教会）

ランナウトのパーツをロイヤルアイシングで接着して立体物をつくります。

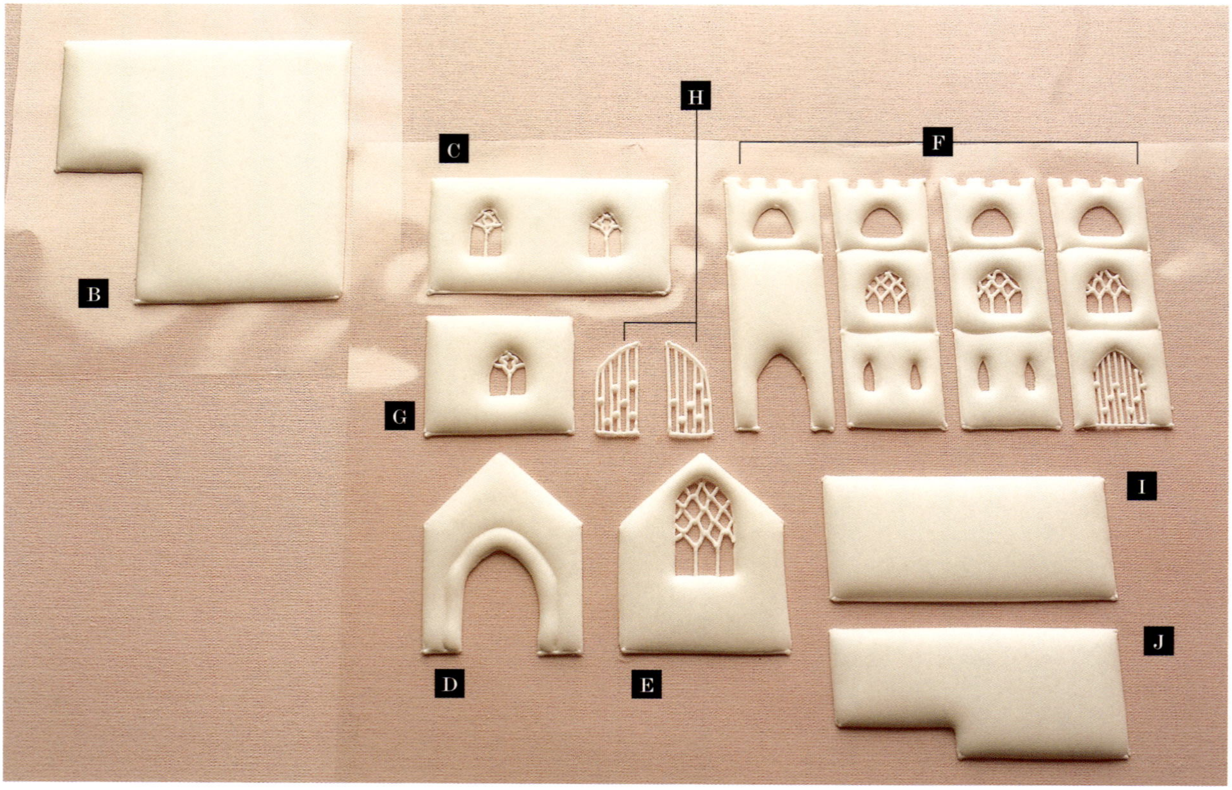

1 型紙に合わせてⓒⓓの要領でパーツをつくり（写真のほか、一番下の土台Aもつくる）、乾かす。OPシートからはがしておく。

2 土台Aにロイヤルアイシングを絞って土台Bを接着する。壁面Cの底面にロイヤルアイシング（口金#0）を絞って土台に接着し、角砂糖で支える。

3 次に壁面Dを壁面Cに接着する。まず壁面Cの側面に同様にロイヤルアイシングを絞る。

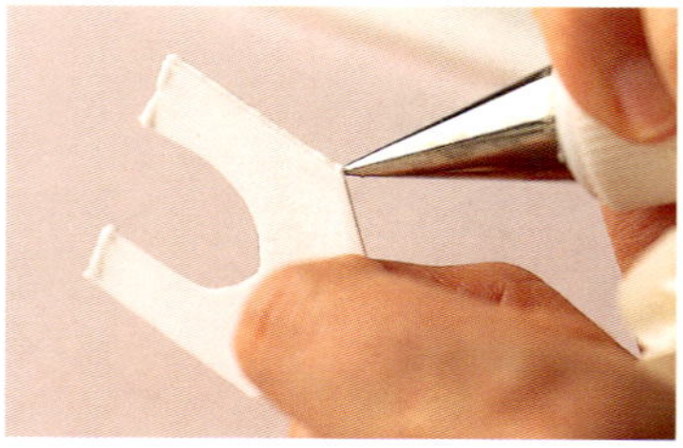

4 壁面Dの底面と側面にも同様にロイヤルアイシングを絞る。

5 壁面Cに壁面Dをつなげて接着する。同じ要領で壁面Eも接着する。

6 壁面G、屋根IJ、塔Fのパーツも同じ要領で順に接着する。

7 パーツからはみ出したロイヤルアイシングは湿らせた筆で除く。パーツ同士の境目にロイヤルアイシング（口金#0）でビーズ絞りをしてととのえる。最後に、ドアのパーツHを接着して仕上げる。

☛ 作品例

ランナウトワークのさまざまな手法をとり入れた作品。ⓒの要領でつくったカラーのパーツをケーキ上面縁とケーキボードに接着し、ⓓのベルはケーキ側面に、ⓔの教会はケーキ上面に接着する。○型紙→P.412〜413

f 数色を使う（くま）

数色を使ってランナウトを仕上げる時は、立体感を出すⓓの場合と同様に、隣合うスペースは時間をおいて作業し、アイシングが混ざり合わないようにします。作業に入る前に手順を決めておくとよいでしょう。ここでは下記のくまを例に、手順をご紹介します。

1 ⓒの要領でくまの型紙とOPシートをボードにセットし、型紙のラインを各スペースに合わせた色のロイヤルアイシング（口金#0）で絞る。茶色のランナウトアイシングで胴体と顔を、隣合うスペースはさけてうめ、乾かしながら隣合うスペースもうめる。乾かす。

2 赤のランナウトアイシングでくつとマフラーを、①と同じ要領でうめる。乾かす。

3 同様に白で帽子、口のまわり、てのひらをうめ、乾かす。

4 同様に濃い茶色で目、鼻、胸のハートなどをうめ、乾かす。適宜ダスティングパウダーで着色し、はがして目的の場所に接着する。

☞ **作品例**
上記の要領でつくったランナウトのくまを接着した、クリスマスボックス。ふたと底は、パスティヤージュを6角形のカッターで抜いたもの。ボックスのパーツのつなぎ目をロイヤルアイシングの絞りでととのえ、ボックスの底も絞りで飾っている。○くまの型紙→P.409

g 広いスペースをうめる（フルカラー）

ケーキ上面やボードに1枚で飾る大きなカラーを「フルカラー」といいます。フルカラーのように広いスペースをランナウトアイシングでうめる場合は、ランナウトアイシングが乾かないうちに左右交互に絞り進めるのがポイントです。

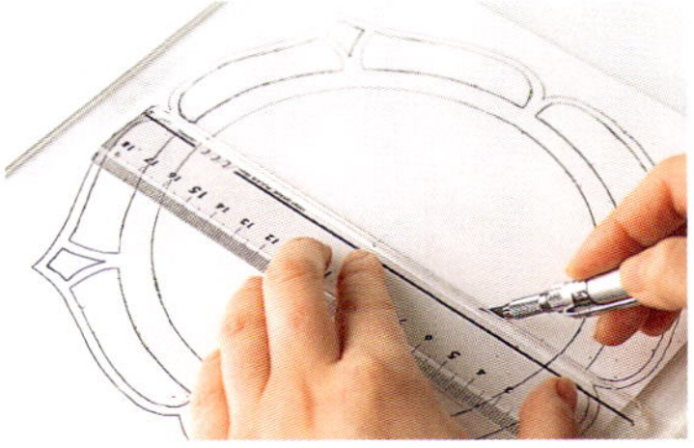

1 ⓒの要領で型紙とOPシートをボードにセットし、カッターナイフでOPシートの中央に十字の切込みを入れる。切込みを入れておくのは、ランナウトアイシングを乾かす際に水分が蒸発してOPシートがひっぱられ、パーツがゆがんでしまうことがあるため。

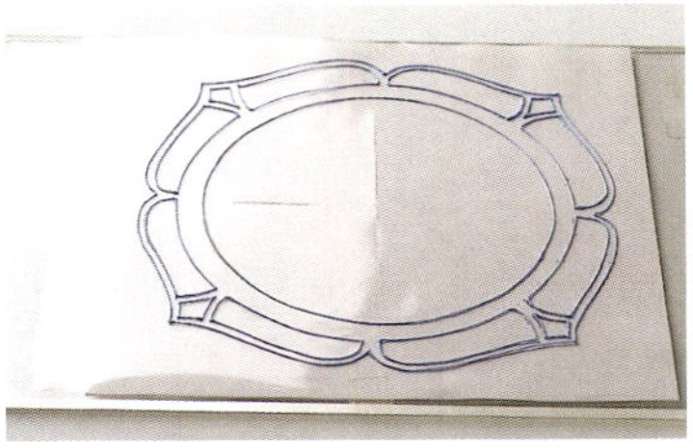

2 型紙のラインにそってロイヤルアイシング（口金#0）を絞る。

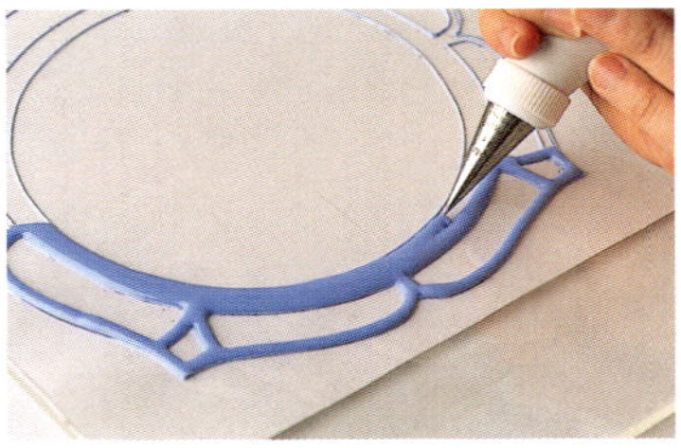

3 5秒カウントで跡が消えるくらいのランナウトアイシングを、口金#1～2をつけたパイピングバッグに入れ、②で絞ったアウトラインの内側に絞ってうめる。絞りはじめの地点から左右交互に絞り進めるようにする。これは、一方にだけ絞り進めると、もう一方の端のランナウトアイシングが乾いて跡がついてしまうため。

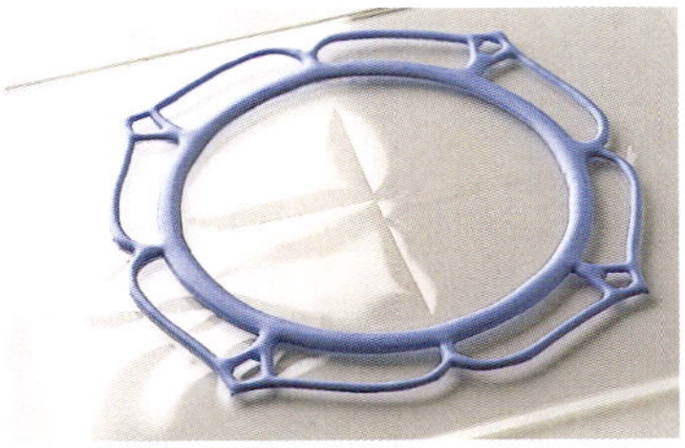

4 すべてうめたら、ⓒの要領でライトの下に置いて表面をできるだけ早く乾かし、自然乾燥させる。縁にロイヤルアイシングを絞るなどして飾ってもいい。パレットナイフで慎重にOPシートからはがし、目的の場所に適宜接着する。

☛ **作品例**（P.167）

Reference

そのほかの作品例

☛ P.118
ケーキ上面とケーキボードにフルカラーを配している。サイズ違いの同じ模様のフルカラーを組み合わせた、バランスのいいデザイン。

☛ P.159
フルカラーをエクステンションワークのフローティングの手法で浮かせた、ユニークなデザイン。ケーキボードにもフルカラーをあしらっている。ケーキ上面の大きなパーツや、ケーキボードに配した花のパーツも、立体感を出したランナウトワークによるもの。

h　3D

「3D」とは、3次元的な奥行きをもたせた立体構成をさします。シュガークラフトのさまざまなワークで表現できますが、ランナウトのパーツを重ねる方法がもっとも一般的です。遠近を考え、もっとも奥に位置する箇所を1層にし、もっとも手前にくる箇所を立体的にします。

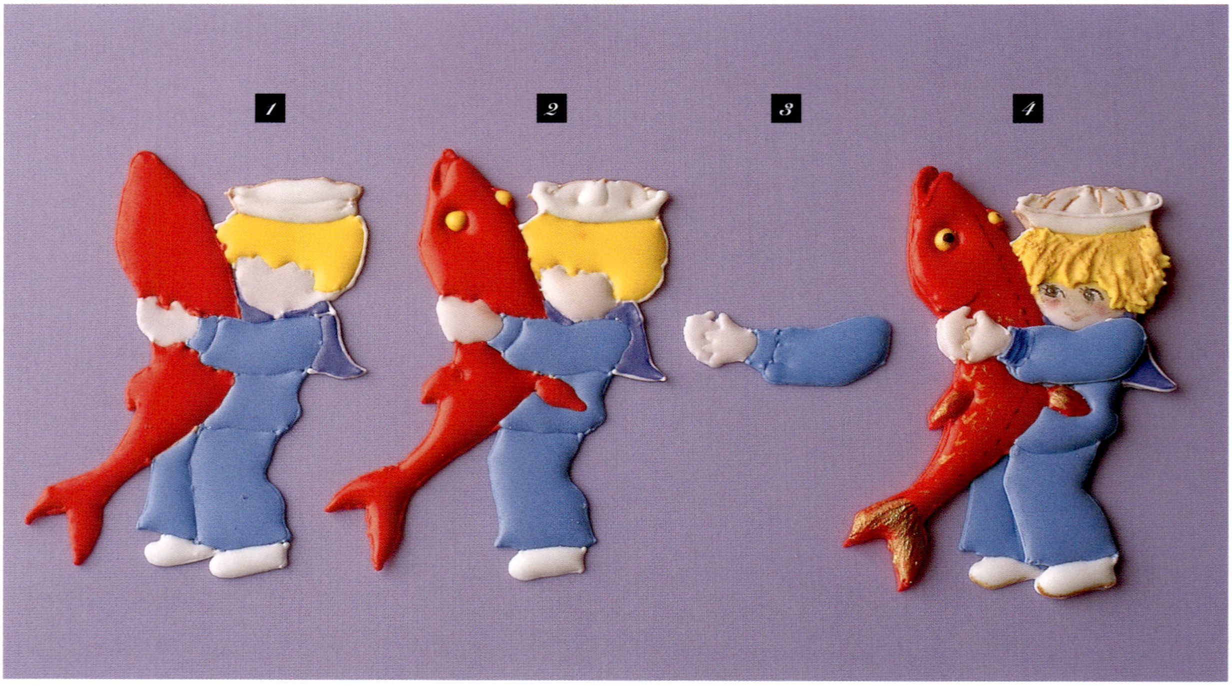

1　型紙を適宜起こす。型紙に合わせて数色を使ってランナウトのパーツをつくる。ただし、魚の目と右側のひれ、男の子の帽子や手のディテールは入れなくてよい。

2　同じ型紙で同様のパーツをつくる。ただし、魚の目と右側のひれ、男の子の帽子のディテールを入れ、もっとも奥に位置する右脚部分は除く。

3　もっとも手前に位置する男の子の腕部分のパーツを、手のディテールも入れてつくる。

4　①の上に②、③を順に重ねてロイヤルアイシングで接着する。ロイヤルアイシング（口金#1）で男の子の髪を絞り、ダスティングパウダーを蒸留酒で溶いて男の子の顔や魚の黒目、うろこなどを描く。目的の場所に適宜接着する。

男の子の右足が一番奥に、左腕が一番手前に見える、3D構造。

☛ 作品例

ⓖの要領でつくったフルカラーをケーキ上面とケーキボードに接着し、ⓗの要領でつくった3Dのパーツをケーキ上面に飾ったケーキ。ケーキはロイヤルアイシングでコーティングし、デコレーションもロイヤルアイシングによるもので統一している。○フルカラーの型紙→P.414

☛ **作品例**

ランナウトでつくった妖精をケーキ上面に、ランナウトのフルカラーをケーキボードに飾った作品。妖精はケーキに貼ってから髪の毛を絞り、やはりランナウトでつくった羽も後でとりつける。羽は上から無色のパイピングジェルを塗って透明感を出している。妖精の周囲やケーキ側面の花模様は、蒸留酒で溶いたダスティングパウダーで色づけしてから、アウトラインをロイヤルアイシングで絞り、内側に無色のパイピングジェルを塗ったもの。フルカラーの内側も同じ要領で色づけしてパイピングジェルを塗り、ステンドグラスのような雰囲気をつくっている。

☚ 作品例

「おしゃれサンタクロース」のクリスマスケーキ。サンタクロースの帽子や顔、洋服の袖、ブーツなどをランナウトでつくり、洋服はロイヤルアイシングにコーンシロップ少々を加えた「シロップアイシング」（オリジナルアイデア）で製作。赤と白のシロップアイシングで交互にラインを絞ってしま模様にしたら、すぐに爪楊枝でひっぱって曲線模様をつくっている。手はプレッシャーパイピングでつくり、ロイヤルアイシングでひげなどを絞る。ケーキ側面のクリスマスツリーは、プレッシャーパイピングのパーツを貼ったもの。球形のオーナメントは、丸めたペーストにディスコカラーをまぶしつけたもので、サンタクロースの洋服のボタンとしてもあしらっている。前述のシロップアイシングでケーキ表面にドットを絞り、雪に見たてる。

Chapter 4 そのほかのワーク

Other Techniques & More Ideas

シュガークラフトでは、シュガーペーストやロイヤルアイシングのほかにもさまざまな材料を使います。身近なものではグラニュー糖やゼラチン、そのほか、パイピングジェルやアンブレイカブルジェル、新しいタイプの蛍光色素など、バラエティに富んでいます。

この章ではこうした材料を生かしたワークをまとめました。いろいろな材料を使いこなせれば、さらに多様なデザインが可能になり、つくる楽しさも倍増することでしょう。

また、2、3章でご紹介した基本的なワークに加え、シュガーペーストやロイヤルアイシングを組み合わせたエレガントなレースや、かわいらしいミニチュア、人気の高い小物、絵画のような表現など、数々のアイデアを盛り込んだワークもこの章にまとめました。

新しいアイデアやデザインは、どんなところからも生まれます。新たな発想によってシュガークラフトの可能性は無限に広がっていくことでしょう。

4 01 レタリング

Lettering

文字を表現するワーク。ロイヤルアイシングの絞りをはじめ、この本に登場するさまざまな手法を活用できます。
美しい飾り文字は、メッセージそのものがケーキの模様として通用します。
どのレタリングも、ペーストにトレース（P.404）をしてからはじめます。

ロイヤルアイシングで絞った、アルファベットの大文字と小文字。
口金のサイズは必要に応じて決める。

'Happy Wedding' はロイヤルアイシングで絞った文字が乾いてからゴールドのラスターカラーを塗って光沢を出し、蒸留酒で溶いたダスティングパウダーを使って周囲にバラを描いている。'Baby Congratulations' にあしらったうさぎは、プレッシャーパイピングによるもの。

‘New Year’ はステンシルで描いたもの。‘Good Luck’ はロイヤルアイシングで重ね絞りをし、パイピングジェルを使って四つ葉を表現している。‘Daddy’ はランナウトワークで、‘MOM’‘Welcome’ はパイピングジェルを使って表現。‘MOM’ の ‘O’ は花に見たてている。‘FOR YOU’ はシンプルエンブロイダリーを活用した飾り文字。

'Mother's Day' はチューブエンブロイダリーを活用。'HAPPY BIRTHDAY' は文字を葉や茎に見たてて絞り、ミニチュアパイピングフラワーをあしらっている。'Merry Christmas' はランナウトワークで製作し、周囲の雪の結晶はロイヤルアイシングの絞りにグラニュー糖をまぶしつけて表現している。

4 02 レース

Laces

レースはシュガークラフトで特に人気のあるモチーフのひとつです。
「クラシックレース」と呼ばれる伝統的なものをはじめ、レースの種類は多彩。ペーストとロイヤルアイシングを使って再現できます。
なお、モールディングによるレース（P.92）やレースピース（P.142）もレースの表現方法のひとつです。

a カットワーク

カットワークとは、かがり縫いした模様を切り抜いて透かし模様をつくる手芸です。レースカッターで抜いたペーストをロイヤルアイシングでつなぐことで、カットワークを再現。ペーストのパーツにカーブをつけるなど、柔らかい布地感を大切にしてつくると、1枚のレース布と見まがうような仕上がりになります。パーツ同士を確実につなげることがポイントです。

1 モデリングペーストB（P.42）を約1mm厚さにのし、6枚弁カッター、レースリーフカッターを使って花と葉の形に抜く。花のパーツは中央に口金#5をあてて穴をあけ、その周囲に口金#7を軽くあてて跡をつける。

2 ケーキ側面にあしらうパーツは、ローリングピンなどにのせてカーブをつけておく。

3 カバーリングしたケーキの上面から側面にかけて、①②のパーツを接着する。

4 パーツの内側や周囲にロイヤルアイシング（口金#0）で模様を絞り、パーツ同士もロイヤルアイシングの絞りでつなぐ。

5 仕上げに、側面の葉のパーツをつなぐようにして花のパーツをケーキから浮かせて接着する。

レースフラワー（リーフ）カッター
レース模様をつくるのに便利。形・サイズともに各種ある。つくりたい模様に合わせて選ぶ。

☛ 作品例

ⓐの要領でカットワークをほどこした作品。まるでレースのテーブルクロスをかけたような仕上がり。ケーキはボードごとカバーリングし、ボード縁にシェルスティックでエンボス模様をつけている。上面にくちなしの花を飾る。

b バテンレース

帯で土台の模様をつくり、糸でかがって1枚に仕立てるレース。ⓒの「タティングレース」、ⓓの「アイリッシュクロッシェレース」などと並び、クラシックレースと呼ばれるもののひとつです。ペーストの細い帯でパーツをつくり、その内側や周囲にロイヤルアイシングを絞って見たてます。美しくつくるポイントは、ペーストに織地感をつけておくこと、そして、ペーストから曲線の帯を切り抜くことです。直線の帯にカーブをつけると無理が出てしわができ、美しく仕上がりません。ラウンドカッターやペタルカッターを活用して曲線のついた帯をつくるアイデアをご紹介します。また、ダミーケーキでデザインを決めておき、それを見ながらケーキにパーツを貼る方法もおすすめです。ケーキにトレースするよりもデザインに自由がきき、仕上がりがきれいです。貼りつけたパーツ同士はロイヤルアイシングの絞りで確実につなげます。

1 つくるケーキと同じサイズのダミケーキを用意する。側面に型紙を組み合わせて貼ってデザインを決めておく。

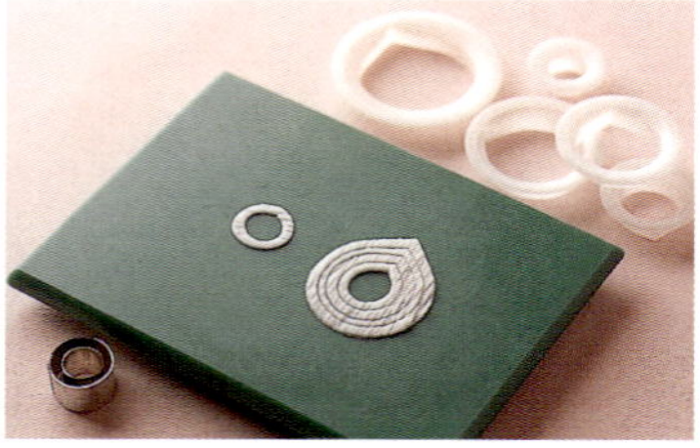

2 ペーストで細い帯をつくる。モデリングペーストB（P.42）を1～2mm厚さにのし、上から筋目模様のテクスチュアピンを転がして模様をつける。筋目模様をつけることで、織地のような立体感が出る。サイズ違いのラウンドカッター2種とローズペタルカッター5種を、それぞれ‘入れ子’にして置いてペーストを抜き、曲線のついた約3mm幅の帯をつくる。

3 ボードに型紙を置いてワックスペーパーをのせ、セロテープでとめる。②の帯を型紙に合わせて形づくり、カッティングホイールで余分なペーストを適宜切る。

4 ③の帯同士を水で接着して型紙と同じパーツをつくる。

5 ①の見本を見ながら④のパーツを、乾かないうちにカバーリングしたケーキに貼る。同じ要領でパーツをひとつずつつくっては貼っていく。ケーキの裾には、同様の筋目模様をつけた約3mm幅の直線の帯を1周貼っておく。

6 貼りつけたパーツの内側にロイヤルアイシング（口金#0）で模様を絞り（模様のバリエーションは右頁参照）、パーツ同士もロイヤルアイシングの絞りでつなぐ。

7 パーツにドット絞りを加えたり、ブロッサムプランジカッターで抜いたペーストの小花を貼るなどしてディテールを仕上げる。

8 ケーキ上面やボードにも同じ要領で模様をつくる。上面と側面の模様をロイヤルアイシングの絞りでつなげて1枚のレースに見たてる。

パーツの内側に絞る模様のバリエーション

バテンレースのかがり模様にならった絞り模様を入れます。

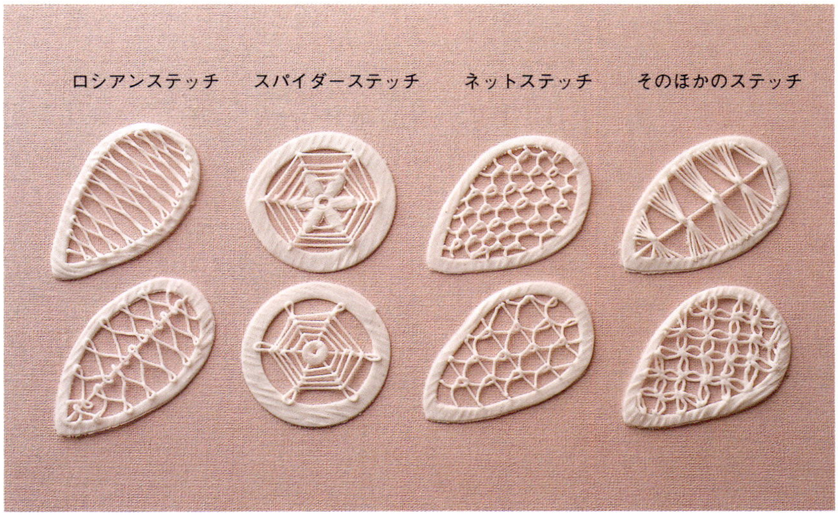

☛ 作品例

バテンレースの優美な雰囲気を生かした、母の日のケーキ。ⓑの要領でケーキとケーキボードにバテンレースの模様をほどこし、カーネーションを飾る。'Mother' と絞ったパスティヤージュのカード（P.103）を立てかける。○型紙→P.416

Reference

そのほかの作品例

☛ P.393

テーブルクロス的にあしらわれることが多いバテンレースを、ユニークに使った作品。瓶にレースをかぶせるイメージで、ケーキ側面に大胆にバテンレースをあしらっている。赤と白の色のコントラストも印象的。

c タティングレース

糸で結び目をつくりながら模様を仕上げていくエレガントなレース。ロイヤルアイシングをごく細く絞り、一部を重ねて絞って再現します。口金＃00を使い、しなやかに見せるのがポイントです。

1 図案を適宜起こし、ペーストにトレース(P.404)する。

2 図案にそってロイヤルアイシング(口金#00)を絞る。

3 さらに模様の一部にビーズ絞りを重ねる。これによって、タティングレースの結び目のような立体感が出る。

4 周囲に絞りをたして適宜模様をつなげていく。

ひとつの図案でつくれる模様のバリエーション

色の組合せや重ね絞りの仕方などによって、同じ図案でも印象が変わります。

写真手前は、まず赤紫のロイヤルアイシングで模様を絞り、青紫のロイヤルアイシングで重ね絞りをしたもの。その右隣は、逆にまず青紫で模様を絞り、赤紫で重ね絞りをしたもの。

Reference
そのほかの作品例

☛ P.370
タティングレースの絞りを全体にほどこしたウェディングケーキ。ロイヤルアイシングの色にグラデーションをつけたり、ケーキの組立て方を工夫することによって変化をつけている。

☛ 作品例

ⓒの要領でタティングレースの絞りをほどこした作品。ケーキとケーキボードに1枚のレースをフワッとかけたような繊細な美しさ。ケーキ上面やケーキボードなどトレースしやすい箇所は図案をトレースして絞り、そのほかの部分はフリーハンドで模様をつなげて絞っている。紫系数色を使い、色合いにグラデーションをつけている。

d アイリッシュクロッシェレース

立体的に編んだ花や葉などのパーツを特徴とするレースです。ロイヤルアイシング(口金＃0)でレースを絞り、ペーストのパーツを貼って再現します。パーツを工夫して立体的につくり、効果的に浮彫りにすることがポイントです。

パーツのバリエーション

モデリングペーストB (P.42) を1～2mm厚さにのして各種カッターで抜き、それぞれを立体的に創作します。

A

1 のしたペーストを6枚弁カッターで抜き、花弁を1枚切り取る。

2 ①の中央に口金#4を押しあてて穴をあけ、各花弁をフラワーシェイパーで広げる。ひとつ飛ばしでうち2枚にリーフシェイパーで細かい筋目模様をつける。

3 残り3枚の花弁は、口金#1で細かい穴をあける。

B

1 のしたペーストを5枚弁カッターで抜く。

2 各花弁の内側に口金#10を軽くあてて跡をつけ、その内側と花の中心に口金#6で穴をあける。

3 各花弁に口金#2で細かい穴をあける。

C

1 のしたペーストを6枚弁カッターで抜く。

2 各花弁をフラワーシェイパーで広げ、リーフシェイパーで花脈をつける。少量のペーストを丸める。

3 丸めたペーストを花の中央に接着し、ステッチホイールで細かいくぼみをつける。

D

1 のしたペーストを、5枚弁カッターと、それよりもひとまわり小さい6枚弁カッターで1枚ずつ抜く。

2 5枚弁は各花弁をフラワーシェイパーで広げ、リーフシェイパーで花脈をつける。6枚弁は各花弁にリーフシェイパーで花脈をつけ、筆の柄の先端を中心にあててカップ状にする。

3 6枚弁をつぼめて5枚弁の中央に接着する。

作品例

夏のブライダルバッグをイメージ。カバーリングしたケーキに水色のペーストを、巾着バッグの形に見たててかぶせる。ロイヤルアイシングでレースを絞り、ⓓの要領でつくったパーツを適宜接着する。シュガークラフトガンでつくったフリンジなどをあしらう。

4 03 人気の小物

Accessories~Shoes & Umbrellas

シュガークラフトで好んでつくられる靴や傘をとり上げました。
基本のつくり方をマスターすれば、デザインは自由自在に楽しめます。
オリジナル型紙（P.416～417）とともにご紹介します。

a ベビーシューズ

ベビーシューズは、誰もが心あたたまるモチーフです。ここではオリジナルの型紙を使った数種のデザインをご紹介します。ベビーシューズのポイントは、小さくつくること。大きいとベビーシューズらしさがなくなります。ペーストはモデリングペーストB（P.42）が向きますが、靴底はパスティヤージュ（P.43）でもよいでしょう。

2枚のパーツでつくる

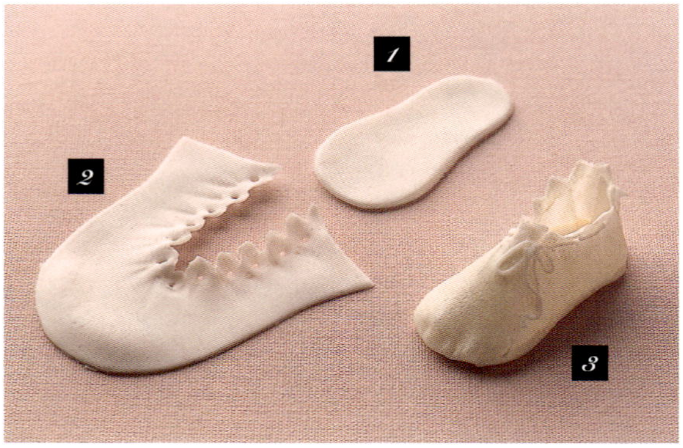

靴底と側面の2枚のパーツでつくります。

1 靴底をつくる。モデリングペーストB（またはパスティヤージュ）を約1mm厚さにのし、型紙に合わせてカッティングホイールで切る。

2 側面をつくる。モデリングペーストBを薄くのし、型紙に合わせて切る。上部の縁にボーンスティックをあてて広げ、口金#1で細かい穴をあける。リーフシェイパーでギャザーのラインをつける。

3 ①に②を接着する。側面の下部は靴底の裏面に数mm折り返し、さらにかかと側は後ろ中央で数mm重ね合わせて接着する。ロイヤルアイシング（口金#0）で靴ひもを絞る。

3枚のパーツでつくる

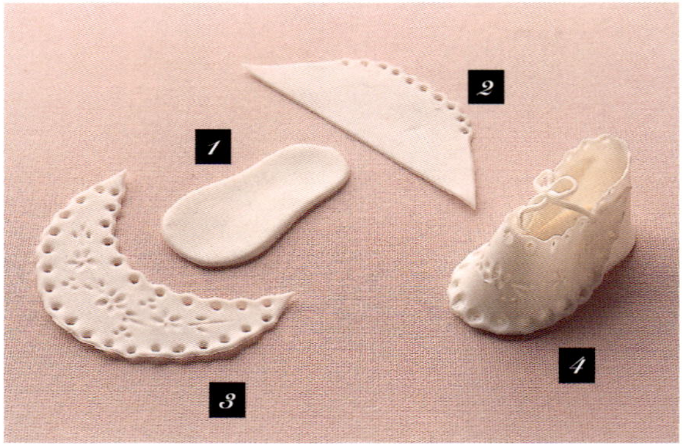

靴底と側面の甲側、側面のかかと側の3枚のパーツでつくります。

1 靴底をつくる。モデリングペーストB（またはパスティヤージュ）を約1mm厚さにのし、型紙に合わせて切る。

2 側面のかかと側をつくる。モデリングペーストBを薄くのし、型紙に合わせて切る。上部に細筆の柄の先端を押しあててくぼみをつける。

3 側面の甲側をつくる。モデリングペーストBを薄くのして型紙に合わせて切り、ブロイダリーアングレイズ（P.132）の要領で模様をつける。

4 ①に②③を順に接着し、②と③同士も接着する。ロイヤルアイシング（口金#0）でストラップを絞る。

☛ 作品例

ⓐの要領でつくったベビーシューズとそのバリエーション。写真左奥は、ペーストにテクスチュアピンで模様をつけたサンダル風デザイン。写真右奥は、5枚弁カッターで抜いたペーストに口金#3で穴をあけた小花などの飾りをつけている。○型紙→P.416

b スニーカー

スニーカーらしく仕上げるためのオリジナル型紙です。土台用と仕上げ用の型紙を使うことで、ごつさとかわいらしさの両方をうまく表現できます。

1 靴底をつくる。白のモデリングペーストB（またはパスティヤージュ。P.42～43）を約1mm厚さにのし、型紙に合わせて切る。

2 側面の甲側とかかと側をつくる。白のモデリングペーストBを薄くのし、それぞれ型紙に合わせて切る。①に甲側のペースト、かかと側のペーストを順に接着し（どちらも靴底の裏面に数mm折り返す）、2枚のペースト同士も接着する。

3 黄色のモデリングペーストBを薄くのし、テクスチュアピンで筋目模様をつける。型紙に合わせて左右2枚に切り（片方は後ろを長めに切る）、②の側面に貼り、後ろ中央で左右を少々重ねて接着する。縁は靴の内側へ数mm折り込む。白のペーストを口金#6で抜いて甲側に貼り、それぞれ中央に口金#3をあてて黄色のペーストごと抜いて穴をあける。筋目模様をつけたペーストを5mm幅の帯状に切り、靴底の周囲に貼る。

☛ 作品例
ⓑの要領でつくったスニーカー。筋目模様をつけたペーストの帯をゆるく結び、靴ひもに見たててあしらう。○型紙→P.417

c ハイヒールを美しく仕立てる

左右のパーツに分かれた専用のモールド（型）を使ってつくります。モールドのサイズに合わせてペーストを切ると、左右のパーツを合わせた時にすき間ができ、ロイヤルアイシングですき間を無理にうめることになります。より美しくハイヒールをつくるためには、パーツをぴったり合体させる必要があります。そこで、かかと以外の貼合せ箇所はモールドのサイズよりもペーストを大きめに切ってパーツを貼り合わせ、ペーストが乾く前に余分なペーストを切る方法を考えました。また、最後に敷く中敷きは、美しい形の型紙をつくるのに大変苦労したものです。この型紙があってこそ、きれいなミュールづくり（P.191）を考案できました。ぜひご活用ください。

1 ペーストがくっつきにくいように、モールドの内側にコーンスターチをふっておく。モデリングペーストB（P.42）を薄めにのし、モールドの一方にかぶせる。

2 コットンなどを押しあててペーストをモールドのくぼみにそわせる。

3 細いかかと部分は、綿棒などを使ってそわせる。

4 かかとのサイズに合わせてモデリングペーストBを棒状にし、卵白を塗って③の上から詰める。

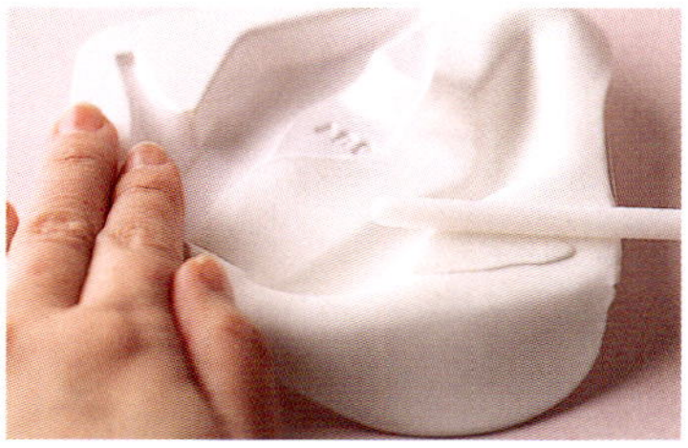

5 細棒を上から転がして平らにする。モールドの外周にそって余分なペーストを大まかに切る。

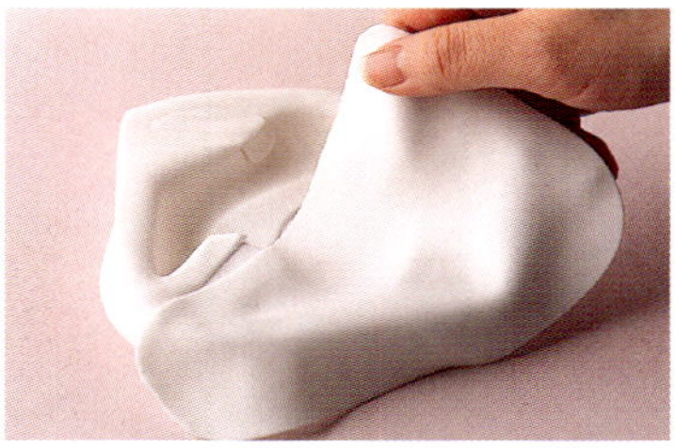

6 もう一方のモールドにも①〜⑤の要領でペーストを詰める。

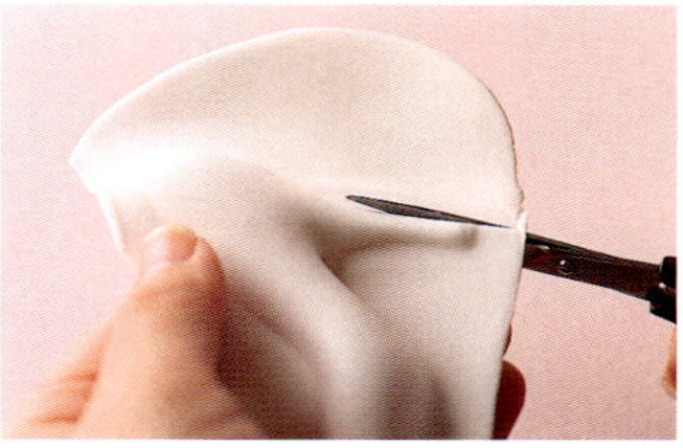

7 生乾きのうちにペーストをモールドからはずし、周囲の余分なペーストを細工用はさみで切っていく。まず、かかと部分はモールドのサイズ通りに切る。

8 かかと部分と足入れ部分以外は、モールドのサイズに約1cmの糊しろをつけて切る。

9 足入れ部分はカーブしているので、ボードにのせてカッティングホイールで切るとよい。

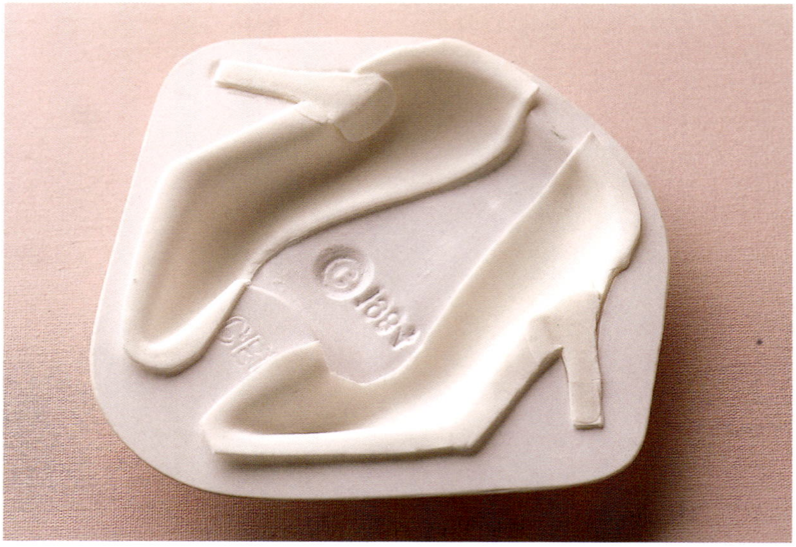

10 余分なペーストを切り終わった状態。

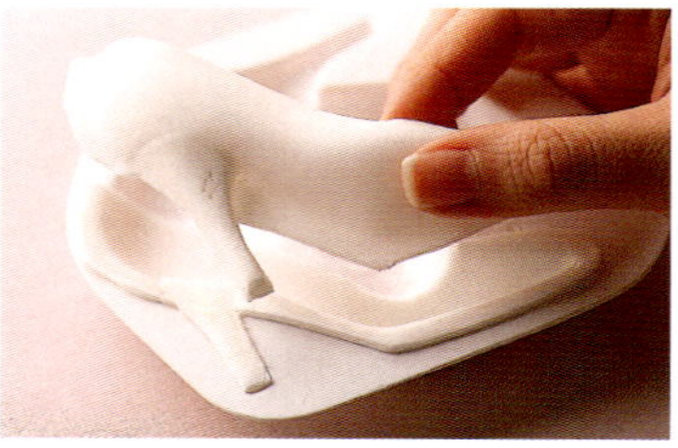

11 パーツ同士を卵白で接着する。

12 糊しろ部分をフラワーシェイパーでよく押さえて密着させる。ここまで生乾きのうちに作業する。

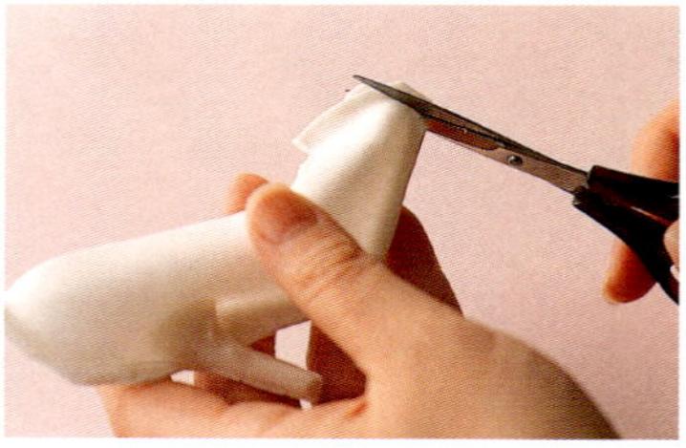

13 きちんと接着したことを確認してから、糊しろを切って形をととのえる。

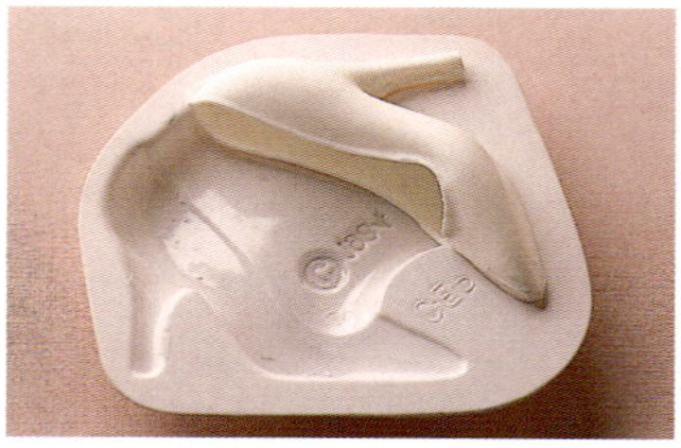

14 左右のパーツを接着して糊しろを切り終わった状態。モールドにのせたまま乾かす。

15 ペーストが完全に乾いたら、つなぎ目を適宜サンドペーパーでこすってととのえる。基本のハイヒールのでき上がり。

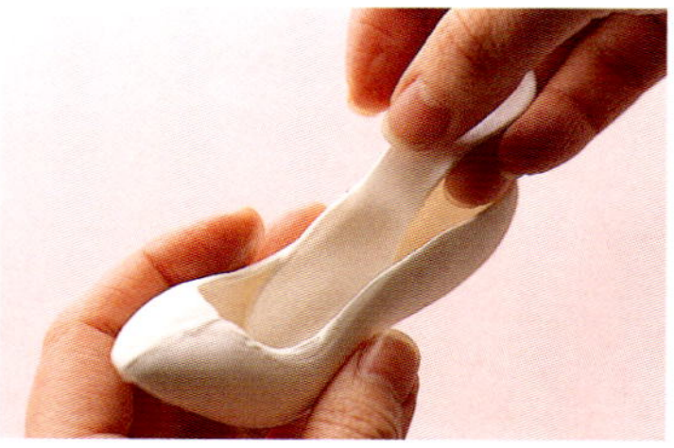

16 モデリングペーストBを薄くのして中敷きの型紙（P.417）に合わせて切り、⑮に接着すると、内側も美しい。（ここで完成とする場合は、右頁ⓓの④と同じ要領でかかとを安定させる。）

ⓓ ハイヒールに生地を貼る

ⓒにさらにペーストをかぶせると、より美しい仕上がりになります。ここではテクスチュアピンで模様をつけたペーストをかぶせて、サテン地のハイヒールに見たてました。

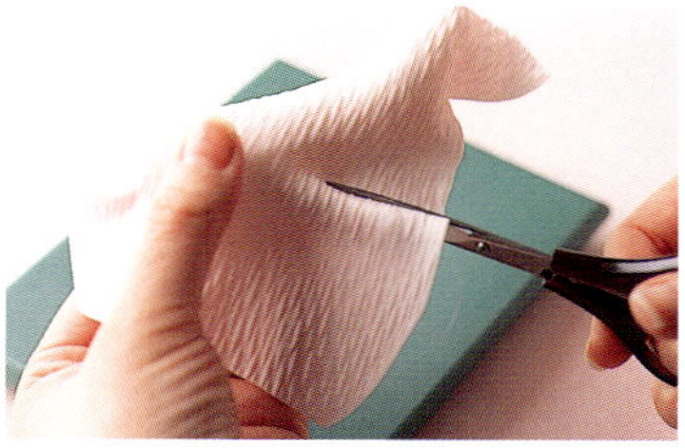

1 カバーリングペーストを薄くのし、テクスチュアピンで模様をつける。ハイヒールの片側半分に接着し、余分なペーストを切り取る。

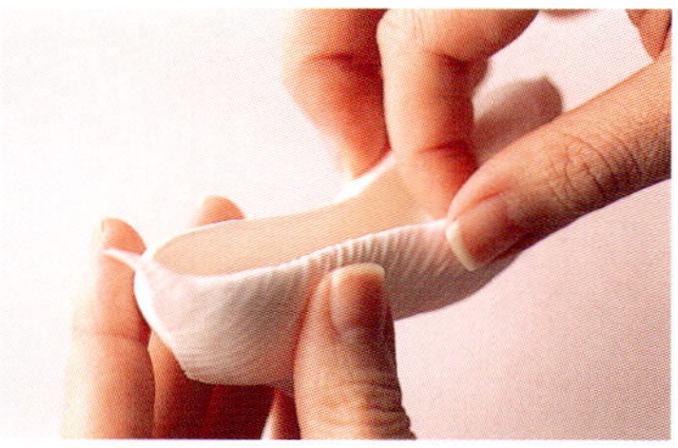

2 足入れ部分は数mm大きく切って内側に折り返す。

3 残りの片側にも同様のペーストをかぶせて接着する。②のペーストとのつなぎ目は数mmゆとりをとって切り、内側に折り返して重ね合わせる。

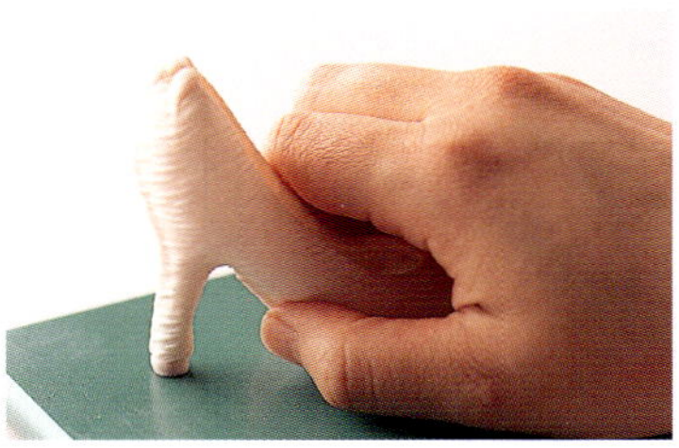

4 かかとにモデリングペーストBを適宜たして安定させる。

ⓔ ミュール

ハイヒールの中敷きのオリジナル型紙（P.417）とハイヒールのモールドを2個使ってミュールの土台をつくる方法をご紹介します。

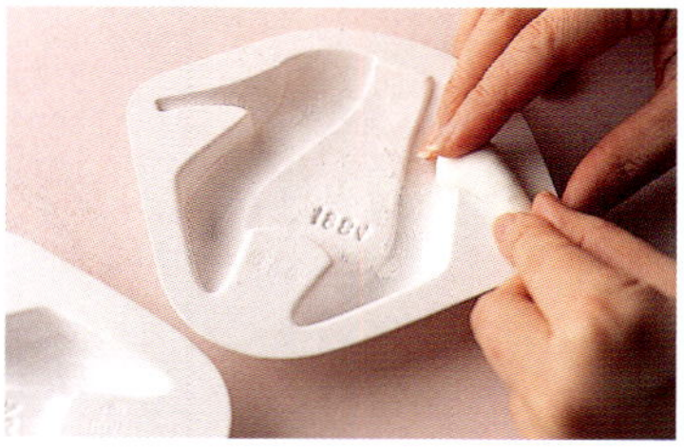

1 ハイヒールのモールドを2個用意する。一方のモールドの片側にコーンスターチをふり、かかと部分にモデリングペーストB（P.42）をぶ厚く詰めてモールドからはみ出させる。上部も高くはみ出させる。

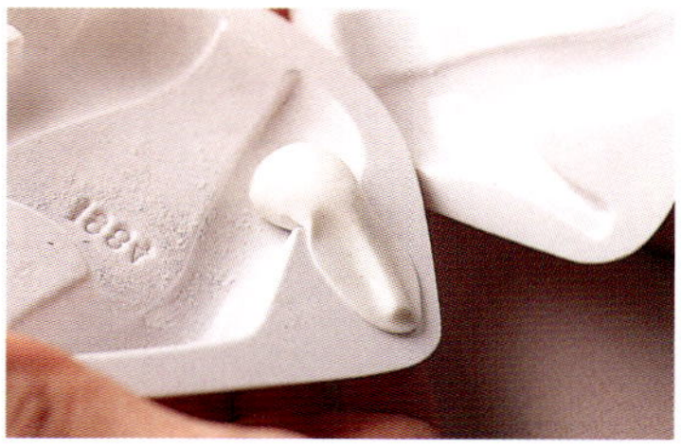

2 もう1個のモールドをかぶせて押す。かぶせたモールドをはずすと、かかとの輪郭が浮き出る。

3 余分なペーストをカッティングホイールで切り取り、形をととのえる。モデリングペーストBを薄めにのしてハイヒールの中敷きの型紙に合わせて切り、かかとに接着してモールドのカーブにそわせる（靴底）。

4 左右を同じ要領でつくる。ミュールの土台のでき上がり。好みのデザインで仕上げ、ⓓの④の要領でかかとを安定させる。

☛ 作品例

ⓒⓓの要領でつくったハイヒール。パール系のラスターカラーをつけて光沢を出している。花の飾りは、ステンシルで模様をつけたモデリングペーストをローズペタルカッターで抜いてずらし重ね、中心にクイリングのうず巻きのパーツをつけたもの。◯中敷きの型紙→P.417

Reference そのほかの作品例

☛ P.93

ペーストをかぶせて布張りに見たてたハイヒール。さらにモールディングのレースをあしらった、美しい仕上がり。

☛ 作品例

ⓔの要領でつくったミュールのバリエーション。写真左は、ステッチホイールで模様をつけた帯や、カーリングしたリボンで飾ったもの。写真右は、甲のペーストを2重にし、モールディングのパールをあしらったもの。写真奥は、甲とかかとのペーストにテクスチュアピンで模様をつけ、パイピングジェルを絞ったブローチやペーストの羽で飾ったもの。適宜ラスターカラーで光沢を出している。

○靴底（ハイヒールの中敷き）の型紙→P.417

f 傘

球形とくぼみのついた半球形の発泡スチロールを使ったつくり方をご紹介します。両者を組み合わせることで、さまざまなデザインの傘がつくれます。

1 モデリングペーストB（P.42）を薄めにのし、型紙に合わせて切る。柔らかいうちに半球形の発泡スチロール（内径8.5cm）に入れてくぼみにそわせる。ギャザーが寄らないように気をつける。

2 ①に球形の発泡スチロールを押しあててペーストにしっかりとカーブをつける。球をはずし、そのまま乾かす。

3 ②のペーストを半球からはずし、適当なグラスなどにのせる。フラワーペースト（P.246）を薄めにのして帯状に切り、片側をレースカッターで抜いて縁に口金#2で穴をあける。このレースを傘の各辺に合わせて切り、傘の縁の内側に1枚ずつ接着する。

4 ③をひっくり返してグラスの底側にのせ、ロイヤルアイシング（口金#0）でライン絞りやドット絞りをして模様をつける。フラワーペーストを薄くのして小さな円形に抜き、ボーンスティックでフリルをつけて傘のてっぺんに貼り、フラワーペーストでつくったごく細い軸を立てる。青のフラワーペーストを薄くのして小花のカッターで抜き、爪楊枝を使っててっぺんのフリルの周囲や傘の縁に接着する。

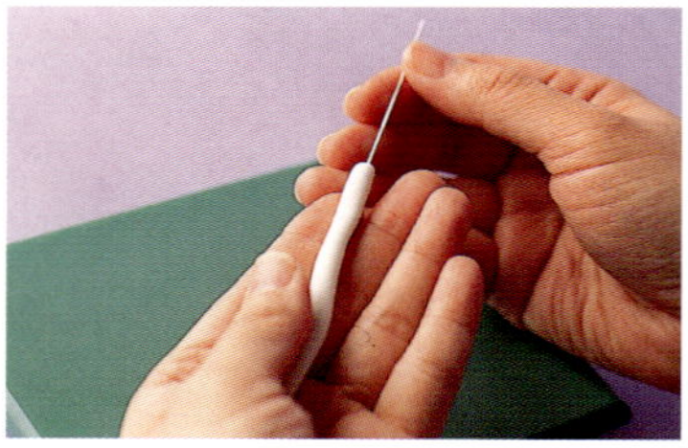

5 傘の柄をつくる。モデリングペーストBを4cm長さの細い棒状にし、8.5cm長さに切った白ワイヤー#24をさし込む。

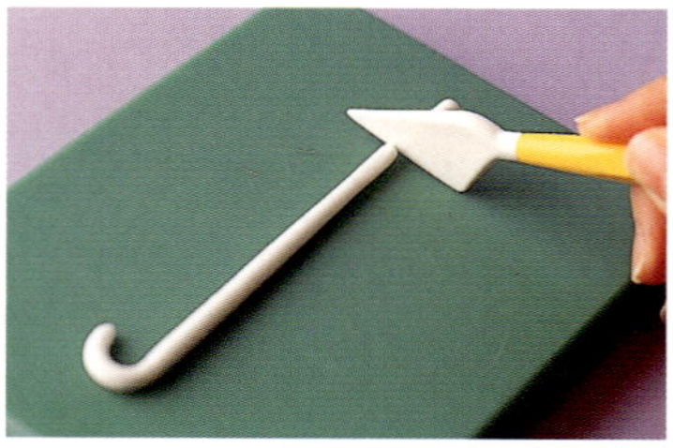

6 ⑤を手で転がしてワイヤーが見えなくなるまでのばし、ペーストの片方の端をワイヤーよりも1cmほど長くのばしてU字に曲げる（ワイヤーが入っていない方がペーストがきれいに曲がる）。もう一方の端の余分なペーストを除き、乾かして④と同じ小花を接着する。

7 ④の傘をふたたびひっくり返してグラスにのせる。ペーストを少量丸めて中心に水で接着し、⑥の柄をさしてとめる。

8 柄の周囲にコットンなどを詰めて固定し、乾かす。なお、柄にワイヤーを入れるのは、傘の重みで柄が折れたりしなったりしないようにするため。また、ワイヤーを通していないと、湿度が高いと曲がってしまう。

傘のバリエーション

愛らしい傘のデザインをもう1パターンご紹介します。ⓕの傘の型紙をひとまわり小さく切って使います。ペーストのカーブのつけ方などはⓕと同じです。

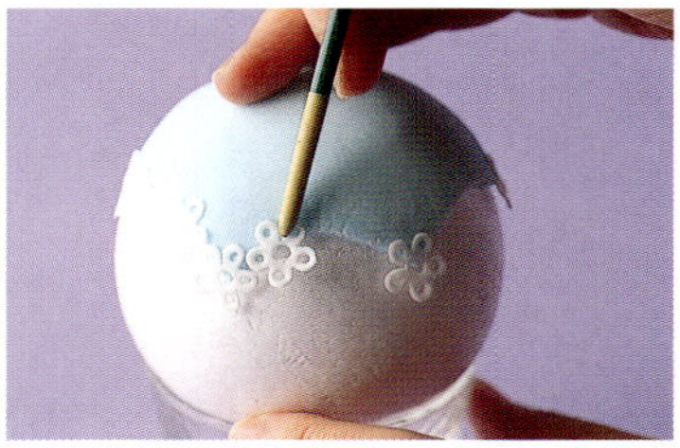

1 カーブをつけたペーストを球にのせ、適当なグラスなどにのせる。モデリングペーストBを薄くのして5枚弁カッターで抜き、各花弁と中心に口金#3を押しあてて穴をあける。この小花をペーストの縁に筆の柄の先端などを使って貼る。まず各辺の先端に貼り、その間をうめるように貼っていくとやりやすい。

2 ①に半球をかぶせてひっくり返し、ふたたびグラスにのせる。モデリングペーストBを1～2mm厚さにのして帯状に切り、傘の各辺よりも少し長めに切って①の小花に一部重なるように接着する。

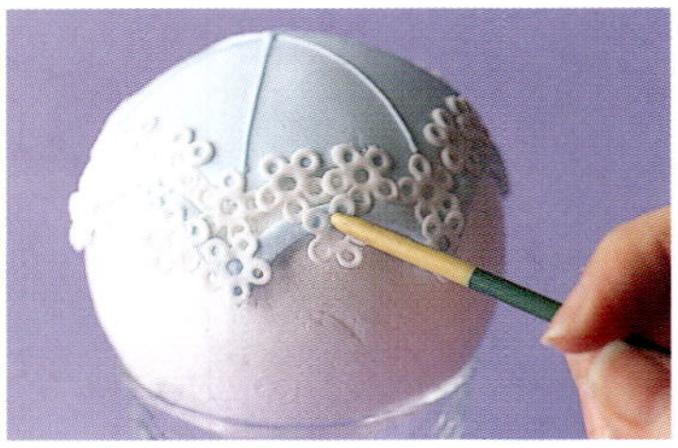

3 ②に球をかぶせてふたたびひっくり返し、グラスにのせる。ロイヤルアイシング（口金#0）で傘にライン絞りをし、①の小花をさらに貼って飾る。カップ状にした①の小花を傘のてっぺんに接着してペーストの軸を立て、小花で飾った柄を接着する。

☛ 作品例
ⓕの要領でつくった傘2種。ひとつの型紙からアイデア次第でいろいろな傘がつくれる。○型紙→P.418

4 04 和風の小物

Japanese Accessories~Tsumami & Oshie

日本の伝統的な手工芸のなかにも、シュガークラフトのモチーフとして
イメージがふくらむものがたくさんあります。ここではふたつのお細工ものをとり上げました。

a つまみ細工（花かんざし）

「つまみ細工」とは、布の小片を折りたたんでパーツをつくり、それを組み合わせて花鳥風月などを形づくる手芸のこと。モデリングペーストB（P.42）を使って再現できます。

1 赤のペーストを小さな正方形に切り、三角形に折る。長辺の両側から半分に折り、両側を外側に折り、後ろの角を切る。8個つくる。

2 ペーストを少量丸め、先端をフック状に曲げた白ワイヤー#35に接着する。6本つくる。それぞれペーストにゴールドのラスターカラーを塗り、短く切る。

3 緑のペーストを①よりもやや大きめの正方形に切り、三角形に折る。半分に折り、中央をつまんで両端を立たせる。フック状にした緑ワイヤー#30を中央に通してとめ、両端のペーストを内側に折って接着する。3本つくる。(つまみ細工の変形。)

4 藤さがりをつくる。濃い紫と淡い紫のペーストをそれぞれのして細い帯状に切り、輪にする。少量の濃い紫のペーストを白ワイヤー#35に通してペーストを細長くのばし、帯の輪を接着する。

5 少量の赤のペーストを白ワイヤー#35に通してペーストを細長くのばし、丸めた赤のペーストを接着する。ゴールドのディスコカラーをまぶしつける。

6 白ワイヤー#20に白のフローラルテープを巻き、蒸留酒で溶いたゴールドのラスターカラーを塗る。乾かしてU字に曲げる。このU字ワイヤーを、円形にした赤のペーストの上に押しつけて土台をつくる。④を置いて(写真では省略)、赤の円形ペーストを上からかぶせて接着し、くぼみをつけて①を接着する。中心に②をさしてとめる。

7 さらに③と⑤をさしてとめる。でき上がり(右頁)。

7

☛ 作品例

中央にポンポン菊を配し、周囲に梅の花、藤の花、松葉、水引をあしらった花かんざし。梅の花弁は、ⓐの①の要領でつくったパーツの幅を広げて形づくっている。水引は、白ワイヤー #35 または #32 にゴールドのラスターカラーを塗って輪にしたもの。

☛ 作品例

ⓐの①のパーツを色やサイズを変えてワイヤーを通して数種類つくり、フローラルテープでまとめる。ペーストの細い帯を白ワイヤーにとめてたれ下げる。ⓐの⑤のパーツを紫のペーストでつくってスノーホワイトのディスコカラーをまぶしつけ、フローラルテープで巻いてとめる。

☛ 作品例

中央の長い藤さがりが印象的。白ワイヤー #35 または #32 に紫のダスティングパウダーを塗り、ⓐの①の要領でつくったパーツをワイヤーに両側から貼って形づくっている。

b 押し絵（招き猫）

「押し絵」とは、布の切れ端を押しつけて絵にすることからはじまった、立体的な貼り絵のこと。ペーストの縁を裏面に折り返すことで押し絵風の‘張り’を表現できます。

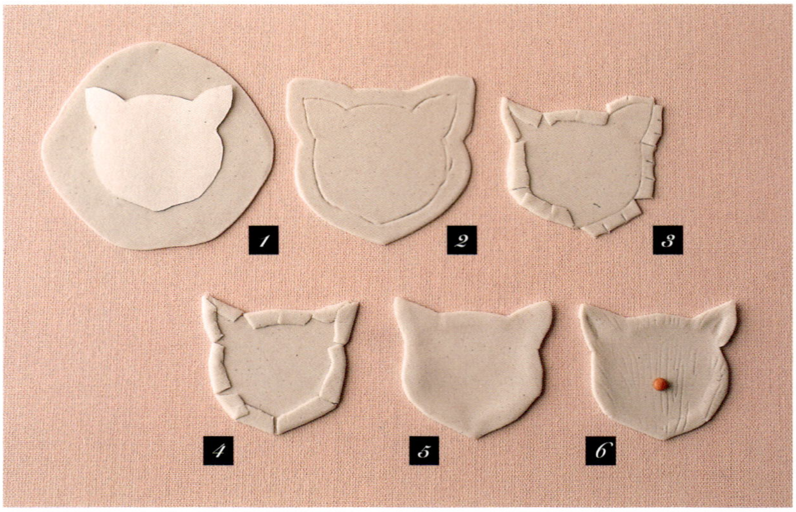

1 招き猫の顔をつくる。モデリングペーストB（P.42）を薄くのし、猫の顔部分の型紙をのせる。

2 型紙のアウトラインにそってリーフシェイパーで跡をつけ、周囲に5mmほど折返し分をとってペーストをカッティングホイールで切る。

3 折返し部分に適宜切込みを入れ、内側に折り返す。カーブしている箇所はV字に切込みを入れて形づくるとよい。

4 すべて内側に折り返した状態。

5 ④をひっくり返す。

6 ベイナーをあてて毛並の感じを出す。少量のペーストを丸めた鼻を接着する。ダスティングパウダーを蒸留酒で溶き、適宜顔を描く。

☛ 作品例
ⓐのつまみ細工とⓑの押し絵の手法でパーツをつくった、お細工もの風の小箱。ふたに飾った花の花弁は、押し絵の要領でつくった同じ形の花弁を2枚ペアにして貼り合わせて形づくったもの。葉は、つまみ細工の③の要領でつくったもの。ふたも押し絵風に、土台のパスティヤージュにモデリングペーストをかぶせて裏面に折り返している。小箱の側面は、パスティヤージュの土台に2種類のモデリングペーストを貼りつけている。それぞれテクスチュアピンで模様をつけたり、小花をインレイワークではめ込んだりして、千代紙のような風情を出している。

作品例
商売繁盛の縁起ものとして知られる「招き猫」をモチーフにしたケーキ。ⓑの押し絵の要領で招き猫のパーツをつくり、カバーリングしたケーキに接着する。小判や座布団、桜の花弁も同じ要領でつくって接着する。ケーキ側面に巻いた帯は、帯揚げをイメージしてペーストにテクスチュアピンで模様をつけたもの。○型紙→P.418

作品例

ケーキをボックスに見たて、側面に押し絵風のデコレーションをほどこしている。側面の模様は4種類あり(右頁)、季節に合わせて正面を変えて飾れるアイデアフルな作品。上面のもくれんは固定していないので、正面が変わるのに合わせて位置を調整できる。もくれんをはずしても、インレイワークの葉模様があらわれる趣向。六角形のケーキは上面と側面を分けてカバーリングした後、さらに上面をカバーリングして上面から1cm下がった箇所でペーストを切る。ペーストにはあらかじめテクスチュアピンで模様をつけておく。

側面1 小鳥ともくれん

小鳥は押し絵の要領でペーストに張りをもたせて形づくったもの。羽の部分は別のペーストでつくり、カッティングホイールで切込みを入れたものを接着している。もくれんの花弁は2色のペーストを貼り合わせて表現。枝をあらかじめカバーリングペーストに貼っておき、小鳥や花弁、葉のパーツを立体的に飾る。

側面2 ラッパスイセン

特にお正月に向く模様。茎や葉などをカバーリングペーストに貼り、小さなフラワーカッターで抜いた花弁やがくなどを立体的にあしらう。

側面3 アネモネ

つくる要領は側面2と同じ。

側面4 マーガレットとみつばち

つくる要領は側面2と同じ。

4 05 ミニチュア

Miniature

ケーキや花、小物など、何でも小さく形づくるワーク。
おままごとのようなかわいらしさが人気です。
細かいディテールまで気を配って表現することが、かわいらしさを際立たせるポイントです。

a ミニチュアケーキ

ケーキを小さなサイズの型で焼くか、適当な型で焼いたケーキを小さくカットして使います。サイズが小さいこと以外は、通常のデコレーションと同じです。気軽な贈りものとして、また、ウェディングの引き出物(P.369)としてもぴったりです。

作品例
四角いミニチュアケーキ。写真手前は、プレゼントボックスをイメージしてペーストのリボンをあしらったもの。写真中央は、上面にデイジーを、側面に同色の小花をあしらったもの。写真奥は、上面にカーネーションを、側面にブロッサムプランジカッターで抜いた小花を飾ったもの。適宜ロイヤルアイシングを絞って仕上げる。

作品例
ハート形のミニチュアケーキは、バレンタインデーの贈りものに最適。写真奥はバラの花と葉、写真中央は6枚弁カッターで抜いた花、写真手前はペーストのリボンをあしらっている。パール系のラスターカラーをつけて光沢感を出している。ハートの中はチョコレートケーキ。

☛ 作品例

バッグやソファなどの形や、特定のキャラクターに似せて形づくったケーキは、'Novelty Cake（ノーベルティケーキ）'と呼ばれている。ここではミニチュアサイズのノーベルティケーキをご紹介。写真右手前から時計まわりに、巾着バッグ（ペーストのレースやモールディングのパールをあしらっている）、巾着バッグ（筋目模様をつけたペーストを貼り、フリルやパールをあしらっている）、手提げバッグ（テクスチュアピンで模様をつけたペーストを貼り、モールディングのパールを持ち手として接着）、プレゼントボックス（レースフラワーカッターで抜いたペーストとレースのリボンをあしらっている）、テーブル（テクスチュアピンで模様をつけた敷きものにのせ、やはり同じ要領で模様をつけたテーブルクロスをかぶせる）、ソファ（キルティングエンボッサーで模様をつけたマットにのせ、モールディングの子ぐまやミニチュアフラワーをのせる）。

b ミニチュアフラワー

花の種類別にカッター（抜き型）がセットで市販されており、ミニチュア用のベイナーもあります。つくり方は基本的に普通サイズのシュガーフラワーと同じ。ていねいにダスティングするなど細部までこだわることが、美しさの秘訣です。

さまざまなミニチュアフラワーカッターを使って製作。バラはオールインワンローズと同じ要領でつくり、あじさいは、カッターで抜いたパーツを土台のペーストに貼りつけてつくっている。

ミニチュアフラワーカッターとミニチュアベイナー

写真手前右が、ミニチュアフラワーカッター各種。その左は、ミニチュアベイナー。奥は参考として、普通サイズのカーネーションカッターとベイナー

作品例

ミニチュアフラワーをあしらったミニチュアウェディングケーキ。花の種類は写真手前から時計まわりに、あじさい、白いバラ、赤いバラ、ひまわり、チューリップ2種。なお、ケーキはカバーリングペーストを型抜きしたもの。

c ミニチュア小物

好みのものを何でもミニチュアでつくることができます。実物をよく観察し、バランスを考えながらつくりましょう。モデリングペーストC（P.42）が向きます。

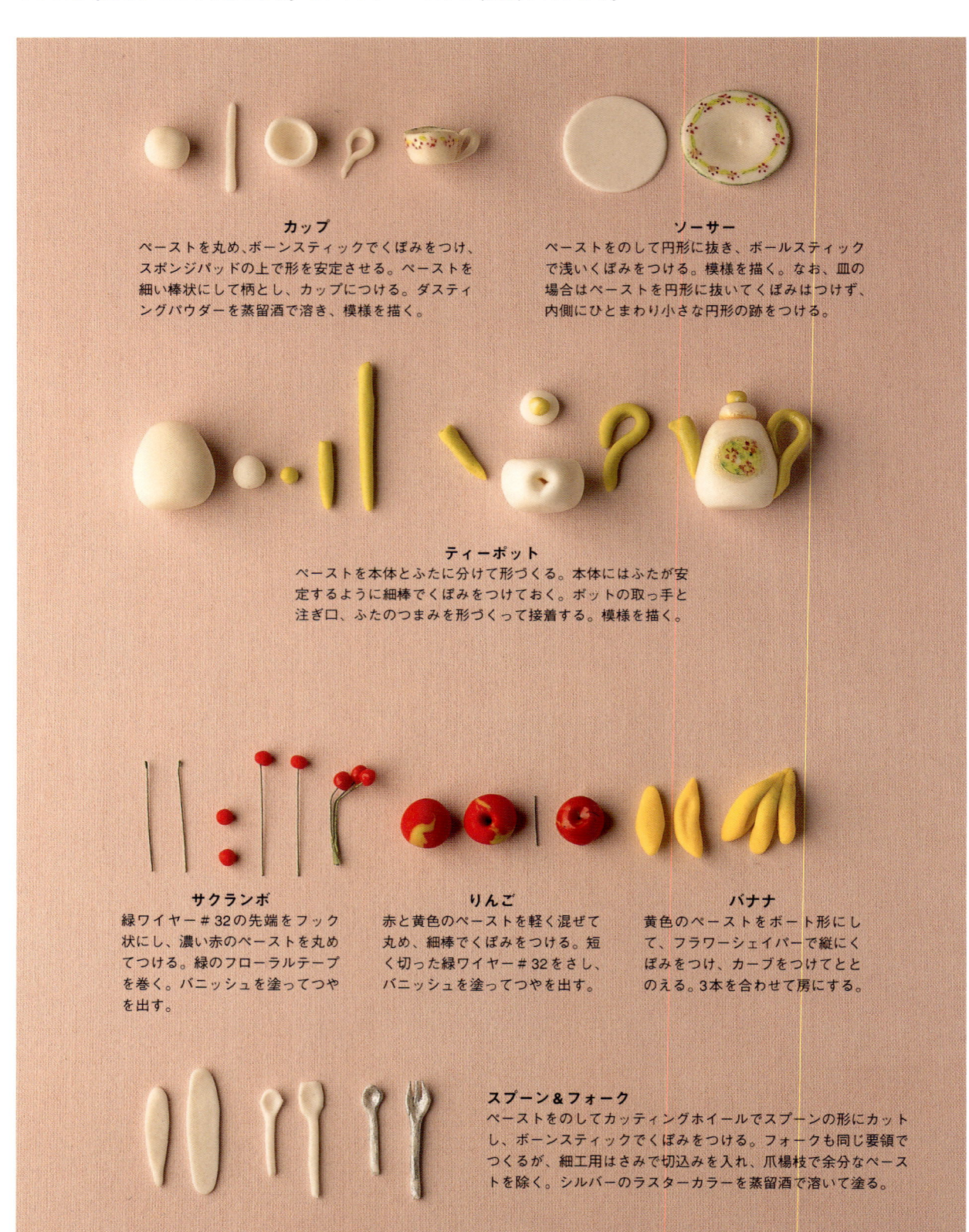

カップ

ペーストを丸め、ボーンスティックでくぼみをつけ、スポンジパッドの上で形を安定させる。ペーストを細い棒状にして柄とし、カップにつける。ダスティングパウダーを蒸留酒で溶き、模様を描く。

ソーサー

ペーストをのして円形に抜き、ボールスティックで浅いくぼみをつける。模様を描く。なお、皿の場合はペーストを円形に抜いてくぼみはつけず、内側にひとまわり小さな円形の跡をつける。

ティーポット

ペーストを本体とふたに分けて形づくる。本体にはふたが安定するように細棒でくぼみをつけておく。ポットの取っ手と注ぎ口、ふたのつまみを形づくって接着する。模様を描く。

サクランボ

緑ワイヤー＃32の先端をフック状にし、濃い赤のペーストを丸めてつける。緑のフローラルテープを巻く。バニッシュを塗ってつやを出す。

りんご

赤と黄色のペーストを軽く混ぜて丸め、細棒でくぼみをつける。短く切った緑ワイヤー＃32をさし、バニッシュを塗ってつやを出す。

バナナ

黄色のペーストをボート形にして、フラワーシェイパーで縦にくぼみをつけ、カーブをつけてととのえる。3本を合わせて房にする。

スプーン＆フォーク

ペーストをのしてカッティングホイールでスプーンの形にカットし、ボーンスティックでくぼみをつける。フォークも同じ要領でつくるが、細工用はさみで切込みを入れ、爪楊枝で余分なペーストを除く。シルバーのラスターカラーを蒸留酒で溶いて塗る。

作品例

午後のお茶会をイメージした母の日のケーキ。直径約12cmのケーキにテーブルクロスを2重にかけ、上のクロスにはドレープをつける。ⓒの要領でつくったミニチュア小物や、ⓑのミニチュアフラワーをのせる。ミニチュア小物は各サイズのバランスをとり、また、スペースにのる数を考えてつくることが大切。同じ赤いフルーツでも微妙な色合いの変化をつけ、フルーツのつやはバニッシュを塗って表現。ケーキにはロイヤルアイシングを絞って生クリームに見たてるなど、ディテールまでていねいに仕上げている。

4 06 ペインティング

Painting

**シュガーペーストの表面に筆で絵を描くワークです。
色素は表現したい雰囲気に合わせて使い分けるとよいでしょう。
また、ペーストの地色に合わせた描き方を覚えておくと便利です。**

a ペインティングの色素

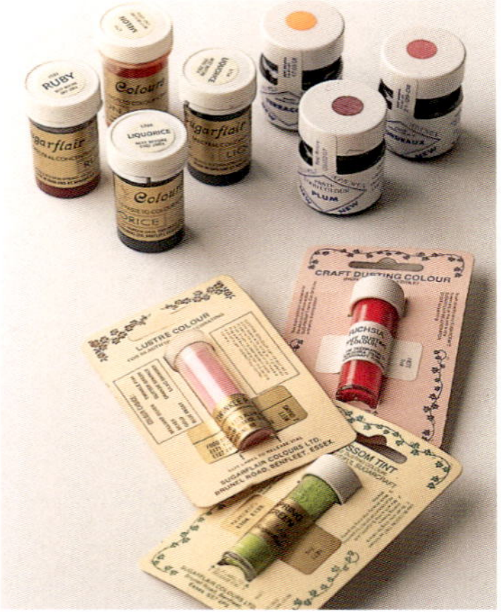

写真奥より、ペーストカラー、ダスティングパウダー。

おもにペーストカラー、ダスティングパウダーを使います。それぞれ特徴があり、蒸留酒やショートニングを混ぜることで異なる質感を表現できます。

ペーストカラー

・ペースト状の色素。
・濃度が高く、定着がよい。色の種類は豊富だが、白はない。
・濃度や色を調整するには、無色の蒸留酒（キルシュなど）または水を少量加える。
・乾きが遅いので注意。
・アウトライン、細いラインを描くのに向く。

ダスティングパウダー

・粉末状の色素。
・色の種類は白から中間色、蛍光色まで豊富。蛍光色のものは特にラスターカラーと呼ばれる。
・無色の蒸留酒（キルシュなど）や水で溶いて描く方法と、ショートニングを加えてペースト状にして描く方法がある。ぼかしたような淡い色調を表現したい場合は、粉末のまま筆ではたいて使う（ダスティング）。

b 模様を利用して描く

テクスチュアピンやエンボッサーでつけた模様を利用すると、手軽にペインティングを楽しめます。

☛ **作品例**
テクスチュアピンを転がしてつけたバラ模様にペインティング。ダスティングパウダーを無色の蒸留酒で溶いて描いた淡いトーンが美しい。

c 色素とその使い方による雰囲気の違い

次頁のⓓⓔの要領でペインティングしたバラ。同じ図案でも選ぶ色素とその使い方によって仕上がりの雰囲気が変わってきます。

←↓ダスティングパウダー＋無色の蒸留酒または水
水彩画のような雰囲気
←ペーストカラー＋無色の蒸留酒または水
油絵のような雰囲気
→ダスティングパウダー＋ショートニング
油絵のような雰囲気

ⓓ トレースして描く（バラ）

ペインティングの基本のやり方をご紹介します。ポイントは、まず淡い色で塗ること。ここではダスティングパウダーにショートニングを混ぜて使っています。ミスした箇所はショートニングで落とすことができます。

1 乾いたペーストの表面に図案をトレース(P.404)する。

2 ルビーとプラムのダスティングパウダーにショートニングを多めに混ぜ、淡いピンクにする。平筆でバラの花全体に塗って乾かす。

3 花弁の縁や陰などはダスティングパウダーを増やして濃く描く。

4 光のあたり具合は、綿棒でこすって濃い色を落とし、下地の淡いピンクをひき出して表現する。特に明るい箇所は、ホワイトのダスティングパウダーにショートニングを混ぜて塗るとよい。

ⓔ ペーストの色が濃い場合（バラ）

ペーストの地色が濃い場合は、図案のラインが分かりやすいように鉄筆でトレースすること、また、図案全体をいったん白い色で下塗りすることがポイントです。ここではダスティングパウダーを無色の蒸留酒で溶いて使っています。

1 乾いたペーストの表面に図案を鉄筆でトレース(P.405)する。

2 トレースし終わった状態。濃い地色でも見えやすいようにしっかりとトレースする。

3 ルビーとプラムのダスティングパウダーにホワイトのダスティングパウダーをたっぷりと混ぜ、無色の蒸留酒(または水)をスポイトで数滴加えてごく淡いピンクにする。平筆や細筆でバラの花全体に下塗りする。茎、葉も緑をベースに適宜同じ要領で下塗りする。乾かす。

4 ⓓの③④と同じ要領で適宜濃く描き、白のハイライトを入れて仕上げる。

☛ 作品例

ⓓの要領でバラをペインティングしたプラークをはめ込んだケーキ。プラークの縁なども適宜着色して仕上げる。○図案→P.418

Reference そのほかの作品例

☛ P.157

ダスティングパウダーにショートニングを混ぜ、ケーキとケーキボードに花模様を描いた作品。印象派の絵のような淡いトーンが、ケーキ側面の繊細なエクステンションワークとマッチ。

4 07 ココペイント

Cocoa Painting

ココアパウダーの溶液で絵を描くワークです。
セピアカラーにも似た独特のノスタルジックな雰囲気が特徴です。

a ココア溶液のつくり方

最初に濃度の濃い溶液をつくるのがポイントです。

写真右が、湯煎で溶かしたカカオバター。写真左のココア溶液は、奥から手前にいくにしたがって、濃度が薄くなっている。なお、写真では筆も保温器にのっているが、保温中は筆はのせない。

1 カカオバター（ショートニングでも代用可）を器に入れて湯煎で溶かす。

2 ココアパウダーを別の器に入れ、①を加えてココア溶液をつくる。まず最初にココアパウダーが多めの濃い溶液をつくる。

3 ②を①で少し薄めたもの、さらにまた少し薄めたものを、それぞれ別の器に用意する。なお、逆に濃度の薄い溶液にココアパウダーをたして濃くしようとすると、ココアパウダーが溶けにくくダマができやすいので注意。溶液は冷めて固まらないように、作業中は保温器にのせておく。

b 動物を描く（きつね）

ココペイントは、茶系の動物などを描くのに特に向いています。毛並の雰囲気もリアルに表現できます。

1 乾いたペーストの表面に図案をトレース（P.404）する。

2 薄いココア溶液を細筆にとって図案のラインをなぞる。さらに平筆で図案の内側全体に塗る。

3 ②よりも濃いめの溶液で図案のラインをふたたびなぞり、濃くしたい陰の部分などに塗る。

4 濃い溶液でふたたび図案のラインをなぞって濃くしたい部分に塗り、毛並など細かいディテールを描く。目鼻などさらに濃く描きたい箇所は、濃いココア溶液にブラックのダスティングパウダーを混ぜて描く。

作品例

カバーリングしたケーキの表面にⓑの要領できつねを描き、周囲の風景をフリーハンドで描きたしている。きつねのフワフワとした毛並が愛らしい。ココペイントのみのデコレーションが、シンプルでいて印象的。○図案→P.418

4 08 蛍光カラー

Luminous Colours

蛍光色を特徴とする代表的な色素3種をとり上げました。
イルミネーションのような輝きを表現でき、特にクリスマス向けの作品にぴったりです。
このほか、ラスターカラーやムーンビーム（P.399）でも、キラキラとした光沢感を表現できます。

a 蛍光カラー3種の特徴と使い方

それぞれ形状・質感が異なり、目的に応じて使い分けます。

写真奥より、パイピングスパークルズ、ディスコカラー、マジックスパークルズ。

パイピングスパークルズ

・蛍光色のパイピングジェル（P.224）。ゼリー状。
・パイピングバッグに入れて絞り出す。
・ケーキの側面などに絞る場合は流れやすいので、ロイヤルアイシングで模様のアウトラインを絞って枠どりしてから、その内側に絞るとよい。

マジックスパークルズ

・オブラートのような薄い破片状。
・使い方はディスコカラーと同じ。

ディスコカラー

・粉末状。
・ペーストが乾く前であればそのまま、ペーストが乾いていればショートニングやグルー（P.406）を塗って、まぶしつける。小さいパーツであれば爪楊枝にさし、ディスコカラーが入った器に入れてまぶしつけてもよい。
・水分に溶けやすいので注意。ロイヤルアイシングにまぶしつける場合は、ロイヤルアイシングが生乾きの状態、または完全に乾いてから、グルーを塗ってまぶしつける。

Reference　そのほかの作品例

☛ P.239
ケーキの表面や、'Merry Christmas' の文字、フィギュアパイピングの小鳥にディスコカラーをまぶしつけている。ちなみに、ベルに飾ったペーストのリボンは、ムーンビームをつけて光沢を出している。

☛ P.197
花かんざしのパーツの先端にディスコカラーをまぶしつけている。ディスコカラーの入った器にパーツをさし込んで球形部分にまぶしつけ、柄の部分にも適宜まぶす。

☛ 作品例

3種類の蛍光カラーで飾ったクリスマスツリー。写真奥は、ディスコカラーをまぶしつけた球形のオーナメントを接着。写真中央は、ロイヤルアイシングで枠どりした内側にパイピングスパークルズを絞ってモールに見たて、ディスコカラーをまぶした星のオーナメントを接着している。写真手前は、雪をイメージして、白のロイヤルアイシングを絞った上からマジックスパークルズをまぶしつけている。なお、土台のツリーは、プラスチック製の円錐形のモールド(型)にワックスペーパーを貼って緑のロイヤルアイシングを厚めに塗り、乾いたらモールドからはずして、緑のロイヤルアイシング(口金#74)を絞ったもの。円形のペーストで底面にふたをし、切り株に見たてたペーストを接着している。

4 09 フォークアート

Folk Art Colours

'folk art'とは、東欧の家庭などで行なわれている、家具などに模様をペイントする装飾法。
その質感を再現できるシュガークラフト専用の色素が市販されています。
タイルや陶磁器の絵つけなどを表現するのにぴったりです。

a フォークアートカラーとその使い方

フォークアートカラーは水溶性で、水やロイヤルアイシングで薄めて使います。テラッとした独特な仕上がりが特徴です。

1 フォークアートカラーをパレットにとり、水で湿らせた筆につけて塗る。色の濃さは水の量で調節する。数色を混ぜ合わせてもよい。ロイヤルアイシングと混ぜ合わせることもでき、そうすると仕上がりにボリューム感が出る。水溶性なので、失敗しても簡単にふきとれて便利。

☛ 作品例

ペーストをタイルに見たててフォークアートカラーで藤の花をペインティングした作品。しずく形のケーキの側面を緑のペーストでカバーリングし、上面は白のペーストでカバーリングする。上面にカッティングホイールでラインをつけてタイルに見たて、藤の花を描く。花弁はフォークアートカラーにロイヤルアイシングを混ぜて塗り、立体感を出している。タイルの面を正面にしてケーキをボードに立てる。

☛ 作品例

モデリングペーストC（P.42）でつくった皿やカップ＆ソーサーに、フォークアートカラーで絵つけした作品。皿はペーストを大きめにのして、ショートニングを塗った本物の皿にのせ、フィットさせてかたどる。波打った縁のリム部分は、細棒をあててかたどっている。カップは、薄くのして円形にしたペーストの一部を切って糊しろとし、球形の発泡スチロールにそわせて貼り合わせたもの。ボリューム感を出したい模様は、フォークアートカラーにロイヤルアイシングを混ぜて塗るとよい。仕上げに全体にバニッシュを塗ると、つやが出てより陶磁器っぽい質感になる。

スポンジング

Sponging

色素をつけたスポンジをペーストに押しあてて模様をつくるワークです。
シンプルな手法ですが、使うスポンジや色素を工夫することで、さまざまなニュアンスを表現できます。

a 切込みを入れた面で模様を描く

ギザギザの切込み面がおもしろい模様をつくります。着色材料は、蒸留酒で溶いたダスティングパウダーを使います。

1 ケーキとケーキボードをカバーリングする。ボードのカバーリングペーストが柔らかいうちにケーキをいったんのせ、ケーキの外周にそって爪楊枝でボードにしるしをつけてケーキをはずす。このしるしをガイドに、ボードにセルクルを押しあてて跡をつける。

2 スポンジを小さな直方体に切り、一面だけピンキングはさみでギザギザに切込みを入れる。この面に、蒸留酒で溶いたフォレストグリーンのダスティングパウダーをつけ、①でつけた跡にそってボードに押しあてて波模様をつくる。

b ちぎったスポンジをさまざまに使う

細かい模様をつけるのに重宝します。ロイヤルアイシングを使うと模様にボリューム感を出せます。

1 小さくちぎった海綿スポンジにⓐと同じ着色材料をつけ、ケーキの側面にたたきつける。

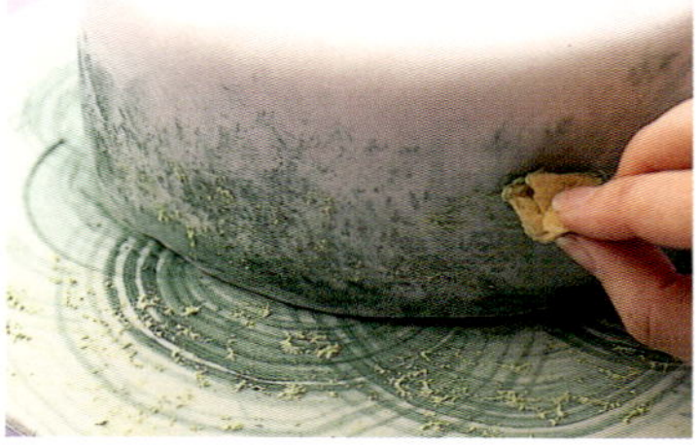

2 同じスポンジに黄緑の柔らかめのロイヤルアイシングをつけ、器の縁などにこすりつけて余分なアイシングを落とす。ボードとケーキ側面にスポンジをたたきつける。

3 小さくちぎった別のスポンジに白の柔らかめのロイヤルアイシングをつけ、②と同じ要領でたたきつける。水しぶきの雰囲気が出る。

c 柄つきスポンジを使う

ダスティングパウダーをそのままはたく場合は、ステンシル用の柄つきスポンジを使うと便利です。

1 柄つきスポンジに、スノーフレイクとパールホワイトのラスターカラーをつけ、ⓑでつけた模様の上からそっとはたく。水しぶきが光り輝いている雰囲気が出る。

作品例

ⓐ～ⓒの要領でスポンジングした作品。池に咲くかきつばたの風情を表現している。ボードにあしらった小石は、マーブリングしたペーストを丸めて成形したもの。

4 11 エアブラシ
Airbrushing

**色素を吹きつけて着色するエアブラシの手法は、シュガークラフトにも活用できます。
一般的に原色のような濃い色を広いスペースにむらなくすばやく着色するのに使われますが、
ここではグラデーションをつける着色アイデアをご紹介します。**

a エアブラシの器具・色素とその使い方

シュガークラフト専用の器具と色素が市販されています。

1 ペン型のノズルに色素を入れ、専用ガスにつなぐ。色素は専用のものでも、ダスティングパウダーを蒸留酒で溶いて使ってもよい。ただし、ダスティングパウダーの場合はノズルが詰まりやすいので注意。

2 ノズルのスイッチを押して対象物に色素を吹きつける。なお、エアブラシの噴霧は思いのほか広い範囲におよぶので、あらかじめ新聞紙などを下に敷いておくとよい。色素を入れかえる時は、基本的にノズルを水洗いしてから、次の色素を入れる。

b グラデーションをつけて着色する

ノズルを対象物に近づけたり、対象物から遠ざけたりすることで、色合いに濃淡をつけられます。また、複数の色素を使う場合、あえてノズルを洗わずに次の色素を入れると、色がミックスされてユニークな表現になります。

1 ノズルに紫の色素を入れ、ペーパータオルに吹きつけて色素の出具合を確かめる。

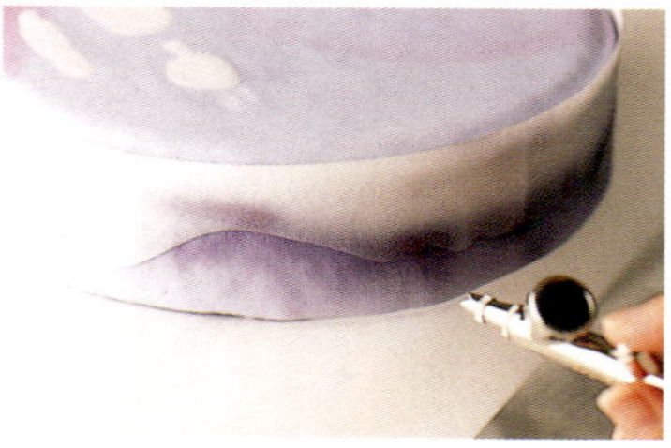

2 カバーリングしたケーキの側面に、山の模様をつける。山の稜線をイメージして紙テープをカットしてケーキ側面にとめ、①の色素を吹きつける。紙テープとペーストの境目などはっきり色をつけたい箇所は、ノズルを近づけて吹きつける。逆に色を薄くのせたい箇所は、ノズルを遠ざけて吹きつけ、色合いに濃淡をつける。紙テープをそっとはずし、乾かす。

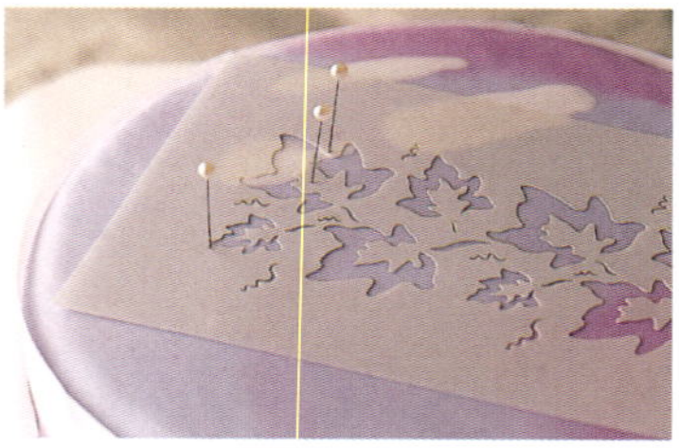

3 ケーキ上面にもみじの模様をつける。もみじの模様にくり抜かれた市販のステンシルシートをケーキ上面にのせ、マチ針などで固定する。

4 ②のノズルを洗って黄色の色素を入れる。①の要領で出具合を確かめる(前の色素や水をノズル内に残さない意味もある)。シートがケーキから浮き上がらないように押さえ、②と同じ要領で色素を吹きつける。

5 ステンシルシートをそっとはずし、乾かす。なお、洗ったステンシルシートを、この模様に交差させてふたたびケーキ上面にとめ、④のノズルを洗わずに赤の色素を入れて吹きつけると、微妙に黄色と赤が混ざり合ったもみじ模様ができる(右頁)。

☛ 作品例

ⓑの要領で、ケーキにエアブラシで色素を吹きつけた作品。秋の夕暮れ時、神様のお使いのきつねが空を駆けていく光景をイメージ。夕暮れの空が移り変わっていく雰囲気を、濃淡をつけた色合いで表現している。ケーキは、インレイワークで雲をはめ込んだカバーリングペーストで覆っている。仕上げにペーストのきつねをのせ、金箔を飾る。

4 12 パスタマシン

Pasta Machine

パスタ生地をのすパスタマシンを使うと、とても長いペーストの帯も簡単につくれます。
ここではパスタマシンを使って長い帯に複雑な色合いのしま模様を入れるアイデアもあわせてご紹介します。

a パスタマシンとその使い方

目盛りを調節しながらペーストを徐々に薄くのしていきます。

1 ペーストをパスタマシンの幅よりも狭い幅に大まかにのし、マシンにさし入れる側をまっすぐにカットする。

2 マシンにペーストをさし入れ、ハンドルをまわしながら薄くのす。パスタマシンには厚みを調節するための目盛りがついており、ここでは10段階の目盛りつきの機種を使用。目盛りの番号が大きくなるほど、薄くのすことができる。必要に応じて、数回に分けて順に番号を大きくしてのすとよい。写真左手前は、テーブルにパスタマシンを固定するための器具。

b 美しいしま模様の長い帯をつくる

ノンスティックボードなどでペーストを帯状にのす場合、ボードのサイズよりも長い帯はつくれません。が、パスタマシンを使うと、とても長い帯も簡単につくることができます。ただし、パスタマシンの幅よりも狭い幅の帯に限ります。ここでご紹介するように、さし入れるペーストを工夫すると、美しい模様のついた帯ができます。ペーストはモデリングペーストB（P.42）を使います。

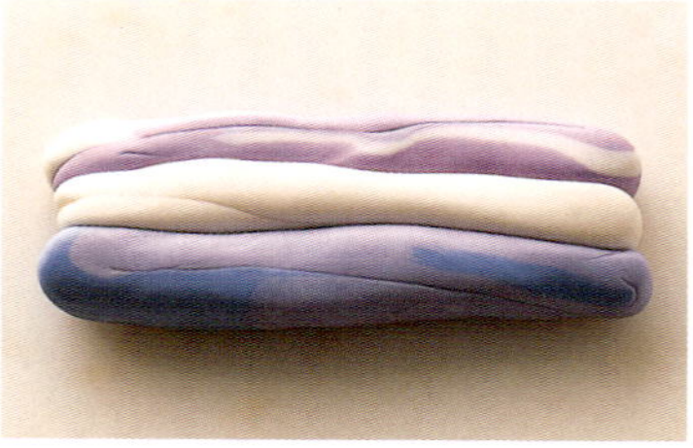

1 白と紫のペーストをマーブリングしたもの、白のペースト、紫と青のペーストをマーブリングしたものをそれぞれ棒状にしてくっつける。

2 ①を縦じまになるまでねじって1本にする。

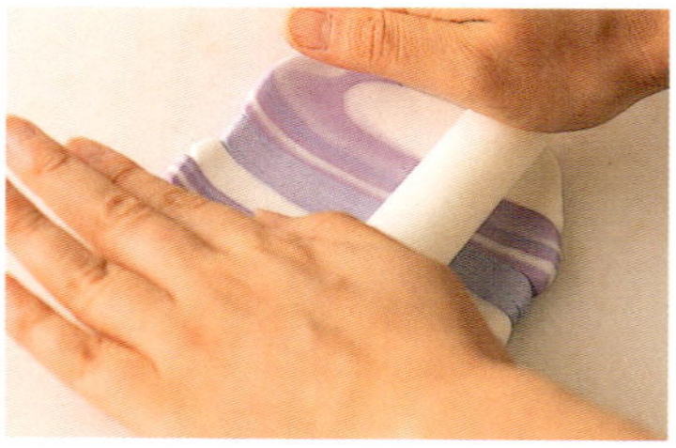

3 ノンスティックボードに②をのせ、パスタマシンにさし入れられる厚みの帯状に大まかにのす。帯の幅はパスタマシンの幅よりも狭くする。

4 パスタマシンにさし入れる側をまっすぐに切る。まっすぐに切らないと、パスタマシンでのばすうちにペーストがゆがんでいくので注意。

5 ここでは3段階に分けてのす。まずパスタマシンの目盛りを3にして④をさし入れ、ハンドルをまわしてのす。次に目盛りを5にしてのす。

6 さらに目盛りを7にしてのす。薄く長い美しい柄の帯の完成。

☛ 作品例

ⓑの要領でつくった帯を乾かないうちに適宜たるませてドレープにし、ケーキ側面に流れるようにあしらっている。ドレープを主役にしたシンプルなデコレーション。あじさい、トルコききょうのシュガーフラワーは、あえて葉などをつけずに飾っている。各ケーキの縁には、モールディングでつくったパールを接着。"WEDDING Cakes -A DESIGN SOURCE"（Squires Kitchen Magazine Publishing）のIssue20の表紙を飾った、スタイリッシュなウェディングケーキ。

4 13 パイピングジェル

Piping Jel

パイピングジェルは透明のゼリー状の製品で、おもにパイピングバッグで絞り出して使います。
ロイヤルアイシングにはない透明感が魅力。
また、ほかのワークなどにも何かと活用できる素材です。

a パイピングジェルとその使い方

着色して、または無色のまま、おもにパイピングバッグに入れて絞り出して使います。

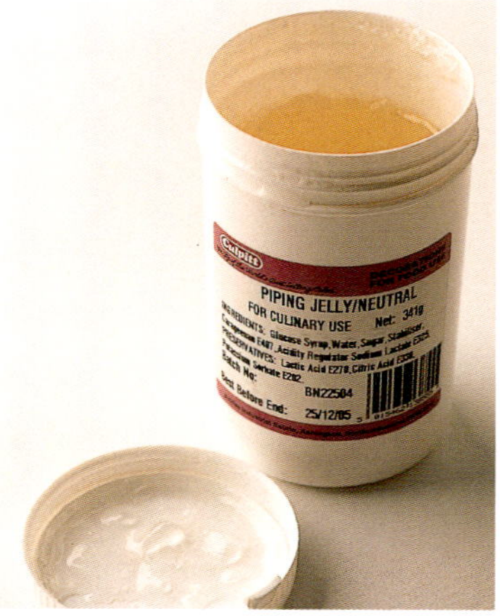

1 パイピングジェルが固い場合は、湯煎で温める。ただし、温めすぎるとゆるくなりすぎるので気をつける。着色する場合は、蒸留酒または水で溶いたダスティングパウダーやリキッドカラーなど、かならず液状の色素を加え混ぜる。粉末状のものは溶けないので注意。

2 ①をOPシート製のパイピングバッグ（P.109）に入れ、目的の場所に絞り出す（絞る模様のアウトラインを、あらかじめロイヤルアイシングで絞っておく）。

b 絞ってスペースをうめる（花模様）

パイピングジェルで模様をつくる基本のやり方をご紹介します。まず、模様のアウトラインをロイヤルアイシングで絞っておきます。こうするとパイピングジェルでうめやすく、仕上がりにメリハリもつきます。パイピングジェルは少量ずつ数種使うことが多いので、パイピングバッグはOPシート製が向きます。

1 図案を適宜起こし、ペーストにトレース（P.404）する。模様の色に合わせて着色したロイヤルアイシング（口金＃0）を、模様のアウトラインにそってそれぞれ絞って乾かす。

2 パイピングジェルを①と同様に着色し、色別にOPシート製のパイピングバッグに入れる。ランナウトワーク（P.160）と同じ要領で、それぞれ①のアウトラインの内側に絞ってスペースをうめる。色が混ざらないように、隣合うスペースは、一方に絞って乾かしてから、もう一方にとりかかるようにする。とても狭いスペースは、絞ったパイピングジェルを爪楊枝などでひっぱってうめるとよい。

☞ **作品例**

カバーリングしたケーキの上面にⓑの要領で花模様を絞っている。ケーキの側面やボードにも同じ要領で模様をつくる。なお、ケーキの側面などにパイピングジェルを絞る場合、流れ落ちやすいので、絞り出す量などに気をつける。

c 無色のドットを絞る（水滴）

無色のパイピングジェルでドット絞りをすると、まるで水滴のように見えます。

がくあじさいに朝露がしたたる様子を、パイピングジェルのドット絞りで表現。葉からいまにもしたたり落ちそうな水滴の表現も可能。ただし、水平でない面に絞る場合はやはり流れ落ちやすいので、大きなドット絞りは向かない。

d 無色のジェルを筆で塗る

パイピングジェルはパイピングバッグに入れて絞るほか、筆で塗ることもできます。無色のパイピングジェルを筆で塗ると、水気やみずみずしさを表現できます。

ブラッシュエンブロイダリーでつくった金魚や、ランナウトワークでつくった水中花、水中の泡などの上から、無色のパイピングジェルを筆で塗り、水中の雰囲気を強調している。

☛ 作品例（P.147）

e そのほかの活用法

パイピングジェルはほかの素材と混ぜて活用することもできます。

ロイヤルアイシングに混ぜる

フィギュアパイピング（P.123）やブラッシュエンブロイダリー（P.134）をする際、ロイヤルアイシングにパイピングジェルを少量加えると、乾きにくくなり、作業しやすくなる。また、ブラッシュエンブロイダリーでは、水のかわりにパイピングジェルでロイヤルアイシングを塗りのばすこともできる。

アラビアガムやペーストに混ぜてグルーにする

アラビアガムやペーストに、熱湯や水のかわりにパイピングジェルを少量加えても、同様にグルー（接着材。P.406）として使える。水分に弱いライスペーパーなどの接着に向く。

4 14 アンブレイカブルジェル

Unbreakable Gel

アンブレイカブルジェルは、熱湯で溶くと粘性がつく、粉末状の製品。
ごく細く絞り出しても切れにくいことが最大の特徴です。
乾くと縮むので、それを見越して使うことがポイントです。

a アンブレイカブルジェルとその使い方

粉末に熱湯を加えてよく混ぜ合わせ、時間をおいて使います。

アンブレイカブルジェルの粉末。熱湯で溶くと白くなる'White'（写真奥）と、無色透明になる'Clear'（写真手前）がある。求める質感に応じて使い分ける。

1 器にアンブレイカブルジェルの粉末（'White'を使用）を適量入れ、その5倍量の熱湯（硬水の方がやや溶けやすい）を加えてよく混ぜる。粘性のついたジェル状になる。そのまま4時間以上おく。

2 着色する場合は、リキッドカラーや、水で溶いたダスティングパウダーなどを爪楊枝で加え混ぜる（①で加える熱湯に着色してもよい）。おもにパイピングバッグに入れ、絞り出して使う。保存は密閉容器で。冷蔵庫で数週間保存でき、冷凍も可。常温にもどしてから使う。

b ごく細く絞る（草）

アンブレイカブルジェルの絞りは大変切れにくいので、ロイヤルアイシングでは切れやすいごく細い絞りも表現することができます。ただし、アンブレイカブルジェルの絞りは時間がたつと縮む性質があり、思いがけない方向に曲がっていきます。そのため、形の定まったものの表現には不向き。縮むことでかえって自然さが生まれる「草」は、アンブレイカブルジェルにうってつけのモチーフです。なお、アンブレイカブルジェルの絞りは切れにくいといっても、乾燥させすぎると余計に縮んだり、切れることもあるので注意してください。

1 シリコンペーパーに緑ワイヤー#32を、間隔をあけて置く。ⓐの要領でつくった緑のアンブレイカブルジェルをパイピングバッグに入れ、ワイヤーに重ねて絞り出す。ワイヤーは、草に見たてた長い絞りを支える役割。短い絞りなら必要ない。なお、ここではOPシート製のパイピングバッグを使っているが、大量に絞る場合はポリエステル製を使うとよい。口金は#2〜3を使う。

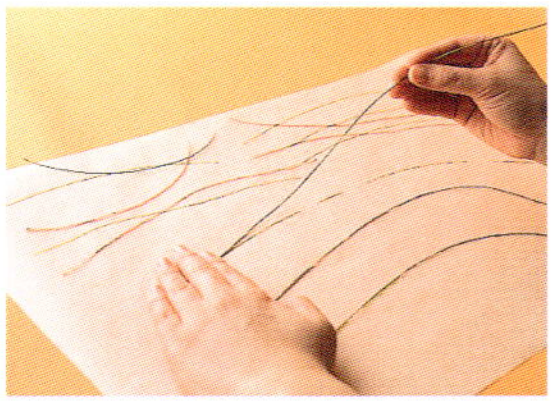

2 乾くと自然に紙からはがれる。はがれにくい場合は、片方の端を押さえながらそっとはがす。

c ネット状に絞る（蝶結び）

網目状の「ネット」も、アンブレイカブルジェルの性質を生かせるモチーフです。ここでは蝶結びをつくります。アンブレイカブルジェルでつくったパーツは水分に弱い（溶けやすい）ので、パーツを接着したり着色する際は、使う水分をできるだけひかえめにしてください。

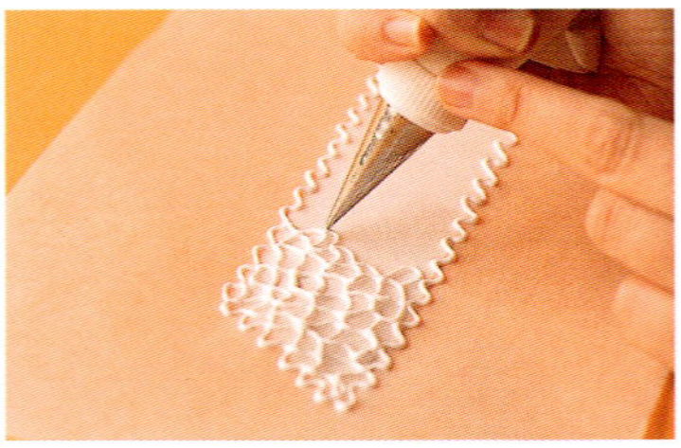

1 本物のリボンの蝶結びを見本にして各パーツの型紙をつくり、シリコンペーパーをのせて固定する。ⓐの要領でつくった白のアンブレイカブルジェルをパイピングバッグ（口金#1）に入れ、型紙に合わせて絞る。まず、アウトラインを波形に絞り、その内側をランダムな網目状にフリーハンドで絞る。

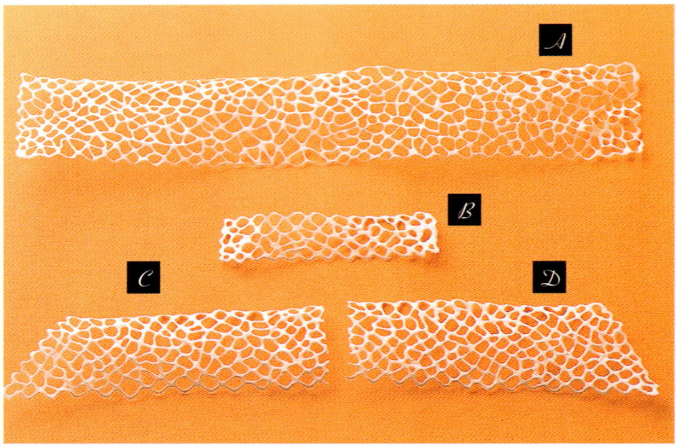

2 すべてのパーツを絞って乾かし、紙からはがす。縮んで自然なカーブがついている。

3 アラビアガムを湯または水で溶かしたグルー（P.406）を使い、パーツ同士を接着する。このグルーを使うのは、水分が少なく、接着力が強く、透明で目立たないため。まず、パーツCを発泡スチロール台にマチ針でとめ、DにグルーをぬってCに接着する。

4 次にAを両側から巻いて輪をつくり、Bを中央に巻いて同じ要領で接着する。

5 ④を③に接着し、マチ針でとめて乾かす。

d 平らにつくる（羽）

アンブレイカブルジェルは絞り出すほか、平らにして形づくることもできます。

妖精の羽をアンブレイカブルジェルで製作。アクリルボードにショートニングを薄く塗り、ⓐの要領でつくったアンブレイカブルジェルをパレットナイフで平らに塗る。乾いたらはがして羽の形に切り取る。

☛作品例（P.376）

☛ 作品例

ⓑの草をⓒの要領でつくったネットのリボンで束ね、カバーリングしたケーキに立てかけている。草のさまざまなカーブは、絞ったアンブレイカブルジェルが乾く過程で自然に生まれたもの。

☛ 作品例

アンブレイカブルジェルでつくった輪の飾りをあしらった、チューリップの鉢。緑のアンブレイカブルジェルをワイヤーの上から絞って乾かし、ゴールドのラスターカラーを塗る。数本をまとめて輪にし、フローラルテープでしばる。フローラルテープは紙テープのイメージで使用。テープでしばることで、変形しやすいアンブレイカブルジェルの絞りを輪の形に固定している。生け花を意識した和風イメージの鉢。お正月にもぴったり。2005年にイギリスでワークショップを行なった作品。

4 15 ゼラチン

Gelatine

ゼラチン特有のプルンとした質感を利用し、ワイヤーでつくった枠にゼラチンの膜を張らせるワーク。
乾くと縮んで変形するのもおもしろさのひとつです。
ゼラチン膜を溶かさないように注意しましょう。

a 枠をゼラチン液にくぐらせて膜を張らせる（羽）

ゼラチン膜を張らせる基本のやり方です。ゼラチン液が冷めはじめたタイミングをみはからい、ワイヤーでつくった枠をくぐらせて膜を張らせます。枠の幅が狭いほど簡単にできます。張らせた膜が薄すぎたり、膜の色が薄かった場合には、幅の狭い枠ならゼラチン液にふたたびくぐらせることができますが、幅の広い枠は膜が破れやすいのでしない方がよいでしょう。ゼラチン膜は水分に弱いので、着色する場合も膜を溶かさないように注意してください。

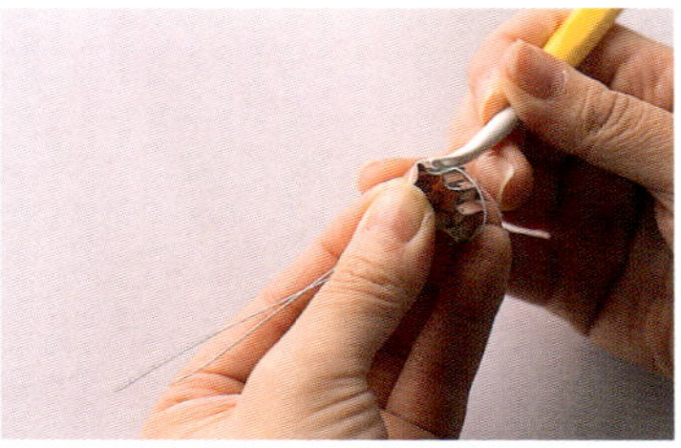

1 白ワイヤー#35をリーフシェイパーでひいらぎカッターなどに押しあてる。ワイヤーの両側を合わせてねじり、羽の形の枠をつくる。

2 ゼラチン液をつくる。器に水を適量入れ、ダスティングパウダーまたはリキッドカラーを加えて着色する。ここではホワイトとパールホワイト、ブルーベルのダスティングパウダーを順に加え混ぜる。水の分量の半量のゼラチンパウダーをふり入れ、湯煎にかけて混ぜながら溶かす。気泡ができないように注意。ゼラチン液にとろみがついて冷めはじめたら、①の枠を浸してゆっくりと持ち上げて膜を張らせる。

3 ②を発泡スチロール台にさして乾かす。

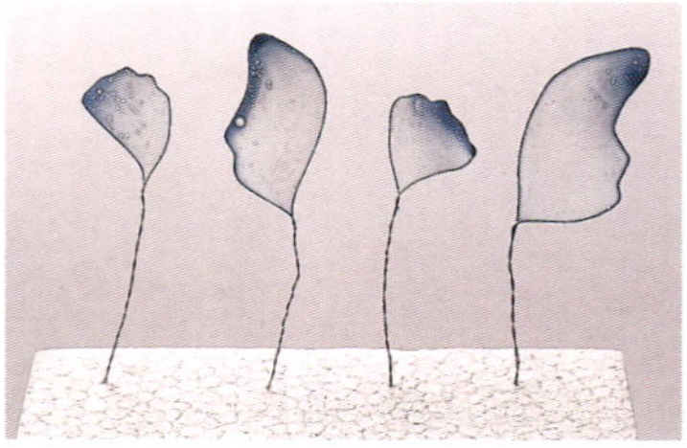

4 羽の形やサイズに変化をつけ、同じ要領で枠に膜を張らせて乾かす。乾かすうちにゼラチン膜が縮み、多少変形したり、小さな気泡ができることがある。作業中にゼラチン液が冷えてしまった場合は、適宜湯煎にかけて温める。煮つまって濃度が濃くなってしまったら水をたして調整する。

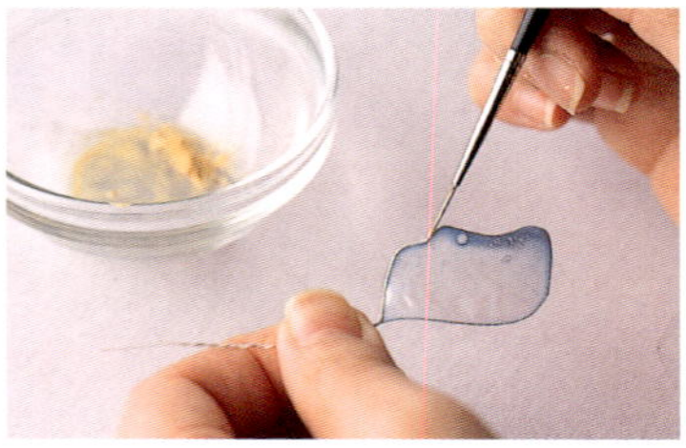

5 羽を色づけする。ゴールドのラスターカラーを蒸留酒で溶き、細筆でワイヤー部分に塗る。水分が多いとゼラチン膜を溶かしやすいので、蒸留酒の分量はできるだけひかえめにする。ゼラチン膜自体を着色したり、膜に模様を描く場合は、特にゼラチン膜を溶かしやすいので気をつける。

☞ 作品例

ⓐの要領でつくった羽を、モデリングでつくった妖精の背中にさしてとめている。周囲の花弁や葉も、同じ要領でワイヤーの枠にゼラチン膜を張らせて形づくったもの。幅の狭い花弁や葉も、ゼラチン膜を張らせるのに向くモチーフ。花弁には適宜花脈を描いている。

ⓑ 平らなベイナーを利用する（葉）

幅の広い枠にゼラチン膜を張らせるには、ⓐのようにゼラチン液に枠をくぐらせるやり方では膜が破れやすいので、平面に枠を置き、ゼラチン液を流し入れて枠内をうめるとよいでしょう。この時、ワイヤーの枠の下に平らなベイナーを置くと、ゼラチン膜を張らせると同時に葉脈や花脈をつけることもできます。なお、幅の広い枠に張らせたゼラチン膜は、乾かす途中で特に縮んで変形しやすいので、花弁や葉のように多少変形しても問題ないモチーフが向いています。

1 平らなベイナーを用意する。白ワイヤー#24で、ベイナーの葉のサイズよりも小さめの枠をつくり、ベイナーの上に置く。

2 ⓐの要領でつくった緑のゼラチン液を、ワイヤーの枠の内側にスプーンで流し入れる。

3 ゼラチン液が乾きはじめたらベイナーから枠をはがし、枠からはみ出したゼラチンを細工用はさみで切る。

☛ 作品例
アマリリスのゼラチンフラワー。ⓑの要領でつくった葉や花弁をフローラルテープでまとめて形づくり、しずく形のケーキに立てかけている。乾く過程で縮んで変形した花弁や葉が、かえっておもしろさを生んでいる。花芯は、白ワイヤー#26に花弁用の赤のゼラチン液をスプーンで塗り、スプーンの背でならしたもの。先端は濃度の濃い白のゼラチン液をつけて乾かし、ゴールドのラスターカラーを塗っている。ケーキの周囲にあしらった帯は、板ゼラチンにゴールドのラスターカラーを塗ったもので、板ゼラチンの形と格子模様をそのまま生かして飾りにしている。

c 羽のバリエーション

ひとつのモチーフでも、選ぶ材料によってさまざまな雰囲気に仕立てることができます。ここでは妖精や天使を表現する羽のバリエーションを集めました。

ゼラチンの羽

☛ 作品例（P.231）

ライスペーパーの羽

☛ 作品例（P.235）

シュガーペーストの羽

☛ 作品例（P.377）

アンブレイカブルジェルの羽

☛ 作品例（P.376）

4 16 ライスペーパー

Rice Paper

ライスペーパーの半透明の質感を生かしてカードなどを形づくるワーク。
アイデア次第でさまざまな素材がシュガークラフトの材料になる好例です。
ライスペーパーは湿気に弱いので、できるだけ水分をさけて作業しましょう。

a カード

ライスペーパーは湿気に弱く、湿気ると溶けたり反ったりするので注意が必要です。着色や接着にも水は使わないことがポイント。着色には、ダスティングパウダーを少量のパイピングジェル(P.224)で溶いたものや、カラーペン(P.399)を使うとよいでしょう。接着は、ライスペーパー同士の接着には、アラビアガムをパイピングジェルで溶いた透明なグルー(P.406)が向きます。ライスペーパーをペーストに接着する場合は、同色のペーストにパイピングジェルを加えて練ったグルーを使うと、目立たず、しっかりと接着できます。

1 型紙を適宜起こしてボードに置き、ライスペーパーをのせる。型紙のラインを鉛筆でトレースする。

2 アウトラインにそって、ライスペーパーをカードの形にはさみで切る。

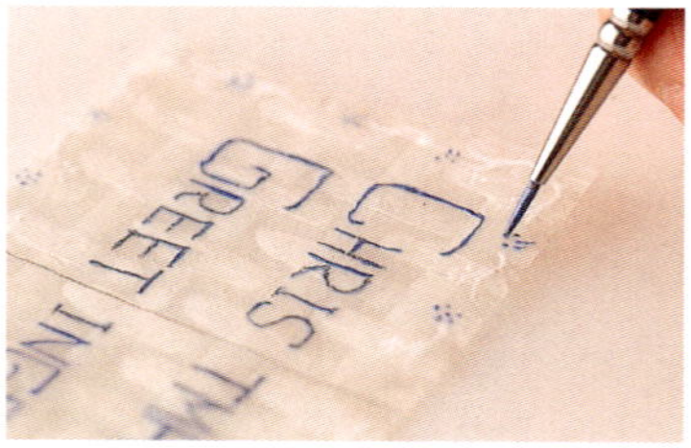

3 ブルー系のダスティングパウダーをパイピングジェル少量で溶き、細筆にとって②のカードの文字をなぞる。同じ要領で白の溶液もつくり、カードの縁にフリーハンドで模様を描く。乾かしたら中央から2枚に切る。

4 もう1枚のライスペーパーを型紙通りにピンキングばさみで切り、普通のはさみで中央から2枚に切る。この2枚の直線に切ったラインに、アラビアガムとパイピングジェルを1：1の割合で混ぜたグルーを細筆で塗り、③の2枚をそれぞれ重ねて接着する。それぞれコットンなどを挟んで乾かす。

5 パスティヤージュのプレートに④を接着する。プレートと同色のペーストにパイピングジェルを混ぜたグルーを用意し、まず片面のカード2枚の底面にグルーを塗ってプレートに接着する。もう片面は、底面には同様のグルーを塗り、先にプレートに固定したカードとのつなぎ目には④のグルーを塗って接着する。乾かす。

作品例
クリスマスキャロルを合唱する天使たち。ⓐの要領でカードをつくってプレートに接着する。天使が持つ楽譜も、同じ要領でライスペーパーでつくったもの。天使の羽は、フラワーペーストで枠をつくり、ライスペーパーを貼りつけて表現。白ワイヤー＃30で天使にとめている。

4 *17*

グラニュー糖

Granulated Sugar

シュガークラフトで使う砂糖といえば、
ロイヤルアイシングやシュガーペーストの材料などとして使われる粉糖がポピュラーですが、
グラニュー糖を活用したこんなユニークなワークもあります。

a シュガーモールド（ハートのケース）

グラニュー糖を 'mould（型）' に詰めて形づくります。キラキラとしたグラニュー糖の美しい質感が特徴です。

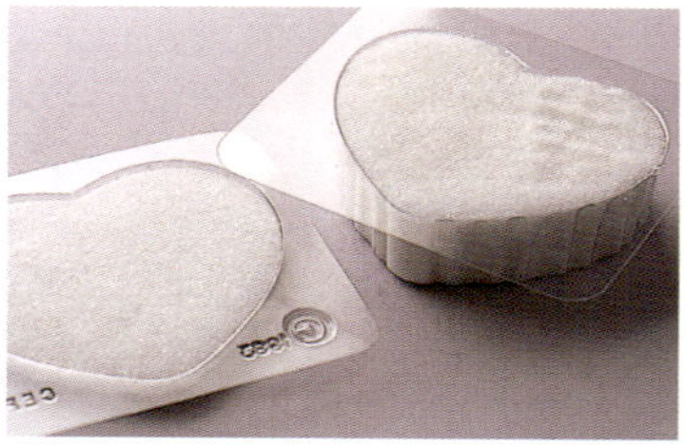

1 ハート形のケースの型（チョコレートの成形用に市販されているもの。本体とふたのセット）を用意する。本体（写真右）とふた（写真左）の型それぞれにグラニュー糖を入れ、必要なグラニュー糖の分量をはかる。

2 ①のグラニュー糖をボウルに入れ、水を加えてスプーンで混ぜ合わせる。水の分量は、グラニュー糖100gにつき小さじ1～1.5が目安。

3 着色する場合は②の途中で、リキッドカラーや水で溶いたダスティングパウダーを爪楊枝で加える。

4 ぬれた砂のような状態になったら、ぬれタオルをかぶせてしっとりするまで1～2時間おく。

5 ④のグラニュー糖を本体とふたの型それぞれに入れ、スプーンの背で強く押して型のすみずみまで詰める。

6 ボードにシリコンペーパーなどを敷き、型をふたつともひっくり返して底面を上にしてのせ、型をはずす。

7 上にした底面が乾くまでそのままおく。表面が不透明に白っぽくなるのが目安。

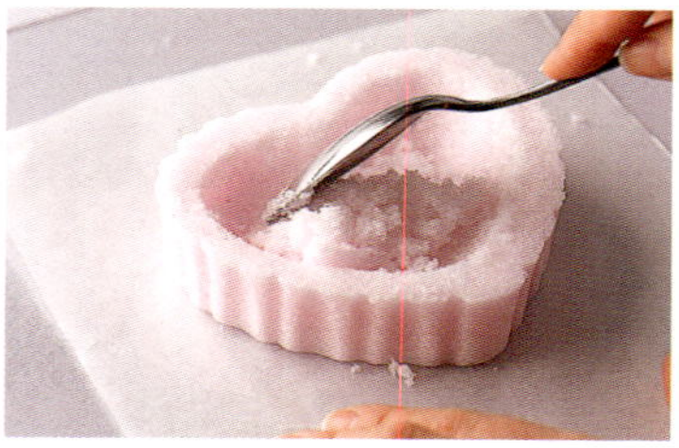

8 本体、ふたともふたたびひっくり返し、内側のグラニュー糖をスプーンでくり抜く。

9 くり抜いた面をパレットナイフでならしてととのえ、乾かす。

☛ 作品例

ⓐの要領でつくったハートケース。写真奥は、ⓒのシュガーソリューションの要領でつくったチュールレースの花と葉をふたにあしらい、ロイヤルアイシングの絞りで飾ったもの。写真手前は、あじさいのミニチュアパイピングフラワーとシュガーソリューションによる葉をふたにあしらったもの。あじさいを絞ったプチシュガーを詰めれば、統一感のあるとびきりかわいらしい贈りものに。

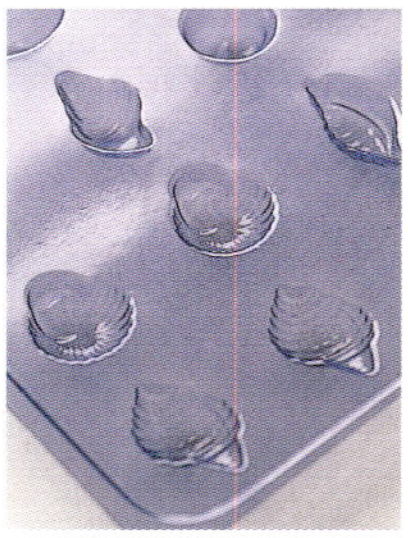

☛ 作品例
シュガーモールドのケースに、やはりシュガーモールドの要領でつくった貝殻を詰めた作品。貝殻は、チョコレートの成形用の貝殻型（左写真）を使用。同じ型で2個つくって貼り合わせ、貝殻らしい丸みをもたせている。色素を数色使い、貝殻の色合いにグラデーションをつけた。ボードには湿らせたグラニュー糖をそのままあしらって砂浜のような雰囲気を出している。

b グラニュー糖をまぶしつける（クリスマスツリー、雪、雪の結晶）

ロイヤルアイシングの絞りやペーストの上からグラニュー糖をまぶしつけると、キラキラと光る雪や氷の雰囲気を演出できます。

クリスマスツリーは、ロイヤルアイシングで葉を絞ってグラニュー糖をまぶしつけて乾かし、少量のペーストを間に挟みながら重ねて形づくったもの。雪の結晶も、絞ったパーツにグラニュー糖をまぶしつけて表現できる。また、丸めたペーストの表面に水をつけ、グラニュー糖をまぶしつけると、雪を丸めた雰囲気が出せる。

☛ 作品例（P.390）

☛ 作品例

ベルの型でつくったシュガーモールドのベルを飾った、クリスマスケーキ。ケーキ側面の‘Merry Christmas’の文字は、ロイヤルアイシング（口金#3）の絞りの上からグラニュー糖をまぶしつけたパーツを貼ったもの。フィギュアパイピングの小鳥や、ⓑの要領でつくった雪などをあしらい、ケーキボードにグラニュー糖を散らす。ディスコカラーやムーンビームを適宜つけてキラキラとした輝きをいっそう強調している。

c シュガーソリューション（チュールボックス）

チュールレースのパーツをグラニュー糖の液に浸してコシをつけ、パーツを組み立てて立体物をつくります。チュールレースは固めのコットン製（P.128）を使います。割り箸を使うと、チュールレースについた余分な糖液を効率よく落とすことができて便利です。

1 直径6cm高さ4cmのセルクルを利用してボックスをつくる。まずコットン製チュールレースを、ボックスの底とふた用として約15cm×8cm（写真中央）、側面用として約20cm×5cm（写真右）、飾りの花弁用として約12cm×10cm（写真左）にそれぞれ切る。

2 飾りの花をつくる。鍋にグラニュー糖と水を3：1の割合で適量入れて火にかけ、グラニュー糖を溶かす。耐熱容器に移し入れ、①の花弁用のチュールレースを浸す。

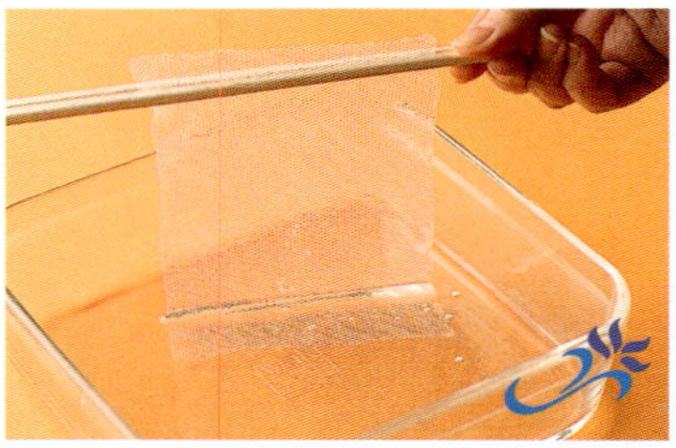

3 割り箸1膳を全体の2/3くらいまで割り、2本の箸の間に②のチュールレースを挟んで持ち上げる。

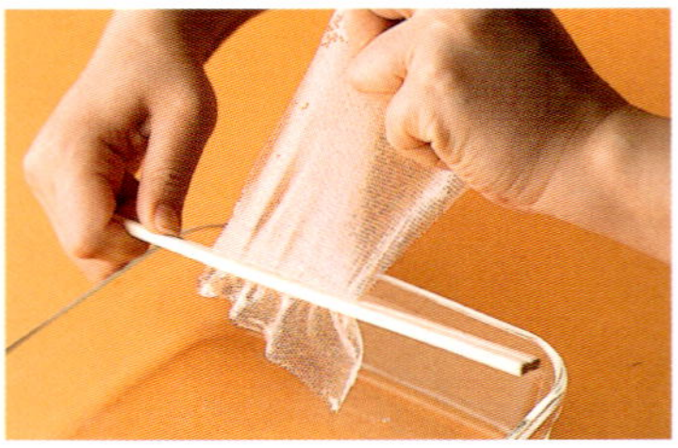

4 箸の間からチュールレースをひき上げて余分な糖液をしごき落とす。

5 ④のチュールレースをペーパータオルの上に置き、パレットナイフを縦にあてて余分な糖液をさらにしごき落とす。

6 別のペーパータオルの上に⑤を移し、乾かす。

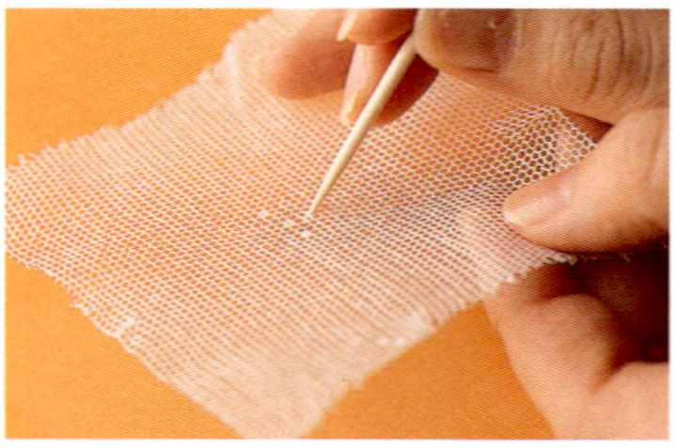

7 チュールレースの網目に詰まったグラニュー糖は、竹串などをさして取り除く。

8 スポンジパッドに⑦のチュールレースをのせ、大中小のローズペタルカッターをそれぞれ押しあてて跡をつける。

9 ⑧でつけた跡に合わせてチュールレースを花弁の形に切り取る。竹串をあててくせをつけ、縁にロイヤルアイシング（口金#0）を絞り、乾かす。

10 ペーストを小さなリング状にし、ワックスペーパーなどにのせる。リングを土台にして⑨の花弁を外側から大中小の順に配し、ロイヤルアイシングで接着して花を形づくる。モデリングペーストを丸めてパールホワイトのラスターカラーをつけ、花の中央に接着する。

11 ボックスの底とふた、側面をつくる。花弁用と同じ要領で各チュールレースをグラニュー糖の液に浸し、余分な糖液をしごき落として乾かす。底とふた用のチュールレースは2等分し、2枚のアクリルボードの間に挟むなどして平らにする。側面用のチュールレースは、ショートニングを塗ったセルクルに巻きつけて余分な長さを切り取り、つなぎ目をロイヤルアイシングで接着する。輪ゴムを巻いてくせをつけておく。

12 底とふた用のチュールレースはそれぞれワックスペーパーにのせ、セルクルを置く。パールホワイトのラスターカラーをつけたモールディングのパール（P.91）をセルクルの周囲に巻いてチュールに接着する。

13 周囲の余分なチュールレースをそれぞれ切り取る。

14 ⑬のうち1枚をワックスペーパーにのせ、パールの内側に⑪の側面用チュールレースを接着する。⑬のもう1枚に⑩を接着してふたにする。

☞ **作品例**
ⓒの要領でつくったチュールボックス。ただし、糖液をあえてゆるくしごき落とし、白の質感を強調している。

☛ 作品例

写真手前は、ⓒの要領でつくったチュールボックス。チュールレースの網目に詰まったグラニュー糖を完全に取り除いており、透け感が美しい。写真奥のチュールボックスもつくる要領は同じだが、リキッドカラーまたはダスティングパウダーで着色した緑とピンクの糖液に浸したチュールレースを使っている。また、飾りの花は、花弁の上下を逆にして配することで手前とは違う花に見せている。モデリングペーストをのしてカーブをつけて切り取った細い帯を、側面に貼る。

☛ **作品例**

シュガーソリューションによるパラソル。ボール紙でつくった円錐形の土台に紙を巻いて6枚に切り分け、傘のパーツの型紙とする。型紙に合わせて切ったコットン製のチュールレースをⓒの要領でグラニュー糖の液に浸し、糖液をしごき落として乾かした後、土台にシリコンペーパーを貼った上から1枚ずつ貼ってパーツ同士を接着する。やはりシュガーソリューションでつくった小花や、ロイヤルアイシングの絞りなどで飾る。パラソルの柄は、棒状にしたモデリングペーストにワイヤーを通して補強している。

ⓓ シュガーソリューションの意外な活用法（ペチコート）

シュガーソリューションでコシをつけたチュールレースはペチコートに最適です。

ⓒの要領でシュガーソリューションをほどこしたコットン製のチュールレースを人形の胴体に巻き、その上からドレスのペーストを巻くと、フワッとした状態でドレスを固定できる。シュガーソリューションでつくった小花のコサージュをドレスに飾り、ドレスのすき間からペチコートをのぞかせるのも素敵な演出。

☛ **作品例**（P.375）

Reference
そのほかの作品例

☛ P.377

シュガーソリューションでつくったチュールレースのベル。コットン製のチュールレースをグラニュー糖の液に浸し、余分な液を取り除いて乾かした後、ベルの型に巻いて形づくっている。コーネリーの絞りで飾る。

Chapter 5

シュガーフラワー

Sugar Flowers

シュガーペーストで花弁や葉を形づくる「シュガーフラワー」は、シュガークラフトのなかでももっとも手間のかかるワークのひとつです。それだけに、合理的に作業する部分と手間をかけるべき部分を考えながら、効率よく、しかも美しくつくりたいものです。満足のいく仕上がりでなければ、手間をかけたかいもありません。

実物の花をよく観察することは、リアルな美しさを表現するためにもちろん必要ですが、もっとも大切なのは、その花がもつ魅力的な特徴や表情をとらえ、シュガーフラワーとして美しく再現することです。

ペーストの花弁はフラワーカッターで抜くほか、実際の花弁を平らにして型紙を起こしてつくることもできます。いったん型紙を起こしたら、フラワーペーストで何度か試作し、手直しをして最終的な型紙をつくります。これは、生の花弁は平らではなく、立体的なくぼみなどがあるためです。

ペーストの花弁の形をととのえるには、各種道具を使います。花弁がどのように変化するかを見きわめ、自由に使いこなしましょう。また、日用品のなかにも使えるアイテムはいくつもあります。私が日頃愛用している道具や日用品のアイデアフルな使い方を「シュガーフラワーの基礎」(P.247～264)にたくさんご紹介しておりますので、ぜひ参考になさってください。

そして、花弁の形をととのえる一番の道具は、人の手です。自然界のものはひとつとして同一のものはなく、それぞれ少しずつ違っています。一つひとつの表情に気を配り、手直しをして仕上げましょう。

表現したいのは、花の「構造」ではなく、「表情」であること。このことを忘れずにつくれば、きっと美しいシュガーフラワーができ上がるはずです。

各花(P.270～365)をつくりはじめる前に

■下記の基本的な道具は材料・道具欄で記載を省略しています。
●ノンスティックボード●ローリングピン●スポンジパッド（穴なし、穴つき）●モデリングツール各種●フラワースタンド●立体成形型●竹串●爪楊枝●定規●筆各種●綿棒●細工用はさみ●ピンセット●カッターナイフ●ペンチ●ニッパー●ラップフィルム●アルミホイル●ティッシュペーパー●ペーパータオル

■フラワーカッターはP.419～428の型紙でも代用できます。また、これらの型紙は、フラワーカッターを購入する際の見本としても利用できます。

■特に指定がない場合、フローラルテープは1/2幅のものを使用しています。

■花の各器官は、花芯、花弁、がくなど一般的な区分・名称で表記しており、植物の正式な区分・名称とは異なる場合があります。

■パーツを接着・乾かしながら製作しますが、記載を省略している場合があります。接着材についてはP.406をご参照ください。なお、土台のペーストにワイヤーをとめる時は、水や卵白を使ってしっかり接着しないと抜けることがあるので注意してください。

5 01 フラワーペーストのレシピ

Flowerpaste Recipe

シュガーフラワーの花弁や葉はフラワーペーストでつくります。
のびがよく切れにくい、薄くのすのに適するオリジナルレシピをご紹介します。
上質なフラワーペーストを使うことが、美しいシュガーフラワーをつくる最大のポイントです。

a フラワーペーストのレシピ

フラワーペーストのつくり方には幾通りかあり、また、手軽な市販品もあります。卵白を加えるレシピが一般的ですが、ご紹介するオリジナルレシピは卵白を加えないのが特徴です。変色しやすくいたみやすい卵白をさけることで、より質のよいフラワーペーストができます。

材料（基本量）

粉糖（オリゴ糖入り）*—150g
トラガカントガム——1g
CMC（P.398）——5g
粉ゼラチン——2g
水——14g
ショートニング——20g
コーンシロップ（P.42。または水あめ）——6～7g

＊ P.106、P.398 参照

1 ミキサーボウルに粉糖、トラガカントガム、CMCを入れてよく混ぜ、湯煎にかけて人肌まで温める。

2 別のボウルに水を入れ、粉ゼラチンをふり入れてふやかし、湯煎にかけて溶かす（長くかけすぎて水分が蒸発しないように注意）。

3 別のボウルにショートニング、コーンシロップを入れ、やはり湯煎にかけて溶かす。

4 ①に②と③を加え、ビーターで白くなめらかな状態になるまでよく混ぜ合わせる。

5 ④をボードにとり出し、軽くこねてまとめる。時間経過とともに固くなるので、つくりたての柔らかい時にひと握り大に小分けしておくと使いやすい。乾燥しないようにしっかりラップで包んで（写真）密閉容器に入れ、24時間休ませてから使う。

b フラワーペーストの着色（P.43）

フラワーペーストは、つくる花弁や葉の淡色部分に合わせて着色し、濃い部分は花弁や葉の形にしてからダスティングパウダーを少しずつ筆でのせていくのがポイント。色合いにグラデーションがつき、より自然に仕上がります。ダスティングパウダーは退色しにくいのも利点です。

c フラワーペーストの扱い方・保存・微調整（P.43）

フラワーペースト（室温）は使用する前に少量ずつもみ直します。ペーストを強くひっぱって切れる瞬間に「パツン」という音がしたら、適度なコシのある状態になったサインです。指先にショートニングを少々つけて作業すると、より扱いやすいでしょう。作業中のペーストはこまめにラップに包んで乾燥を防ぎます。

d フラワーペーストの2度抜き

花弁の多い花をつくる場合は特に、花弁をより薄く仕上げることが美しさの決めてになります。そこでおすすめするのが、フラワーペーストの「2度抜き」です。

1 バラの花弁をつくる。フラワーペーストを薄くのしてローズペタルカッターで抜く。一度に数枚抜いておくと効率がよい。

2 ①で抜いた花弁のペーストを1枚ずつ、ふたたび細棒でのすとさらに薄くなる。

3 ①のカッターでふたたび抜く。ⓐのオリジナルフラワーペーストは、このように非常に薄くのしても切れにくい。

5 02 シュガーフラワーの基礎

The Essential Information of Sugar Flowers

P.270からはじまる各花のつくり方で用いられている、基本の手法や材料・道具の扱い方を解説します。合理的につくる方法や、美しく仕上げるための方法など、オリジナルアイデアも多くご紹介しています。技術の確認やレベルアップに役立て、シュガーフラワーづくりを存分にお楽しみください。

a ワイヤー

花弁・葉の芯、茎などに使います。紙が巻かれたアートフラワー用のものを使用します。

ワイヤーの種類

一般的に＃18から＃35まであり、番号が大きいほど細い。花や葉のサイズに合わせて選ぶ。色は緑、白、茶色などがある。

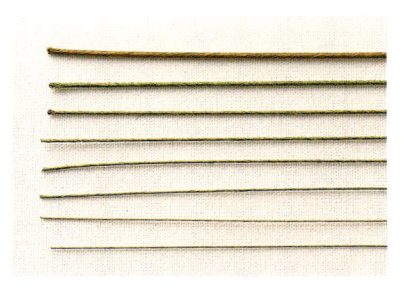

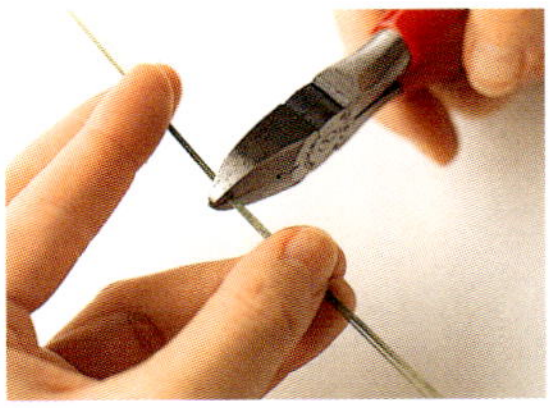

切り方

ペンチを使う。ワイヤーをまっすぐにして切ることがポイント。細いものは曲がりやすいので数本まとめ、ワイヤーがとばないように切る位置の両側をしっかり挟んで切る。

先端の曲げ方

ワイヤーの先端をフック状に曲げておくと、ペーストにさした時などに抜けにくい。ニッパーを使って数本まとめて曲げると効率がよい。

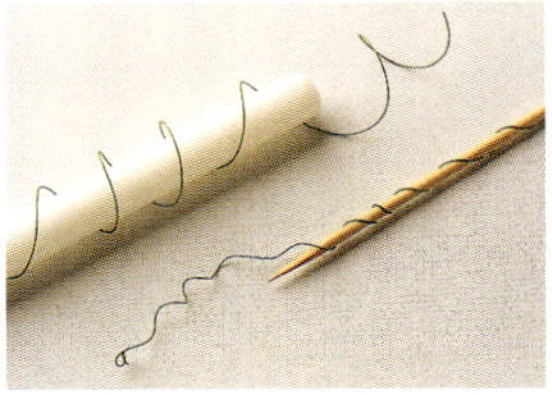

つるをつくる

ワイヤーはスイートピーなどのつるの表現にも使える。竹串などに巻きつけてカールさせる。

b フローラルテープ

粘着剤つきのアートフラワー用のものを、花弁・葉のワイヤーに巻いたり、花や葉を束ねる時などに使います。

フローラルテープの種類

全幅（12mm。写真中央）と1/2幅（6mm。写真手前）がある。専用のテープカッターがあれば、全幅を1/2幅、1/4幅に簡単に加工できて便利（写真奥）。全幅は花や葉を束ねる時に、1/2幅は花弁・葉・茎のワイヤーに巻く時などに使う。1/4幅はがく片や極細の葉などを表現するのに使える。色は緑、茶色、白、赤などがある。

扱い方

フローラルテープはのばすことで粘着力が出るので、かならずひっぱりながら使う。常にテープの先端を持ってきつくワイヤーに巻きつけることが、美しくかつしっかりと固定させる秘訣。同じ箇所に何重にも巻かないように気をつける。

極細の葉をつくる

フローラルテープはコスモスの極細の葉などの表現にも使える。1/4幅のテープをひっぱりながらこよりにして糸のように細くする。

c ペーストの花芯（カサブランカの雌しべ）

ボリュームのある花芯はフラワーペーストでつくります。シュガークラフトでは、可能なものはできるだけペーストやロイヤルアイシングなど食用のものを使ってつくるのが基本です。

1 フラワーペーストを丸めてしずく形にする。白ワイヤー＃30の先端に卵白を塗り、しずく形ペーストの細い側にさし込んで、ペーストの太い側まで通す。

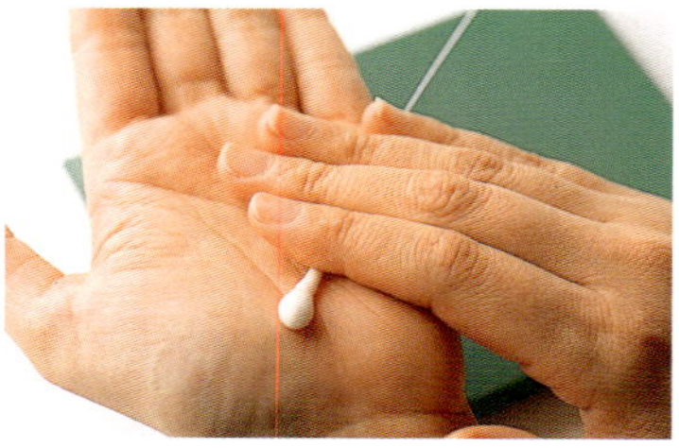

2 しずく形の頭を残し、ペーストをてのひらで保湿しながら転がしてワイヤーにそって細長くのばす。

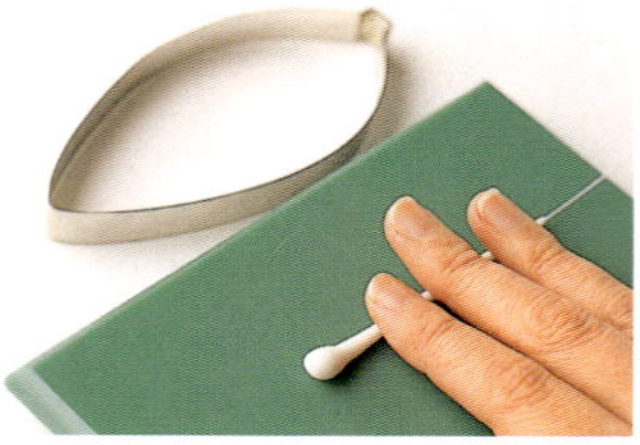

3 ある程度ペーストをのばしたら、ボードにのせて転がす。カサブランカカッター（内花弁用）をそばに置き、カッターの長さの約8割の長さになるまでペーストをのばす。

4 ペーストの先端にカッターナイフで3等分の切込みを入れる。

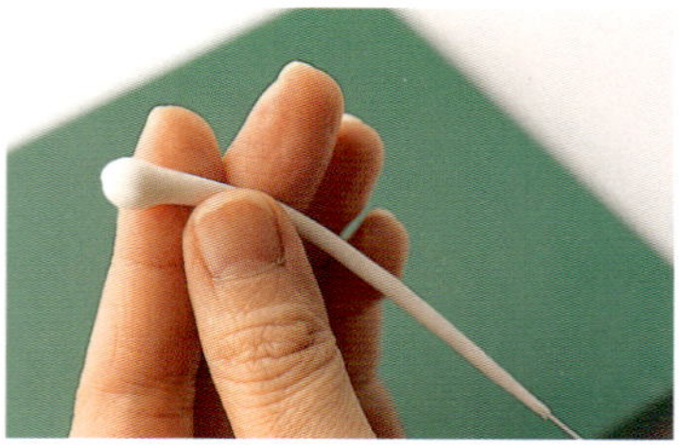

5 ペーストが乾かないうちに首を曲げて自然なカーブをつける。適宜ダスティングする。

ペーストの花芯のバリエーション

フラワーペーストを使って下記のようなさまざまな花芯を表現できます。

写真左より、ラッパスイセン、スパイダー菊、ひまわり、しゃくやく、パロットチューリップの花芯。

d 糸の花芯

細かい雄しべなどの表現には木綿糸を使います。ここでは仕上がりのボリュームや形、作業効率が異なる3種類のつくり方をご紹介します。花に合った手法をとってください。

一度に2束できる手法（桜の花芯）

糸の束を一度にふたつつくる手法です。桜など小型の花がたくさん必要な場合に便利。短い花芯にしたい場合は、親指1本で糸の輪をつくるとよいでしょう。また、ここではワイヤーで糸をまとめましたが、フローラルテープを使う方法もあります。シュガーフラワーは何かと細かい作業が必要なワーク。この手法のように合理化できる箇所をもたせることも大切です。

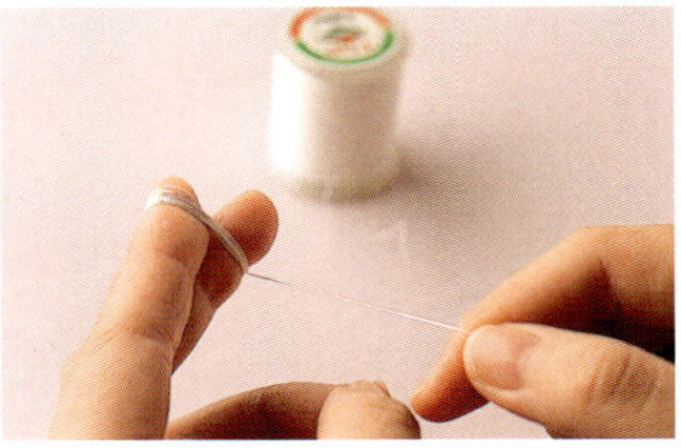

1 ひとさし指と中指に木綿糸を30回ほど巻きつけて糸を切る。糸を巻く回数は、必要な花芯のボリュームに応じて加減する。

2 ①の糸の輪に両側から白ワイヤー＃32を1本ずつ通し、それぞれのワイヤーを半分に折って1〜2回ねじる。（ここから④までは右側のワイヤーを例にとる。左側も要領は同じ。）

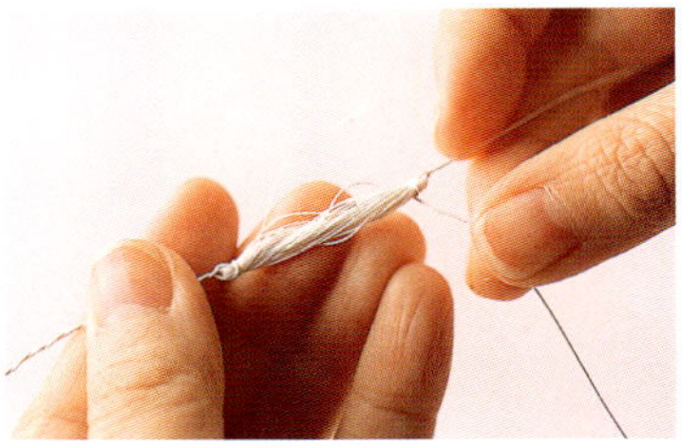

3 さらに片方のワイヤーで糸の輪の根元を1回巻いてとめ、ほうき状にまとめる。

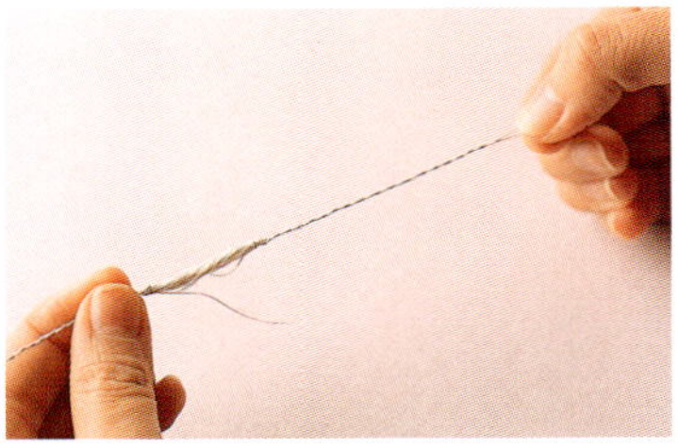

4 ワイヤー2本を合わせてねじり、1本にする。

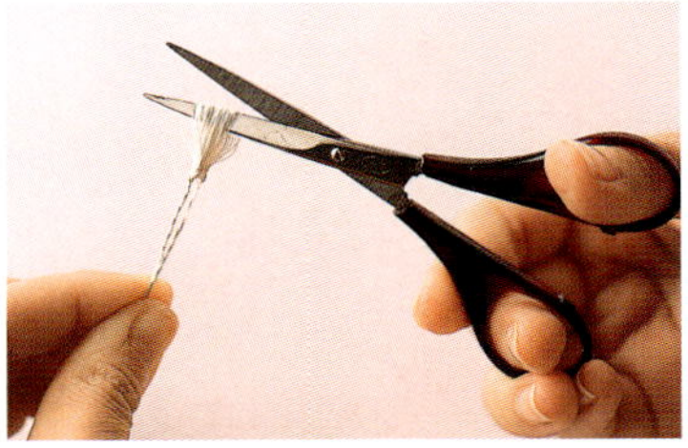

5 糸の輪の両側にねじったワイヤーが1本ずつできたら、これを合わせて持ち、糸の輪を等分に細工用はさみで切る。必要に応じて糸の長さを切り揃える。

6 糸の束がふたつできる。それぞれワイヤーにフローラルテープを巻き、適宜ダスティングする。

7 花粉に見たててポレーンをつける。まず、溶いた卵白を平筆で糸の先端に塗る。

8 器にポレーンを入れ、⑦の糸の先端をつける。

8の字の輪でボリュームを出す手法（野バラの雄しべ）

糸の輪を8の字形にし、ふたつの輪を重ねて束ねる手法です。ボリュームのある花芯を表現したい場合に便利です。

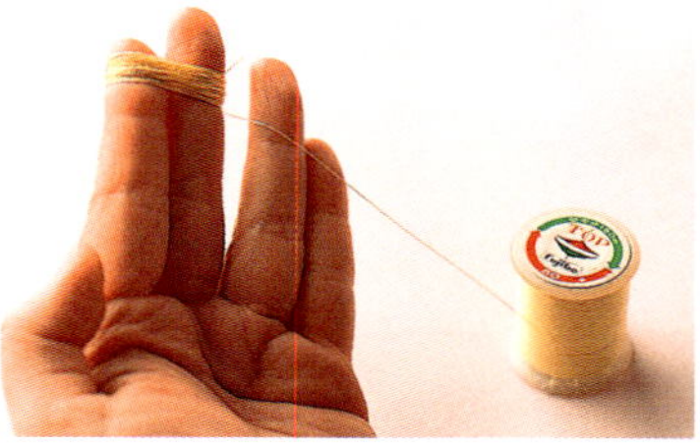

1 ひとさし指と中指に木綿糸を30回ほど巻きつけて糸を切る。糸を巻く回数は、必要な雄しべのボリュームに応じて加減する。

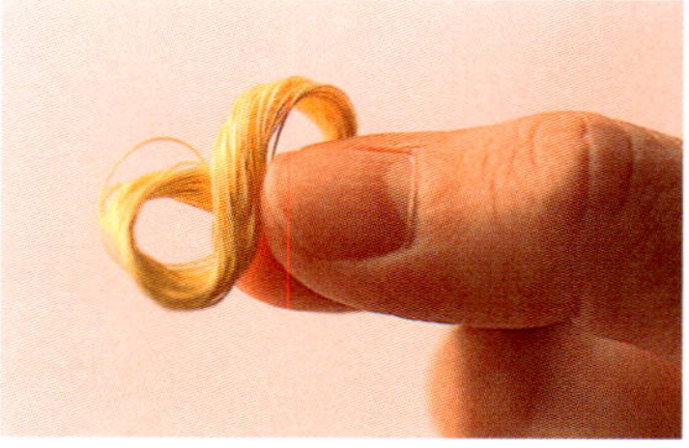

2 ①の糸の輪を8の字形にする。

3 8の字のふたつの輪を重ねる。白ワイヤー＃32を糸の輪に通して半分に折る。

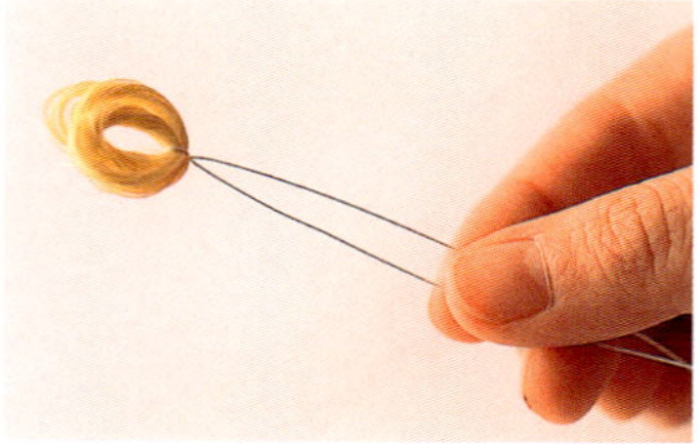

4 折ったワイヤー同士を1〜2回ねじる。

5 さらに片方のワイヤーで糸の輪の根元を1回巻いてほうき状にまとめる。

6 ワイヤー2本を合わせてねじり、1本にする。

7 糸の輪を等分に細工用はさみで切る。必要に応じて糸の長さを切り揃える。

8 器に卵白を入れて溶きほぐす。⑦の糸を浸し、乾かして糸に‘張り’を出す。

9 ⑧の糸を爪楊枝でしごいてカールさせる。

10 P.249の⑦〜⑧と同じ要領で糸の先端にポレーンをつける。

糸の束と同時にワイヤーの突起をつくる手法（アネモネの花芯）

糸の束と同時にワイヤーの突起をつくり、この突起にペーストを接着する手法です。糸の中心に大きめのペーストを接着したい場合に便利です。なお、8の字の輪はここでご紹介するように輪のサイズに大小をつけ、糸の長さに長短をつけることもできます。

1 左頁①の要領で木綿糸を50回ほど巻いて輪をつくり、輪のサイズに大小をつけた8の字形にする。

2 白ワイヤー＃32を半分に折って折り目に小さな輪(突起)をつくり、1回ねじる。8の字のふたつの輪を重ね、このワイヤーを通す。

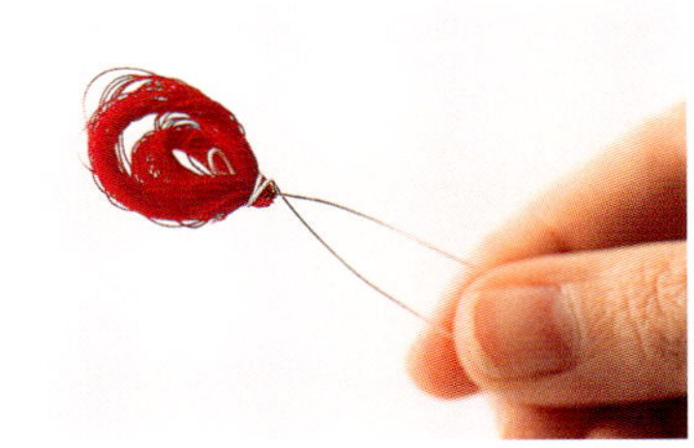

3 ワイヤー同士を1〜2回ねじり、さらに片方のワイヤーで糸の輪の根元を1回巻いてほうき状にまとめる。ワイヤー2本を合わせてねじり、1本にする。

4 ふたつの糸の輪をそれぞれ等分に切る。糸の長さに長短がつく。

5 P.249の⑦〜⑧の要領で糸の先端にポレーンをつける。爪楊枝を使い、ワイヤーの突起の周囲に糸を均等に散らす。

6 フラワーペーストを少量丸め、爪楊枝にさす。ペーストの上面に卵白を塗り、ダスティングパウダーをつける。

7 ⑤のワイヤーの突起に卵白を塗る。⑥のペーストの側面に別の爪楊枝をさし、突起に接着する。

〜花芯の材料

雌しべや雄しべの表現には、フラワーペーストや木綿糸、ペップ、ポレーンなどが使われる。ペップはアートフラワー用の材料で、おもに雄しべとして使う。サイズや先端の突起の形状の違いなどにより各種ある。一般的に長いペップには片端にだけ、短いペップには両端に突起がついている。各色あるが、白のペップに着色して用いることもできる。ポレーンは花粉を表現する材料で、各色ある。セモリナ粉や上南粉にダスティングパウダーをまぶして代用することもできる。

写真手前より、ペップ、ポレーン、木綿糸。

e ペーストを花弁・葉の形に抜く

ペーストにワイヤーを通さない花弁を例に、各種フラワーカッターや型紙、道具を使った抜き方のバリエーションをご紹介しましょう。

金属製のフラワーカッターで抜く（バラの花弁）

1 ノンスティックボードにフラワーペーストをのせ、ローリングピンで薄くのす。

2 カッターを垂直に押しあててペーストを抜く。

金属製の複雑な形のフラワーカッターで抜く（マーガレットの花弁）

1 薄くのしたペーストをカッターにのせ、上から細棒を転がす。複雑な形もきれいに抜ける。

プラスチック製のフラワーカッターで抜く（オールインワンローズの花弁）

1 薄くのしたペーストにカッターをあて、カッターをボードにこすりつけるように小刻みに動かすと、きれいに抜ける。

型紙で抜く（シクラメンの花弁）

1 薄くのしたペーストに型紙をあて、カッティングホイールで切り抜く。

f フラワーカッターや口金の意外な活用法

フラワーカッターや口金は、花弁・葉などのディテールの表現にも活用できます。

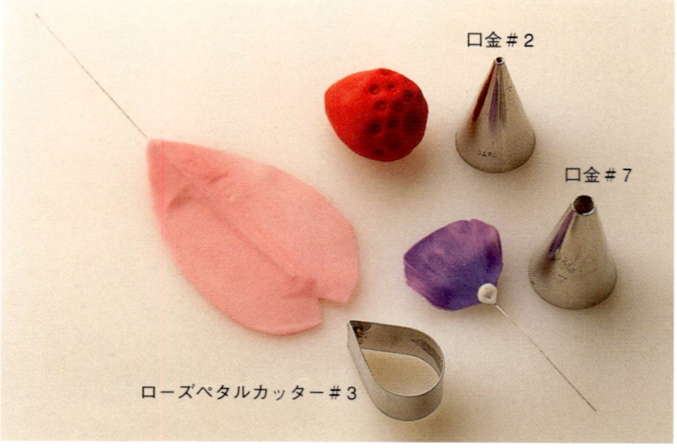

ローズペタルカッターで切込みを入れる（チューリップの花弁）

花弁の縁にローズペタルカッターの先端をあててカットする。花弁や葉の縁を切り込むことでさまざまな形を表現できる。

口金でくぼみ模様をつける（いちご）

成形したペーストに口金を互い違いに押しあててくぼみをつける。

口金で突起模様をつくる（パンジーの花弁）

のしたペーストを口金で抜いて花弁の根元に貼り、ボーンスティックを下部に押しあてる。花弁になじませ、まったく異なる色合いの部分を再現することも可能。

フラワーカッター

花の種類別や材質違いなど数多く市販されており、ここでご紹介するのはそのほんの一部。金属製のものは形がシャープに出るが、ゆがみやさびに注意。プラスチック製のものは見ためよりも実寸が小さいので気をつける。フラワーカッターは型紙でも代用できる（この本ではP.419～428に各種花の型紙を掲載）。また、ひとつのカッターが使い方次第で別の花に利用できることもある。たとえば、ローズペタルカッターはバラの花弁のほか、上下を逆にして使うことでスイートピーの葉などもつくれる。大切なのは、まずつくりたい花や葉の形をよく見ること。手持ちのフラワーカッターを最大限に活用できるように工夫してほしい。

g ワイヤーを通す花弁・葉

花弁や葉にあらかじめワイヤーを通しておくと、反らせたりカーブをつけたりなど形に動きをつけやすくなり、また、組み立てて立体構成ができます。ここでは花弁・葉のサイズや作業性を考慮した5種類のつくり方をご紹介します。

花弁・葉を1枚ずつつくる手法（バラの葉）

もっとも基本的なつくり方です。ワイヤーを通す山を残してペーストをのし、花弁・葉の形に抜いてからワイヤーを通します。

1 ノンスティックボードにフラワーペーストをのせ、ワイヤーを通す山を中央に残して細棒で薄くのす。

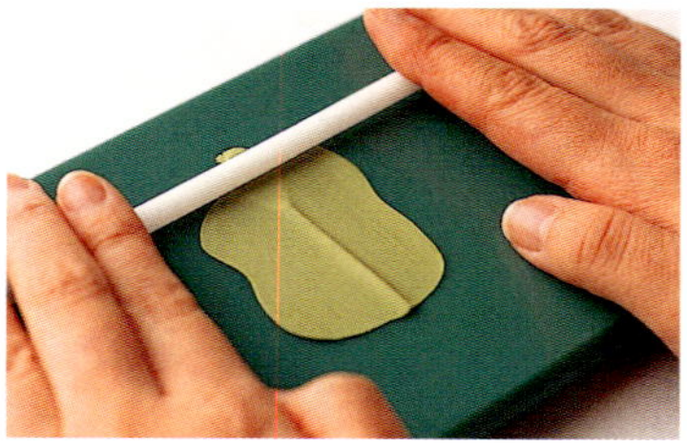

2 葉の先端になる箇所の山をのす。

3 ワイヤーを通す長さを考えてペーストをローズリーフカッターで抜く。ワイヤーは花弁・葉の長さの8割くらいまで通すのが目安。先端までワイヤーを通すとペーストが切れやすい。逆に、通すワイヤーが短すぎても壊れやすくなるので注意。

4 ③のペーストの両面を指で挟んで固定し、緑ワイヤー＃30に卵白をつけて通す。例外を除き、ワイヤーの山がある方が裏面になる。

花弁・葉を一度に複数つくる手法（バラの葉）

基本の要領は1枚ずつの場合と同じです。ペーストを縦長にのして順に抜いていきます。一度に数枚の葉や花弁を手早くつくれます。

1 棒状にしたペーストをのし、ワイヤーを通す山を中央に残して山の両側を薄くのす。上から順に、葉の先端になる箇所の山をのしながらローズリーフカッターで抜く。

溝つきボードと溝つきピン

花弁や葉のワイヤーを通す山は左記のようにフリーハンドでつくれるが、ワイヤーを通す山を残してのせる、溝つきのノンスティックボードやローリングピンを利用してもよい。ただし、溝の長さや太さが決まっているため、つくれる花弁・葉のサイズが限られる。

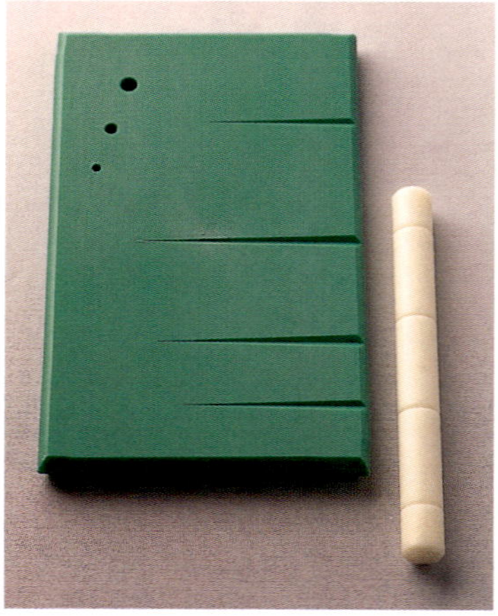

写真左より、溝つきボード、溝つきピン。

長い花弁・葉を1枚ずつつくる手法（チューリップの葉）

長い花弁や葉はペーストにワイヤーをまっすぐに通すのがむずかしいので、左頁のつくり方はあまり向きません。ワイヤーをペーストで挟んで一体化させるやり方がよいでしょう。

1 ノンスティックボードにフラワーペーストをのせ、つくる葉の2倍以内の幅の縦長サイズに薄くのす。片側半分のスペースの中央にワイヤーを置く。まず、ワイヤーを置く位置に細筆で卵白を塗る。

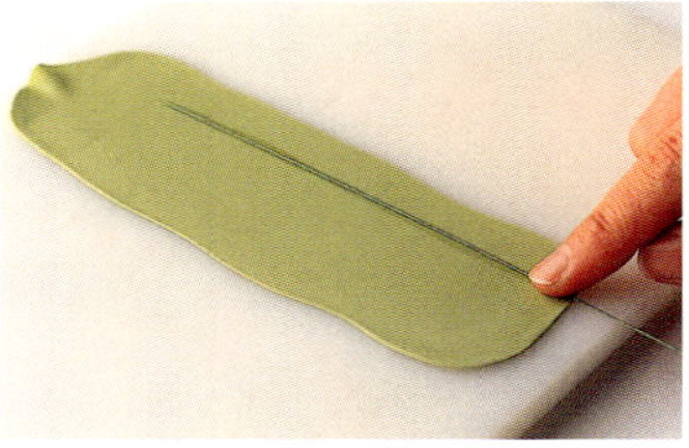

2 卵白を塗った箇所に緑ワイヤー＃26を置く。

3 ペーストを中央から折り重ねてワイヤーを挟む。上から指でなぞってワイヤーを固定する。

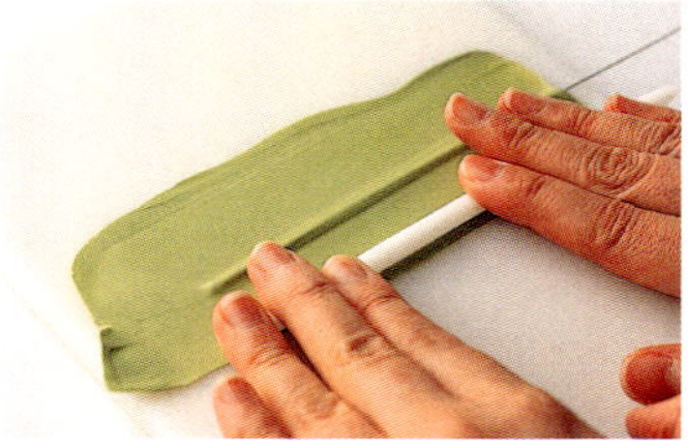

4 ワイヤーの周囲を細棒でふたたび薄くのす。

5 ワイヤー部分の長さを考えて、カッティングホイールで葉の形に切り抜く。できるだけワイヤーは長めにつけた方が形に動きをつけやすく、また、壊れにくい。

長い花弁・葉を一度に複数つくる
サンドイッチ手法（チューリップの葉）

基本の要領は1枚ずつの場合と同じですが、ペーストを2枚のしてワイヤーを一度に数本挟む合理的な方法です。一度につくると厚みも均一に揃いやすいので、内花弁や外花弁を複数つくる花の場合にも向きます。

1 ペーストを横長の同じサイズに2枚、薄くのす。1枚は乾かないようにラップをかけておく。もう1枚は、葉の横幅を考えて間隔をあけながら、上記①～②の要領でペーストに卵白を塗ってワイヤーを置く。

2 ラップをかけておいたペーストをワイヤーの上から重ね、上から指でなぞってワイヤーを固定する。葉1枚分ずつカッティングホイールで切り離す。後の作業は上記④～⑤と同じ。

より形づけしやすい長い葉をつくる手法（フリージアの葉）

ペーストをあらかじめワイヤーに棒状になじませてから、葉のペーストに一体化させる手法です。ワイヤーをペーストで挟む方法(P.255)に比べてより仕上がりが美しく、また、よりフィット性が高いのでいっそう自由な形づけが可能です。

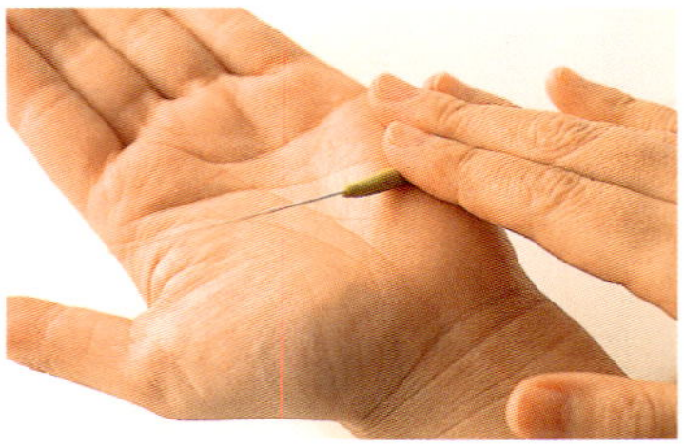

1 葉と同色のフラワーペーストを適量丸めて緑ワイヤー＃26に通す。ペーストをてのひらで保湿しながら転がしてワイヤーにそって細長くのばす。

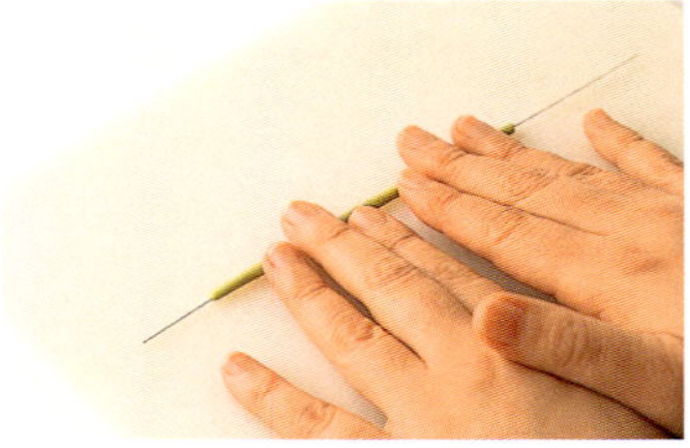

2 ある程度ペーストをのばしたら、ボードにのせて両手で転がす。ワイヤーの片側の先端が隠れ、必要な長さになるまでのばす。

3 葉用のフラワーペーストを薄くのす。②をそばに置き、サイズを確認するとよい。②をのせる位置に竹串をあててくぼみをつけ、水を少量塗る。

4 ③のくぼみに②をのせ、上から細棒を転がしてなじませる。さらにワイヤーの周囲を均一に薄くのす。

5 ワイヤー部分の長さを考えて、カッティングホイールで葉の形に切り抜く。できるだけワイヤーは長めにつけた方が形に動きをつけやすく、また、壊れにくい。

6 適宜に整形・ダスティングをし、生乾きのうちに指で形をつける。自由自在に曲げることが可能。

長い葉の形づけのバリエーション

上記の手法でつくる長い葉は、形をさまざまにアレンジできます。大胆にカールさせてブーケにあしらうのも素敵です。

写真左より、ローリングピンに巻きつけてカールさせた葉、指でウエーブをつけた葉、指でウエーブをつけて後ろに反らせた葉。

h メキシカンハット（あじさいの花弁）

ペーストに突起をつくって周囲を薄くのし、つばの広い帽子(メキシカンハット)のような形にしてから花の形に抜く手法です。突起部分が花首になります。

1 フラワーペーストをスポンジパッドの穴に押しあてて突起をつくる。花首を太くしたい時は大きな穴を選び、花首を細くしたい時は小さな穴を選ぶ。また、花首を長くしたい時は丸めたペーストを穴に押し込み、花首を短くしたい時はペーストを平らにして穴に押しあてるとよい。

2 ①をノンスティックボードにのせ、突起の周囲を細棒でのす。

3 突起にあじさいカッターの中心を合わせてペーストを抜く。

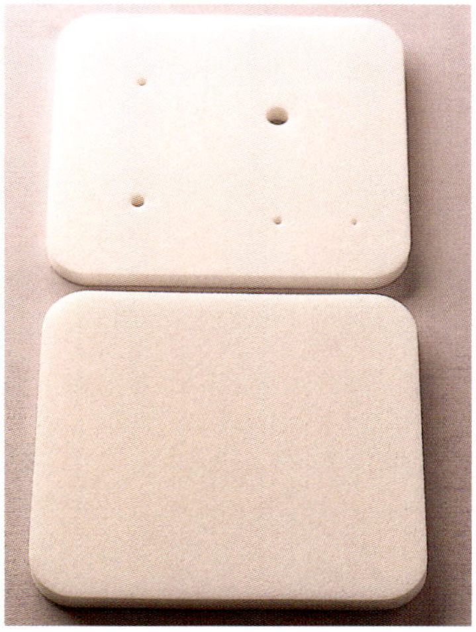

スポンジパッド
適度な弾力があり、花弁や葉にカーブをつけるなどペーストを整形する時に使う。写真のように、穴つきと穴なしのものがある。穴はペーストをメキシカンハット形に抜く時などに使う。

i プルドフラワー（あじさいのつぼみ）

プルド‘pulled’は「ひっぱった」という意味。フラワーカッターなどを使わずに、手や細棒で形づくることからこう呼ばれます。おもに小花をつくる手法です。

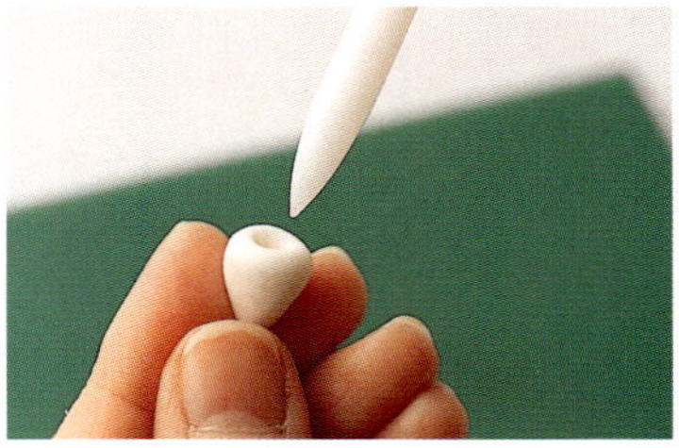

1 フラワーペーストをしずく形にする。太い側に細棒をさし込んでくぼみをつけ、細棒をまわして周囲のペーストの厚みを均一にする。

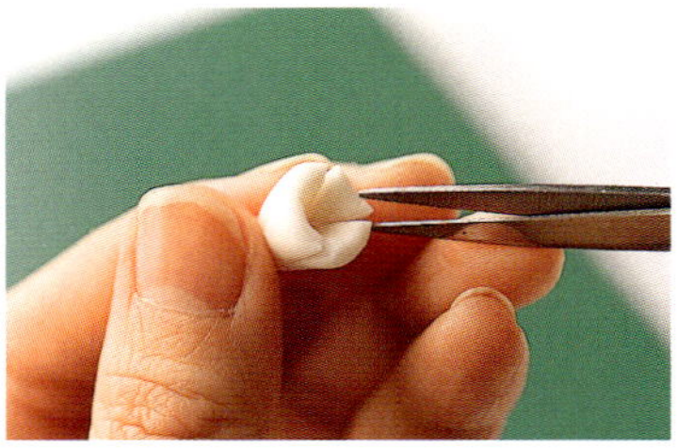

2 必要な花弁の数に合わせてペーストに細工用はさみで切込みを入れ、各花弁を外側に広げる。

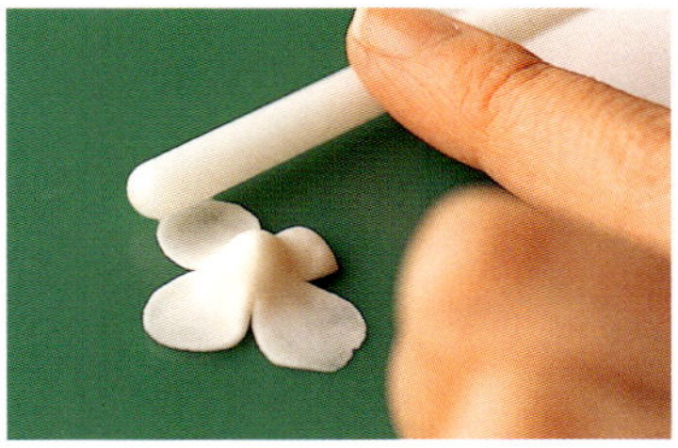

3 広げた花弁を下にしてボードにのせ、各花弁を細棒で薄くのす。細棒や指などで花弁の先端を山型にし、形をととのえる。

星型スティックを使う

花弁が5枚または6枚の場合は、②でまず星型スティックをあてると、簡単に切込み用のしるしをつけられる。

j 花脈・葉脈をつける

フラワーペーストを花弁や葉の形に抜いたら、基本的にペーストが柔らかいうちに花脈や葉脈をつけます。道具を使い分けることによってさまざまな筋をつけることが可能。このほか、生の葉をペーストに押しあてる方法もあります。

ベイナーを使う（バラの葉）

簡単に細かい筋をつけられます。ただし、花弁や葉のサイズは、ベイナーのサイズよりも小さいことが条件です。

1 両面ベイナーの場合。ボードにベイナーを置き、ベイナーの凸面に葉の表を、先端と中心線を合わせてのせ、ベイナーの凹面をかぶせて押す。葉の両面に一度に筋がつく。

リーフシェイパーを使う（ひいらぎの葉）

シンプルな筋をつけるのに適した方法です。

1 葉を表を上にしてスポンジパッドにのせる。リーフシェイパーを平らにかまえてフリーハンドで葉脈をつける。リーフシェイパーの先端を立ててひくとペーストが切れるので注意。特にワイヤーの上の中心線は気をつける。

とうもろこしの皮を使う（チューリップの葉）

乾燥させたとうもろこしの皮を使います。長い花弁や葉に細かく長い筋をつけたい時に便利です。

1 ボードにとうもろこしの皮を置き、葉の表を下にしてのせる。ワイヤーをさけて細棒でのし、葉脈をつける。

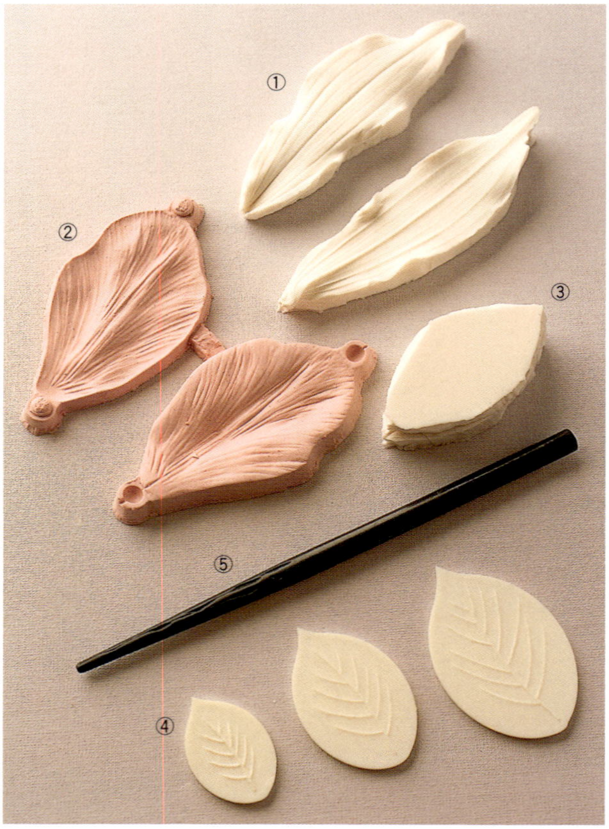

ベイナーとベイニングツール

花脈・葉脈をつける専用の道具。ベイナーは花の種類やサイズ、材質別など各種ある。シリコン製のものがもっとも複雑な筋がつき、それと同時にペーストにカーブをつけられるものもある。ベイナーは簡単に筋をつけられて便利だが、花弁や葉のサイズが限られるなどオールマイティではない。なるべく大きなサイズを購入したほうが応用がきく。ベイニングツールは、ペーストの上から転がすことで細かな筋をつけられる。

① ユリの葉用両面ベイナー（シリコン製）
② チューリップの花弁用両面ベイナー（シリコン製）
③ 葉用両面ベイナー（閉じたところ。シリコン製）
④ バラの葉用ベイナー（プラスチック製）
⑤ ベイニングツール

フラワーシェイパーとリーフシェイパーを使う（チューリップの花弁）

凹凸のある中心線を表現する方法です。

1 花弁をスポンジパッドにのせ、フラワーシェイパーで中心に太いラインをひく。この面が外側になる。

2 ①をひっくり返し、①でひいた太いラインの両側にリーフシェイパーで細いラインをひき、さらにその中心に同様に細いラインをひく。この面が内側になる。

竹串を使う（チューリップの花弁）

シンプルな筋から細かい筋、短い筋から長い筋までつけられ、重宝します。筋をつけると同時にペーストの縁を薄くし、フリルをつけられます。

1 中心線をひいた花弁（左記）を外側の面を上にしてノンスティックボードにのせる。中心線の両側に順に花脈をつける。きき手で竹串を持ってペーストにあて、反対側の手のひとさし指を竹串に添えて力を入れて少しずつ竹串を転がす。竹串の先端は常に花弁の根元（実際の花弁が水を吸い上げる地点）をさすようにする。

ベイニングツールを使う（胡蝶蘭の花弁）

細かく複雑な筋をつけるのに便利です。

1 ワイヤーを通す山がある面を上にしてペーストをノンスティックボードにのせる。山の両側に順に筋をつける。ペーストの根元にベイニングツールをあてて指で固定し、この地点を軸にしてツールを転がす。ペーストが広がりやすいので、筋をつけた後で花弁の形にカットする。

星型スティックを使う（小花の花弁）

プルドフラワーの各花弁に一度に筋をつける方法です。

1 花弁を整形後、中心に星型スティックを軽くあててつぼめ、各花弁に筋をつける。

カッターナイフを使う（アネモネの花弁）

濃くダスティング（P.262）する花弁や葉は、ダスティング後にカッターナイフの背で削ると、筋をはっきりと出すことができます。ペーストを切らないように、カッターナイフはかならず背の部分を使うことがポイントです。

1 整形・ダスティングをした乾いた花弁を手にとり、花弁の根元から先端に向かってカッターナイフの背で削って筋をつける。

k 花弁・葉の整形

花弁・葉の形に抜いたペーストは、縁をならしたり、カーブをつけるなど表情をつけることで、より実物に近い自然さが生まれます。ペーストが柔らかいうちに作業しましょう。

縁をストレートにならす（胡蝶蘭の花弁）

フラワーシェイパーを使います。

1 花弁を裏（外側の面）を上にしてスポンジパッドにのせ、花弁の縁をフラワーシェイパーで軽くなぞる。ペーストの断面がならされ、縁が自然な感じになる。

縁にカーブをつける（バラの花弁）

ボーンスティックを使います。

1 花弁をスポンジパッドにのせ、花弁の縁をボーンスティックで軽くなぞる。ひらひらとしたゆるいカーブがつく。

縁にウエーブをつける（カサブランカの花弁）

ボーンスティックを使います。

1 花弁をスポンジパッドにのせ、花弁の縁をボーンスティックで強めになぞる。華やかなウエーブがつく。

狭いスペースをカールさせる（パロットチューリップの花弁）

リーフシェイパーを使います。

1 花弁を裏（外側の面）を上にしてスポンジパッドにのせる。ギザギザに分かれた縁それぞれにリーフシェイパーをあて、花弁の内側に向かってひく。

広いスペースをカールさせる（バラのがく）

ボーンスティックを使います。

1 がくを裏（外側の面）を上にしてスポンジパッドにのせる。がく片の先端にボーンスティックをあて、中心に向かってひく。

きつくカールさせる（ポンポンダリアの花弁）

竹串を使います。

1 花弁を表（内側の面）を上にしてスポンジパッドにのせる。各花弁の左右の縁に竹串をあててペーストを巻きつける。

根元をしめて固定する（ポンポンダリアの花弁）

スモッキング用ピンセットを使います。

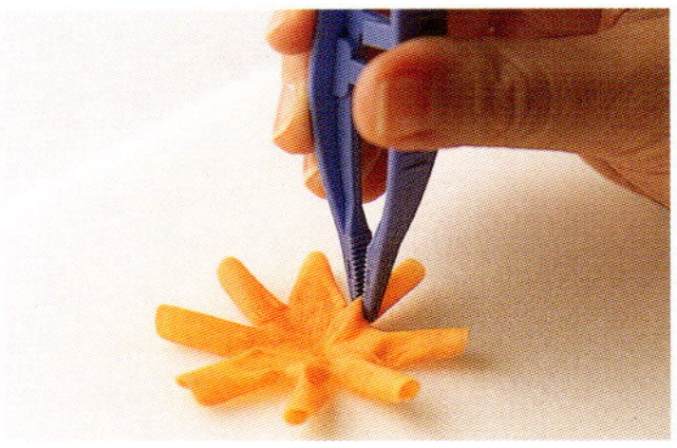

1 花弁を裏（外側の面）を上にしてスポンジパッドにのせ、各花弁の根元をスモッキング用ピンセットでつまむ。金属製のピンセットはペーストを切ってしまうので使えない。

カップ状を自由につくる（野バラの花弁）

ボールスティックとアルミホイルを使います。

1 平らなアルミホイルに各花弁をのせて接着する。花の中心にボールスティックをあて、もう片方の手でアルミホイルごと花弁を持ち上げて、好みの深さのカップ状にする。アルミホイルに添えた指を動かして各花弁の位置も自在に調整できる。

突起模様をつける（カサブランカの花弁）

リーフシェイパーを使います。

1 花弁を裏（外側の面）を上にしてスポンジパッドにのせ、リーフシェイパーの先端をあてて小さなくぼみをつける。表に突起模様ができる。

先端に深いくぼみをつける（スパイダー菊の花弁）

毛糸針を使います。

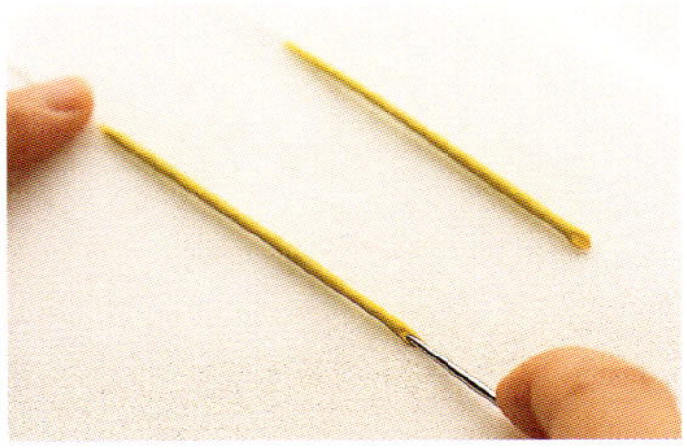

1 花弁をスポンジパッドにのせ、先端に毛糸針の先を押しあてて少しさし込み、深いくぼみをつける。

細長いくぼみをつける（松葉）

ワイヤーを使います。

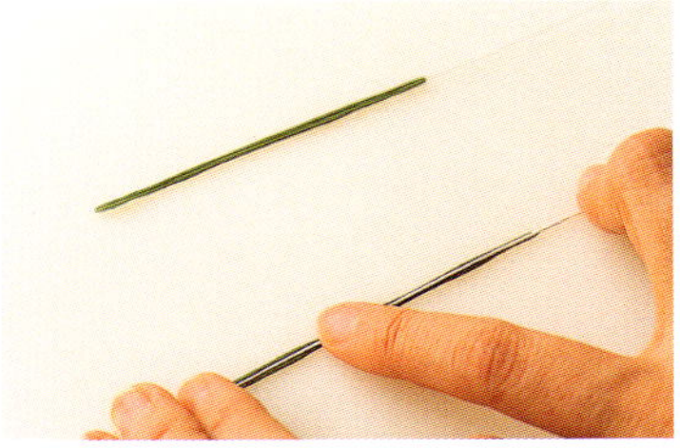

1 松葉をノンスティックボードにのせ、ペーストの中心にそってワイヤー＃26を押しあててくぼみをつける。

縁をギザギザにする（シクラメンの葉）

コームスティックを使います。

1 葉をノンスティックボードにのせ、葉の縁にコームスティックをあててひく。

l ダスティング

実際の花弁や葉の美しさを表現するのに欠かせない、仕上げのお化粧のような作業です。花弁や葉に筆でダスティングパウダーをつけ、色合いに自然なグラデーションをつけます。色をフワッと淡くのせたい時はペーストが完全に乾いてから、色をはっきりと濃くのせたい時はペーストが生乾きのうちにダスティングするとよいでしょう。また、花弁を組み立てた後では筆が届きにくい箇所がある場合、あらかじめ各花弁をダスティングしてから組み立てることをおすすめします。ダスティングパウダーは周囲に散るので、ペーパータオルなどを敷いてから作業に入りましょう。

広い範囲の着色（アネモネの花弁）

お化粧用のチークブラシを使うと、ダスティングパウダーをたっぷりと含ませることができ、広い範囲に色をむらなくのせられます。

1　ダスティングパウダーをチークブラシに含ませ、花弁全体にはたくようにつける。

狭い範囲の着色（アネモネの花弁）

平筆を使います。

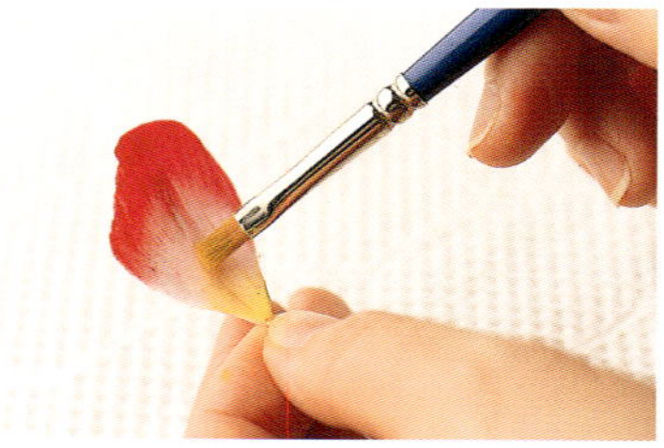

1　平筆にダスティングパウダーをつけ、花弁の目的の箇所に筆先を縦にしてつける。

エッジの着色（スイートピーの花弁）

平筆の背を使います。

1　平筆の背にダスティングパウダーをつけ、筆を平らにしてエッジのみにつける。

特に濃い色を着色する場合（チューリップの花弁）

赤など特に濃い色をむらなくしっかりとつけたい場合は、チークブラシを使い、ペーストができるだけ平らで生乾きの段階でダスティングします。

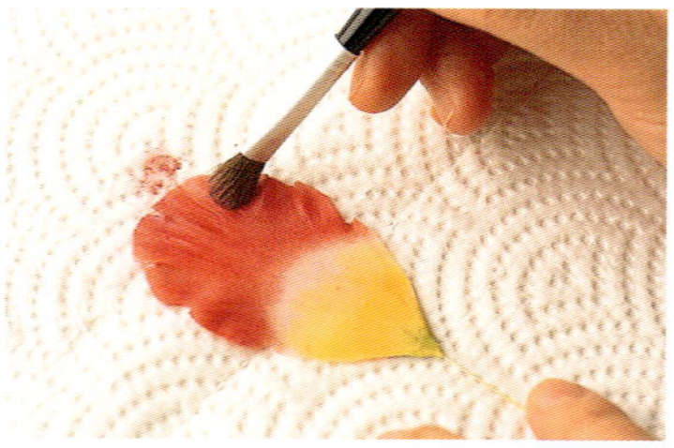

1　花弁はまだ整形を終えていないある程度平らな状態。ダスティングパウダーをたっぷりと含ませたチークブラシを、花弁の内側から外側に向かって動かす。ペーストに色を押し込むような気持ちで。

m ペインティング

花弁や葉に模様を描く時は、ダスティングパウダーを無色の蒸留酒で溶いて使うとよいでしょう。

細いラインを描く（パロットチューリップの花弁）

細筆を使います。

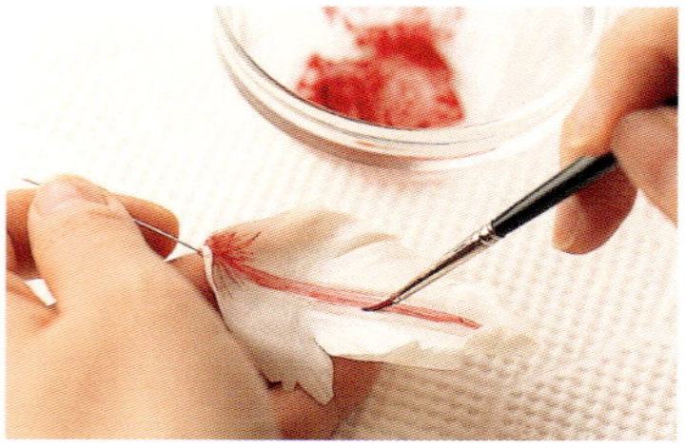

1　無色の蒸留酒で溶いたダスティングパウダーを細筆につけ、フリーハンドで描く。

極細のラインを描く（アイビー）

先割れの心配のない爪楊枝が便利です。

1　無色の蒸留酒で溶いたダスティングパウダーを爪楊枝につけ、葉脈を描く。

ぼかし模様をつける（アイビー）

あたりの柔らかい綿棒を使います。

1　無色の蒸留酒で溶いたダスティングパウダーを綿棒につけ、ポンポンとたたくようにしてつける。

n つや出し

実際の花弁や葉がもつ自然な光沢を再現する、仕上げの作業。みずみずしさが生まれます。

バニッシュをつける（ひいらぎの葉）

「バニッシュ」と呼ばれる食用ニス(P.400)を使います。表現したい光沢の程度に合わせて、そのままあるいは無色の蒸留酒で適宜薄め、花弁や葉をさっと浸すか、筆で塗ってつやを出します。

1 器にバニッシュを入れて適宜薄め、花弁や葉をさっと浸す。よく液を切り、発泡スチロールなどに斜めに立てて乾かす。筆で塗ってもよく、その場合は作業後、専用クリーナー(P.400)で筆についた液を落とす。

蒸気にあてる（アネモネの花弁）

花弁や葉につけたダスティングパウダーの定着がよくなり、色合いに深みが増してしっとりした自然なつやを表現できます。

1 湯を沸かす。アネモネの茎部分を持って蒸気の上を2〜3度さっと通過させ、発泡スチロールなどに立てて乾かす。やりすぎるとセルロイドのような人工的な質感になるので気をつける。

o 製作途中の花弁・葉の休ませ方

花弁や葉の形状に合わせて休ませ方を工夫すると、形を保ったまま乾かしたり保存することができます。

A フラワースタンドにさす

組み立てた花弁を、立てた状態で休ませることができる。花弁の開き具合を支えるのにちょうどいい穴を選ぶ。大輪の花は、右記のDやEのようにアルミホイルや立体成形型を適宜併用してさす。

B 逆さにしてつるす

整形した角度以上には花弁を開かせたくない場合や、カーブを保つのには下向きにする方がよい場合は、逆さにつるして休ませる。

C ティッシュペーパーに寝かせる

組み立てる前の花弁や葉は、整形やダスティングなどの後、輪にしたティッシュペーパーに通して寝かせておくと、形をそのまま保てる。ティッシュペーパーは柔らかく、形が変形する心配がない。

D アルミホイルを使う

アルミホイルにのせて花弁をカップ状に整形したら、アルミホイルごとフラワースタンドにさして休ませる。アルミホイルを使うことで花弁の配置や表情づけが自由にできる。ある程度強度があるので、花弁と花弁の間に挟む使い方もできる。

E 立体成形型にさす

くぼみの深い花は、発泡スチロール製の立体成形型に入れてからフラワースタンドにさすとよい。サイズや形の違うさまざまな種類が市販されている。

p 花弁・葉を生乾きのうちに組み立てる手法（パロットチューリップ）

花弁や葉は、つくりながらできるだけ生乾きのうちに組み立てることをおすすめします。乾いた花弁同士を自然な形にそわせるのはむずかしく、無理をすると花弁を壊す危険もあるからです。生乾きのうちであれば、花弁の形に表情をつけながら、花弁同士を求める位置に正確にそわせることができます。葉も同様に生乾きのうちに花にそわせれば、自由に形をつけられます。

1 「長い花弁・葉を一度に複数つくるサンドイッチ手法」(P.255)の要領で、内花弁3枚をつくる。まず1枚分をカッティングホイールで切り離す。

2 切り離した1枚分をのして花弁の形に切り抜き、整形する。その間、残りのペーストにはラップをかけて乾燥を防ぐ。残り2枚も同様につくる。

3 ②が生乾きのうちにダスティングとペインティング（P.262）をする。花弁同士を組み立てた後では内側に筆が届かないので、組み立てる前に行なう。生乾きのうちであれば花弁を壊す心配もない。また、チューリップの濃い色は、生乾きのうちに着色した方が色の定着もよい。

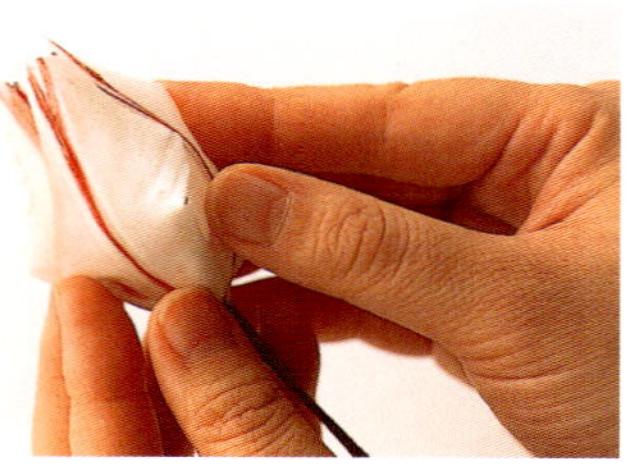

4 あらかじめつくっておいた花芯の周囲に、③の内花弁3枚を指でそわせながら組み立て、フローラルテープを巻いてまとめる。

5 外花弁3枚も①の手法でつくるが、より形づけしやすいように、整形・ダスティング・ペインティングまで通して1枚ずつ仕上げては内花弁の周囲にそわせ、フローラルテープでまとめていく。

6 「より形づけしやすい長い葉をつくる手法」（P.256）の要領で葉をつくり、生乾きのうちに花にそわせる。

7 ①～⑥の要領でつくったパロットチューリップのブーケ。葉を生乾きのうちに適宜添えて好みのカーブをつければ、自在な表現ができる。

5

03 シュガーフラワーアレンジメント

Arrangement

ウェディングにもよく使われる代表的な2種類のブーケのつくり方と、ケーキへのとめ方をご紹介します。
アレンジメントをエレガントにまとめるコツは、何をひき立てるかを明確にし、花の種類や色をあまり多くしないこと。
花や葉のパーツはあらかじめ多めにつくっておき、バランスをみながらたして仕上げましょう。

a キャスケードブーケ

キャスケード 'cascade' は「滝」という意味。花と葉を縦長の逆三角形に束ねるブーケです。メインとなる大輪の花は上部にあしらい、メインの花の存在感に負けない充分な長さを小花をとり合わせて出します。

1 小花から組み立てはじめる。ここではフリージア、ジャスミン、アイビー2種を使用。少し多めに用意する。花やつぼみ、葉を数本ずつまとめておく。

2 緑ワイヤー＃20を添えて①を下端が一番細い縦長の逆三角形になるようにバランスをみながら組み立て、緑のフローラルテープを巻いてまとめる。下に向かって流れ落ちるようなラインをつくる。

3 メインとなるカサブランカの花やつぼみを②にたしていく。添える小花や葉も用意しておく。

4 ②の上部にカサブランカをあしらい、フローラルテープでまとめる。カサブランカのような大きい花は、花首でしっかりまとめ、花が動かないようにする。ケーキに飾る場合は、ケーキの側面にきちんとそうかどうかを確認する。小花や葉を適宜たして全体の形をととのえる。

b キャスケードブーケを美しくケーキにとめる

ブーケをケーキに飾る時は、ワイヤーやフローラルテープなどが直接ケーキにふれないように、ケーキの上面に「ピック」と呼ばれるプラスチック製の器具をさし、その穴にブーケをさすのが一般的です。が、キャスケードブーケの場合、ブーケの根元を折り曲げてピックにさすと、どうしてもブーケがケーキから浮き上がってしまいます。そこで、太いワイヤーを使い、ブーケの根元を折らずにピックにとめる方法を考えました。この方法ならキャスケードブーケを無理なくケーキにそわせることができます。

1 上段のケーキの上面にピックをさす。

2 ①のケーキをターンテーブルにのせ、ピックにⓐのキャスケードブーケをとめる。まず、緑ワイヤー＃18をU字形に曲げ、ブーケの根元を挟む。

3 ニッパーを使ってU字形ワイヤーを①のピックの穴にさし込み、ブーケをピックに固定する。ブーケをしっかり安定させるため、ワイヤーはもっとも太い＃18を使う。

4 ブーケをつくった際に残しておいた花や葉などを、全体のバランスをみながらピックの穴のすき間にさす。

5 でき上がりを後ろから見た状態。

6 でき上がりを前から見た状態。

作品例
秋の花でまとめたキャスケードブーケを1段のケーキにあしらっている。動きのあるアレンジメントが、庭に咲いているような自然さを醸し出している。

Reference
そのほかの作品例

P.391
カラーとランタナを組み合わせたキャスケードブーケ。細長いカラーと、色合いや構成、ラインがユニークなランタナは、ともにキャスケードブーケ向き。

☛ **作品例**

ⓐの要領でつくったキャスケードブーケをⓑの要領で上段のケーキにあしらったウェディングケーキ。上段と下段のケーキはピラーを使って組み立てている。ケーキの側面やケーキボードの模様は、フォークアートカラーで描いたもの。

c ラウンドブーケ

360度どこから見ても丸い形に見えるように花や葉を組み立てるアレンジメントです。チューリップやパンジーなど花弁に動きのある花でつくった方が、自然な雰囲気を演出できて現代風です。使う花を1種類に絞ると、かわいらしさが際立ちます。

1 右記のチューリップのラウンドブーケを例にとる。花3本ほどを間隔をあけて3方向に向けて組み、全体のバランスをみながら花を適宜たして丸く形づくり、フローラルテープを巻いてまとめる。花の下側に葉を適宜添える。花や葉は少し多めに用意しておくとよい。

ケーキへのとめ方

フローラルテープでまとめた茎をピックにさします。

1 ケーキの上面にピックをさす。ラウンドブーケの根元をニッパーで挟み、ピックの穴にさし込んで固定する。

d 花や葉のケーキへのとめ方バリエーション

花や葉はⓑⓒのようにブーケにまとめてピックにさすほか、右記のような方法でケーキに飾ることができます。どちらもフローラルテープなどを直接ふれさせずにケーキにとめられる方法です。

ペーストの帯を巻いてとめる

1 花の茎を短く切ってペーストの帯で巻く。ペーストに水を加えて練ったグルー（P.406）を使ってケーキにとめる。ケーキとの接着点を隠す必要がなく、後ろから見ても美しい。

☛ **作品例**（P.223）

丸めたペーストにさす

1 花を数本ずつまとめておく。ペーストを丸めてケーキに接着し（土台）、土台が柔らかいうちに、花の茎をニッパーで挟んでバランスをみながらさす。

☛ **作品例**（P.223）

☛ 作品例

ⓒの要領でチューリップのラウンドブーケをつくって上段のケーキに固定し、下段のケーキに直積みにしたウェディングケーキ。ミモザ、スズラン、パンジーのミニブーケもあしらう。1種類の花でつくるブーケのかわいらしさを存分に表現。ミニブーケはケーキに置くだけにし、ひとつずつプレゼントできるアイデア。

Mimosa

ミモザ

春のブーケの添えの小花として重宝する花。メインの花の根元に加えたり、壊れやすい花同士のクッション役にするのにぴったりです。単独でブーケにしてもとてもかわいらしく仕上がります。細かい葉はフローラルテープで製作。また、糸を使って開花の風情を表現するのが私流です。

- フラワーペースト（黄色）
- 白ワイヤー（＃32）
- 緑ワイヤー（＃32）
- フローラルテープ（淡い緑、緑）
- 木綿糸（淡い黄色）
- ポレーン（プリムローズ）
- ダスティングパウダー（モスグリーン）

つぼみ bud

▶ 黄色のペーストを直径2～3mmに丸め、先端をフック状に曲げた白ワイヤー＃32をさしてとめる。
▶ ペーストの上面に卵白を塗ってプリムローズのポレーンをつけ、ワイヤーに淡い緑のフローラルテープを巻く。
▶ 約20本つくり、三角錐になるようにフローラルテープでまとめる。

花 *flower*

▶「糸の花芯 一度に2束できる手法」(P.249)参照。淡い黄色の糸をひとさし指と中指に30回ほど巻き、白ワイヤー＃32で両側からとめて糸の輪を切る。淡い緑のフローラルテープでまとめる。
▶糸を卵白に浸し、乾かしてカールさせる（P.250）。糸の先端に卵白を塗り、プリムローズのポレーンをつける。

▶約20本つくり、三角錐になるようにフローラルテープでまとめる。

葉 *leaf*

▶全幅の緑のフローラルテープを約5cm長さに切る。
▶手でひっぱって約1.5倍にのばし、下側に緑ワイヤー＃32を置く。
▶テープを手前に折りたたんでワイヤーを挟み、密着させる。
▶テープの四隅を細工用はさみでカットし、さらに全体に細かい切込みを入れる。
▶モスグリーンをダスティングする。

▶指でカーブをつけ、2本を1組にして緑のフローラルテープを巻く。

▶3組つくり、位置を少しずつずらしてフローラルテープでまとめる。

Magnolia

もくれん

インパクトの強い濃い色が魅力の花です。花弁の表と裏を異なる色のペーストでつくると、色彩をよりリアルに表現できます。横からながめた時の美しさが特徴なので、花弁のワイヤーを適宜動かし、開いた花弁、閉じた花弁など、自然な風情を表現してください。

- フラワーペースト（淡い緑、濃いピンク、白、緑）
- 緑ワイヤー（＃24、＃30、＃32）
- 白ワイヤー（＃30）
- フローラルテープ（緑、茶色）
- 木綿糸（淡い黄色）
- ポレーン（プリムローズ、プラム）
- ダスティングパウダー（プラム、パールホワイト、ルビー、フォレストグリーン）
- バニッシュ
- タイガーリリーカッター

花 *flower*

雄しべ：

▶「糸の花芯 糸の束と同時にワイヤーの突起をつくる手法」(P.251) 参照。緑ワイヤー＃32を半分に折り、折り目を1cmほどねじって突起をつくる。

▶淡い黄色の糸をひとさし指と中指に50回ほど巻き、輪のサイズが同じ8の字形にする。

▶8の字の輪を重ねて突起つきワイヤーを通してとめ、糸の輪を等分に切る。

▶突起の周囲に糸を散らす。

雌しべ：

▶淡い緑のペーストを少量丸めてしずく形にし、爪楊枝にさして細工用はさみで切込みを入れる。

花芯（雄しべと雌しべ）の組立て：

▶雄しべのワイヤーの突起に雌しべをさしてとめる。

▶緑ワイヤー＃24を添えて緑のフローラルテープを巻く。▶雌しべ全体にプラムをダスティングし、雌しべの先端に卵白を塗ってプリムローズのポレーンをつける。▶雄しべの先端に卵白を塗り、プラムのポレーンをつける。

花弁（6枚）：

▶「長い花弁・葉を一度に複数つくるサンドイッチ手法」（P.255）参照。濃いピンクと白のペーストをそれぞれ薄くのす。ピンクのペーストに、細筆で卵白を塗ってから白ワイヤー＃30を置き、白のペーストを重ねてワイヤーを挟む。1枚分ずつ切り離す。

▶ワイヤーの周囲をふたたび薄くのし、タイガーリリーカッターで抜く。白の面が表（内側）になる。

▶細棒で幅を広げ、竹串で花脈をつける。

▶さらに縁をフラワーシェイパーでなぞってならす。

▶白の面全体にパールホワイト、根元を中心にプラム、ルビーをダスティングする。指で花弁にカーブをつける。

花弁の組立て：

▶まず、花芯の周囲に花弁3枚を組み、緑のフローラルテープを巻く。

▶3枚の花弁のすき間をうめるように外側にもう3枚を組んでフローラルテープでまとめる。

がく：

▶1/4幅の緑のフローラルテープを短めに3枚切り、それぞれ両端を細工用はさみで斜めにカットする。

▶花弁の根元にがく3枚を添え、茎にティッシュペーパーを添えて茶色のフローラルテープを巻いてまとめる。

葉 *leaf*

▶「花弁・葉をつくる手法」（P.254）参照。緑のペーストをワイヤーを通す山を残して薄くのし、葉の形にカッティングホイールで切り抜く。緑ワイヤー＃30を通す。

▶リーフシェイパーで葉脈をつけ、指でカーブをつける。

▶フォレストグリーンをダスティングし、バニッシュをつけるか蒸気にあててつやを出す。

Daffodil

ラッパスイセン

中央のラッパ形の副冠の表情で、全体の印象が決まります。かわいらしく仕上げるには、副冠を実物以上に強調して華やかにつくるのがポイント。カーネーションカッターでペーストを抜いてフリルをたくさんつける手法をご紹介します。

- フラワーペースト（黄色、緑、茶色）
- 緑ワイヤー（＃22、＃24、＃26）
- 白ワイヤー（＃30）
- フローラルテープ（緑）
- ポレーン（プリムローズ）
- ダスティングパウダー（レモンイエロー、スプリンググリーン、モスグリーン）
- カーネーションカッター（＃2）
- ローズペタルカッター（＃1）
- とうもろこしの皮

花 *flower*

雌しべ：

▶ 黄色のペーストを少量しずく形にし、緑ワイヤー＃26をさしてとめる。▶ 頭部を丸く残してペーストをワイヤーにそってのばし、約1cm長さにする。

▶ 頭部にカッターナイフで3等分の切込みを入れる。

雄しべ（6本）：

▶ 緑のペーストを約3cm長さの両端が細い棒状にする。

▶ 3本つくり、それぞれ2等分する。

花芯（雄しべと雌しべ）の組立て：

▶ 雌しべの周囲に雄しべ6本を外側に開くように接着する。▶ 雄しべと雌しべの先端に卵白を塗り、プリムローズのポレーンをつける。

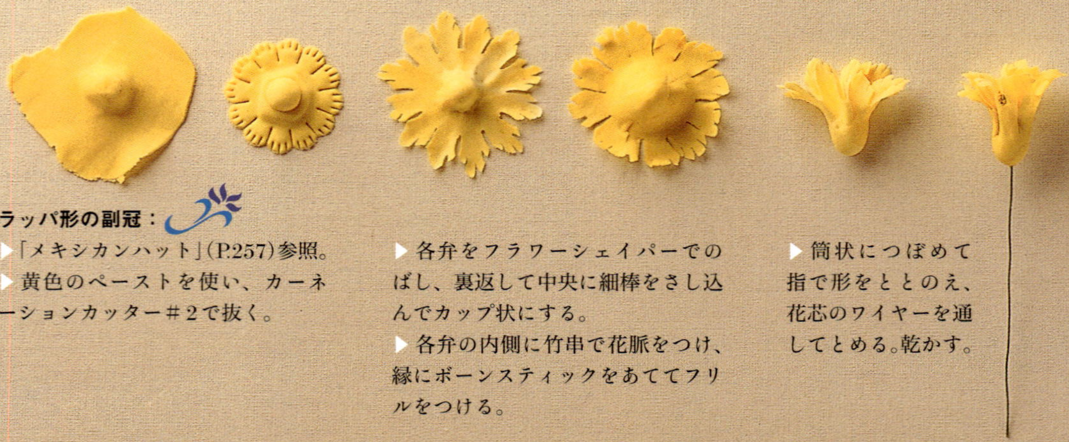

ラッパ形の副冠：

▶「メキシカンハット」（P.257）参照。

▶ 黄色のペーストを使い、カーネーションカッター＃2で抜く。

▶ 各弁をフラワーシェイパーでのばし、裏返して中央に細棒をさし込んでカップ状にする。

▶ 各弁の内側に竹串で花脈をつけ、縁にボーンスティックをあててフリルをつける。

▶ 筒状につぼめて指で形をととのえ、花芯のワイヤーを通してとめる。乾かす。

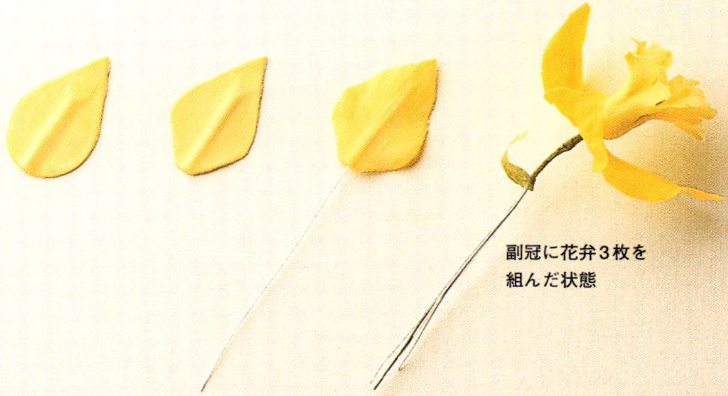

副冠に花弁3枚を組んだ状態

花弁6枚を組んだ状態

花弁(6枚)：

▶「花弁・葉をつくる手法」(P.254)参照。黄色のペーストをワイヤーを通す山を残して薄くのし、ローズペタルカッター＃1の上下を逆にしてあてて抜く。▶花弁の下部を両側とも斜めにカットし、白ワイヤー＃30を通す。▶竹串で花脈をつけ、フラワーシェイパーをあてて縁をならす。

花弁の組立て：

▶ラッパ形の副冠の周囲に花弁3枚を1枚ずつ組んでは緑のフローラルテープを巻いてまとめる。

▶3枚の花弁のすき間をうめるように外側にもう3枚を同様に組んでまとめる。▶花弁全体にレモンイエロー、根元にはさらにスプリンググリーンをダスティングする。

がく：

▶少量の黄色のペーストを長めのしずく形にし、花の茎に下から通して花の根元に接着し、花首とする。

▶緑ワイヤー＃22を添えて緑のフローラルテープを巻く。

▶茶色と緑のペーストを軽く混ぜてのす。三角形に切ってとうもろこしの皮で筋をつけ、花首に巻きつける。

▶花首を曲げ、スプリンググリーンをダスティングする。

葉 *leaf*

▶「長い花弁・葉をつくる手法」(P.255)参照。緑のペースト、緑ワイヤー＃26を使い、カッティングホイールで写真のような形に切り抜く。

▶リーフシェイパーで葉脈をつける。

▶縁をフラワーシェイパーでなぞってならし、指でカーブをつける。

▶モスグリーンをダスティングする。

つぼみ *bud*

▶「プルドフラワー」(P.257)参照。黄色のペーストを長めのしずく形にし、頭部のみカップ状にして6等分の切込みを入れる。

▶各花弁を外側に広げてフラワーシェイパーでのし、形をととのえる。

▶先端をフック状に曲げた緑ワイヤー＃24をさしてとめ、花弁を閉じる。緑のフローラルテープを巻く。

▶花のがくと同じ要領でペーストを小さめの三角形にして筋をつけ、花首に巻く。花首を曲げ、同様にダスティングする。

Pansy

パンジー

大胆な色の組合せを楽しめる花。パンジーらしさを出すためには、花の中心の構造を細かく再現し、5枚花弁を正確な位置で組み立てることが大切です。また、パンジーはがく片が特徴的で、がくが際立つつぼみもポイント。つぼみを加えることによって自然さも演出できます。

- フラワーペースト(紫、白、黄色、緑)
- 白ワイヤー(#32)
- 緑ワイヤー(#24、#30)
- フローラルテープ(緑)
- ダスティングパウダー(ディープパープル、フォレストグリーン)
- ラウンドローズペタルカッター(#3)
- ローズペタルカッター(#3)
- 6枚弁カッター(#3)
- 5枚弁カッター(#4)
- 口金(#7、#10)

花 *flower*

花弁A

花弁A(2枚):

▶「花弁・葉をつくる手法」(P.254)参照。紫のペーストをワイヤーを通す山を残して薄くのし、ラウンドローズペタルカッター#3で抜く。

▶細棒で少し広げて竹串で花脈をつけ、縁をボーンスティックでなぞってゆるいフリルをつける。

▶白ワイヤー#32を通し、ディープパープルをダスティングする。

▶2枚を組み、緑のフローラルテープを巻く。

花弁B

花弁B(2枚):

▶花弁Aと同じ要領でつくる。ただし、白のペーストをのして口金#7で抜き、花弁の下縁に貼る。白のペーストの下部にボーンスティックを押しあてて突起模様をつくる。

▶2枚を組み、緑のフローラルテープを巻く。

花弁C

花弁C(1枚):

▶花弁AとBを組んでから(右頁)、つくりはじめる。花弁Aと同じ要領でつくる。ただし、花弁はやや横広がりに整形する。

▶黄色のペーストをのして口金#10で抜き、ローズペタルカッター#3の先端で上部縁にギザギザの切込みを入れる。細棒で幅を広げて花弁の下縁に貼り、フラワーシェイパーでなじませる。

花弁の組立て：

▶ 花弁Aの手前に花弁Bを写真のような位置で組み、緑のフローラルテープでまとめる。

▶ 花弁Cをつくり、生乾きのうちに花弁Bのカーブにそわせて組み、形をととのえる。緑のフローラルテープでまとめる。

▶ 緑のペーストを少量丸めて花の中心に接着する。

がく：

▶ 緑のペーストをのして6枚弁カッター＃3で抜き、1枚ずつ切り離す。5枚を使う。

▶ 各がく片の片側をローズペタルカッター＃3の先端でV字にカットし、フラワーシェイパーで薄く広げる。

▶ 緑のペーストを少量丸め、花の茎に下から通し、花の裏に接着する。

▶ さらにがく片を、V字にカットした側を花の根元に向けて緑の丸いペーストに1枚ずつ接着する。V字のやや下をピンセットでつまむ。

▶ 根元にフォレストグリーンをダスティングする。

つぼみ *bud*

▶ 「メキシカンハット」(P.257)参照。紫のペーストを使い、5枚弁カッター＃4で抜く。

▶ 花弁（外側）に竹串で花脈をつけ、花弁の縁をボーンスティックでなぞってゆるいフリルをつける。

▶ 裏返して先端をフック状に曲げた緑ワイヤー＃24を通してとめ、花弁をつぼめる。

▶ 緑のフローラルテープを巻き、花首を曲げる。花のがくと同じ要領でがく片をつくって1枚ずつ花首に接着する。がく片の長さの1/3ほどV字から下がった箇所をピンセットでつまむ。

▶ 花弁にディープパープルを、がくにフォレストグリーンをダスティングする。

葉 *leaf*

葉A：

▶ 「花弁・葉をつくる手法」(P.254)参照。緑のペーストをワイヤーを通す山を残して薄くのし、カッティングホイールで写真のような形に切り抜く。周囲をローズペタルカッター＃3の先端でV字にカットし、ギザギザにする。▶ 緑ワイヤー＃30を通し、リーフシェイパーで葉脈をつける。フォレストグリーンをダスティングする。

葉B：

▶ 葉Aと同じ要領でつくる。ただし、写真のようにカッティングホイールで切り抜く。

葉の組立て：

▶ 葉A 1枚の下に葉B 2枚を組み、緑のフローラルテープを巻いてまとめる。

Anemone　アネモネ

鮮やかな濃い色が強い印象を残す花。花弁は淡い色のペーストでつくり、ダスティングで濃い色に仕上げると、陰影のある美しさを表現できます。花脈は、乾いた花弁にカッターナイフの背でつけるのがポイント。濃い色の花弁ほどくっきりと花脈を浮き立たせることができます。

- フラワーペースト（淡いピンク、緑）
- 白ワイヤー（＃32）
- 緑ワイヤー（＃20、＃32）
- フローラルテープ（緑）
- 木綿糸（赤）
- ポレーン（ディープパープル）
- ダスティングパウダー（ディープパープル、レッド、プリムローズ、スプリンググリーン、フォレストグリーン）
- ローズペタルカッター（＃1、＃2）
- 菊の葉カッター

花　*flower*

花芯：

▶「糸の花芯 糸の束と同時にワイヤーの突起をつくる手法」（P.251）参照。赤の糸をひとさし指と中指に50回ほど巻き、輪のサイズに大小をつけた8の字形にする。

▶白ワイヤー＃32を半分に折って折り目に小さな輪（突起）をつくり、1回ねじる。

▶8の字の輪を重ねて突起つきワイヤーを通してとめ、糸の輪をそれぞれ等分に切る。

▶糸を卵白に浸し、乾かしてカールさせてもよい（P.250）。糸の先端に卵白を塗り、ディープパープルのポレーンをつける。

▶ワイヤーの突起の周囲に糸を散らす。

▶淡いピンクのペーストを少量丸めて爪楊枝にさす。卵白を塗り、ディープパープルのダスティングパウダーをつける。

花芯の組立て：

▶ワイヤーの突起にペーストをさしてとめる。

内花弁(5枚)：

▶「花弁・葉をつくる手法」(P.254)参照。淡いピンクのペーストをワイヤーを通す山を残して薄くのし、ローズペタルカッター＃2で抜く。
▶白ワイヤー＃32を通し、竹串で花脈をつける。縁をボーンスティックでなぞってならす。
▶輪にしたティッシュペーパーに寝かせて休ませる。

▶上部にレッドをダスティングする。
▶カッターナイフの背で表面（内側の面）を削ってふたたび花脈をつける。
▶下部にプリムローズとスプリンググリーンをダスティングする。

内花弁の組立て：

▶花芯の周囲に内花弁5枚を1枚ずつ組んでは緑のフローラルテープを巻いてまとめる。

外花弁の組立て：

▶内花弁の周囲に外花弁7～9枚を1枚ずつ組んでは緑のフローラルテープを巻いてまとめる。

外花弁(7～9枚)：

▶内花弁と同じ要領でつくる。ただし、ローズペタルカッター＃1を使う。

葉 *leaf*

▶「花弁・葉をつくる手法」(P.254)参照。1輪につき3枚つくる。緑のペーストをワイヤーを通す山を残して薄くのし、菊の葉カッターで抜く。
▶写真のようにカットし、上部を使う。

▶緑ワイヤー＃32を通し、ボーンスティックでペーストをのばす。
▶細工用はさみで細かな切込みを入れ、リーフシェイパーで葉脈をつける。
▶指で葉を外側に反らせ、フォレストグリーンをダスティングする。
▶輪にしたティッシュペーパーに寝かせて休ませる。

葉の組立て：

▶花弁の根元から約5mm下に葉3枚を組み、緑ワイヤー＃20を添えて緑のフローラルテープを巻いてまとめる。

☛ 作品例

さまざまな色の種類があるパンジーは、各色とり混ぜてあしらうと特にかわいらしさがひき立つ。パンジーの素朴な雰囲気に合わせて、鉢は素焼き風に。発泡スチロールの外側をパスティヤージュで覆って鉢に見たて、パンジーをさす。

☛ 作品例

深みのある色合いのグラデーションが美しい、アネモネのバスケット。陶器製バスケットを使用。花と同色のリボンをあしらって贈りものに。

Freesia　フリージア

1本の茎につぼみから開花まで表現できる花。キャスケードブーケのように、花束やアレンジメントに流れるようなラインを出したい時によく使われます。細棒や細工用はさみなどを使って成形する「プルドフラワー」と呼ばれる手法でつくります。

- フラワーペースト（淡い緑、緑、クリーム色、白）
- 緑ワイヤー（＃20、＃26、＃28）
- 白ワイヤー（＃26、＃28）
- フローラルテープ（白、緑）
- 極小ペップ（白）
- ポレーン（レモンイエロー）
- ダスティングパウダー
（モスグリーン、プリムローズ、タンジェリン、スプリンググリーン）
- とうもろこしの皮

つぼみ *bud*

極小のつぼみ：

▶ 淡い緑のペーストを少量丸めてしずく形にし、頭部中央に細工用はさみで1本切込みを入れる。
▶ それぞれ細棒で平らにのし、とうもろこしの皮で外側に筋をつける。
▶ 先端をフック状に曲げた緑ワイヤー＃28をさしてとめ、つぼみの先をつぼめる。

小さなつぼみ：

▶ 淡い緑のペーストを少量丸めてしずく形にし、先端をフック状に曲げた緑ワイヤー＃28をさしてとめる（つぼみ）。
▶ 極小のつぼみと同じ要領で緑のペーストを形づくってがくとし、ワイヤーに下から通してつぼみに接着する。
▶ モスグリーンをダスティングする。

中くらいのつぼみ：

▶ クリーム色のペーストを丸めてしずく形にし、頭部に細工用はさみで6等分の花弁の切込みを入れる。
▶ 各花弁をフラワーシェイパーで整形し、先端をフック状に曲げた緑ワイヤー＃28をさしてとめ、花弁をねじって閉じる。
▶ 小さなつぼみと同じ要領でがくをつくって接着する。
▶ 花弁にプリムローズ、がくにモスグリーンをダスティングする。

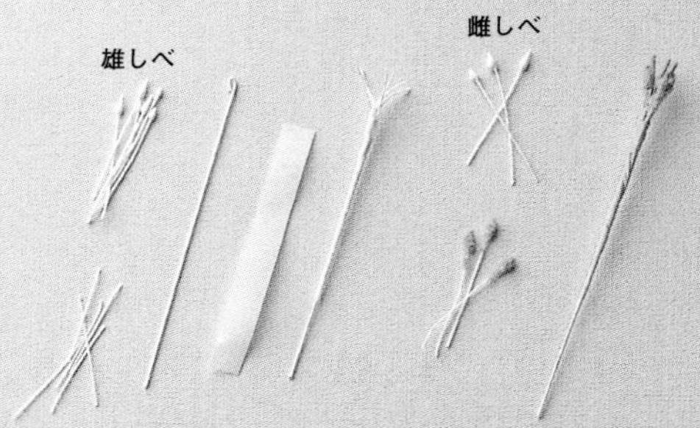

大きなつぼみ：

▶「プルドフラワー」(P.257) 参照。クリーム色のペーストを長めのしずく形にし、細長いカップ状にして6等分の切込みを入れる。▶各花弁を外側に広げて細棒でのし、フラワーシェイパーで形をととのえる。▶花弁を互い違いに合わせ、先端をフック状に曲げた白ワイヤー＃28をさしてとめる。▶小さなつぼみと同じ要領でがくをつくって接着し、中くらいのつぼみと同じ要領で花弁、がくにダスティングする。

雄しべ：

▶半分の長さに切って先端の突起をカットしたペップ5〜6本を、先端をフック状に曲げた白ワイヤー＃26の上部に添え、白のフローラルテープを巻いてまとめる。▶タンジェリンのダスティングパウダーを蒸留酒で溶き、ペップに塗る。

雌しべ：

▶半分の長さに切り、先端の突起を残したペップ3本の突起部分に卵白を塗り、レモンイエローのポレーンをつける。

花芯(雄しべと雌しべ)の組立て：

▶雄しべの周囲に雌しべ3本を組み、白のフローラルテープを巻いてまとめる。▶フローラルテープにスプリンググリーンをダスティングする。

花 *flower*

花弁：

▶「プルドフラワー」(P.257) 参照。白のペーストを長めのしずく形にし、細長いカップ状にして6等分の切込みを入れる。
▶各花弁を外側に広げて細棒でのし、フラワーシェイパーで形をととのえる。

▶花芯を通してとめる。小さなつぼみと同じ要領でがくをつくって接着し、中くらいのつぼみと同じ要領で花弁、がくにダスティングする。

葉 *leaf*

▶「より形づけしやすい長い葉をつくる手法」(P.256) 参照。緑のペースト、緑ワイヤー＃26を使う。
▶カッティングホイールで細長い葉の形に切り抜く。とうもろこしの皮とリーフシェイパーで葉脈をつける。
▶縁をフラワーシェイパーでなぞってならし、モスグリーンをダスティングする。

花とつぼみの組立て：

▶4種類のつぼみを、小さいものから順に1〜2本ずつ互い違いの向きに組み、緑のフローラルテープを巻いてまとめる。

▶さらに、緑ワイヤー＃20を添えて花を同様に1〜2本加えて組み、フローラルテープでまとめる。

Sweet Pea

スイートピー

ひらひらとした花弁が特徴的な花。花弁に華やかなフリルをつけるには、ペーストをはじめにあまり薄くのさないことがポイントです。花弁の組立ては奥行きをもたせ、横からながめた時にがく側の花弁がかなり後ろに反るようにすると雰囲気が出ます。

- フラワーペースト（淡いピンク、淡い緑）
- 緑ワイヤー（＃24、＃30、＃32）
- フローラルテープ（緑）
- ダスティングパウダー（ピンク、スプリンググリーン、モスグリーン）
- ローズペタルカッター（＃2、＃3）
- スイートピーカッター（A、B）
- スイートピーカリックスカッター

花 *flower*

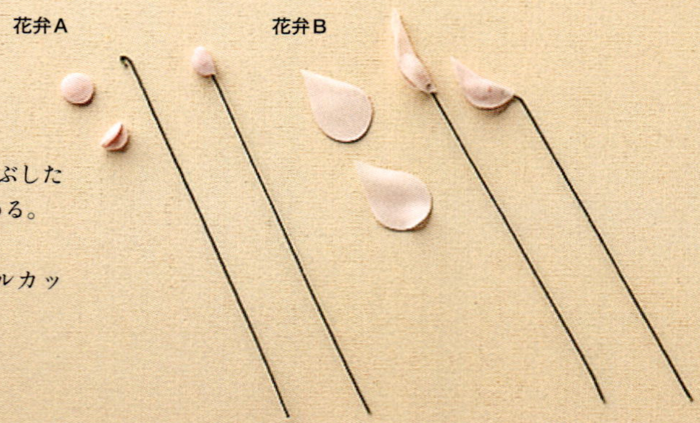

花弁A：

▶淡いピンクのペーストを少量丸めてつぶす。

▶緑ワイヤー＃24の先端をフック状に曲げ、つぶしたペーストでフック部分を挟んで半分に折ってとめる。

花弁B：

▶淡いピンクのペーストをのし、ローズペタルカッター＃3を上下の向きを逆にしてあてて抜く。

▶縁をボーンスティックでなぞってならす。

▶花弁Aを挟んで閉じ、花首を曲げる。

花弁C：

▶淡いピンクのペーストをのし、スイートピーカッターAで抜く。細棒で少し広げて竹串で花脈をつける。

▶縁をボーンスティックでなぞってフリルをつけ、花弁Bを挟んで接着する。（この段階でがくをつけてつぼみとしてもよい。）

花弁D：

▶淡いピンクのペーストをのし、スイートピーカッターBで抜く。花弁Cと同じ要領で少し広げ、花脈、フリルをつける。

▶花弁Cを挟み、後ろへ反らせて接着する。

▶緑のフローラルテープを巻き、花弁全体にピンク、根元にスプリンググリーンをダスティングする。

つる *tendril*

▶緑ワイヤー＃32を竹串に巻きつけてカールさせ、軽くのばす。

がく：

▶「メキシカンハット」(P.257)参照。淡い緑のペースト、スイートピーカリックスカッターを使う。

▶がく片にボーンスティックをあててカールさせ、花の茎に下から通し、接着する。

▶スプリンググリーンをダスティングする。

葉 *leaf*

▶「花弁・葉をつくる手法」(P.254)参照。淡い緑のペーストをワイヤーを通す山を残して薄くのし、ローズペタルカッター＃2の上下を逆にしてあてて抜く。緑ワイヤー＃30を通す。

▶リーフシェイパーで葉脈をつけ、モスグリーンをダスティングする。

つぼみ *bud*

▶淡い緑のペーストを少量丸めてつぶし、半分に折る。

▶緑ワイヤー＃24の先端をフック状に曲げ、半分に折ったペーストの間にフック部分を挟んでとめる。乾かす。緑のフローラルテープを巻く。

▶淡い緑のペーストをのしてスイートピーカリックスカッターで抜き、ワイヤーに下から通してつぼみに接着する。

▶モスグリーンをダスティングする。

Freesia

フリージアがもつ独特な曲線は、さまざまなデザインの
ブーケやアレンジメントに活躍する。

Sweet Pea

花屋さんで見かけるスイートピーはかわいらしい花部分が主だが、庭や垣根に咲く実際の姿は、思いのほか丈があり、つるが印象的。その自然なみずみずしい姿を表現するのも楽しい。

Cherry Blossoms

桜

春のお祝いごとには欠かせない、誰からも愛される桜は、花数が多いことで美しさが際立ち、インパクトが生まれる花です。桜らしい風情を表現するためには、花のがくや花房の根元のパーツ、ピンク以外の色使いなど、目立たないディテールをていねいに再現することがポイントです。

- フラワーペースト（淡いピンク、ピンク、緑、淡い緑）
- 白ワイヤー（＃32）
- 緑ワイヤー（＃30）
- フローラルテープ（緑、ベージュ）
- 木綿糸（白、ベージュ）
- ポレーン（プリムローズ）
- ダスティングパウダー（プラム、バイオレット、レッド、モスグリーン、バーガンディー、ブラウン）
- 5枚弁カッター（＃3）
- ローズペタルカッター（＃3）
- カリックスカッター（＃5）
- リーフカッター A（＃2）
- 6枚弁カッター（＃6）

花 *flower*

花芯：

▶「糸の花芯 一度に2束できる手法」（P.249）参照。白の糸を親指（またはひとさし指と中指）に30回ほど巻き、白ワイヤー＃32で両側からとめて糸の輪を切る。緑のフローラルテープを巻く。

▶糸の下側2/3にプラムとバイオレットをダスティングする。

▶糸の先端に卵白を塗ってプリムローズのポレーンをつける。レッドのダスティングパウダーを蒸留酒で溶いてポレーンに塗る。

花弁：

▶淡いピンクのペーストを、中心に厚みを残して薄くのし、5枚弁カッター＃3で抜く。
▶各花弁の先端にローズペタルカッター＃3の先をあててV字にカットする。
▶花弁の縁をフラワーシェイパーでなぞる。
▶裏返して中心にプラムをダスティングする。
▶花芯のワイヤーを上から通して花弁と花芯を接着し、フラワースタンドにさして乾かす。

がく：

▶緑のペーストを、中心に特に厚みを残して厚めにのし、カリックスカッター＃5で抜く。
▶がく片をボーンスティックで広げ、裏返して中心に筆の柄の先端をあててカップ状にする。
▶花のワイヤーに下から通して花の根元に接着し、指でのばして首をつくり、リーフシェイパーでフィットさせる。
▶がく、花弁の根元にプラムをダスティングする。

つぼみ *bud*

咲き終わりの花：

▶左頁の要領で花芯をつくる。ただし、ベージュの糸を使う。
▶上記の要領でがくをつくり、花芯に通して接着し、ダスティングする。ただし、がく片は開いて接着する。

▶ピンクのペーストを少量丸めてしずく形にし、先端をフック状に曲げた緑ワイヤー＃30をさしてとめる。乾かす。緑のフローラルテープを巻く。
▶花と同じ要領でがくをつくり、ワイヤーに下から通してつぼみに接着する。
▶がく、つぼみの先にプラムをダスティングする。

葉A

葉B

葉 *leaf*

葉A：

▶「花弁・葉をつくる手法」(P.254)参照。緑のペーストをワイヤーを通す山を残して薄くのし、カッティングホイールで写真のような形に切り抜く。緑ワイヤー＃30を通す。

▶葉の根元を指で転がして少しのばす。

▶リーフシェイパーで葉脈をつけてフラワーシェイパーで縁をならし、左右から内側に軽く折り曲げる。モスグリーン、バーガンディーをダスティングする。

葉B：

▶葉Aと同じ要領でつくる。ただし、リーフカッターA（＃2）でペーストを抜く。

パーツA

外側

内側

花とつぼみの組立て：

▶花とつぼみをまとめるパーツAをつくる。「メキシカンハット」(P.257)参照。淡い緑のペーストを使い、6枚弁カッター＃6で抜く。

▶対角線上にある2弁をボーンスティックでカップ状にする。ほか4弁はボーンスティックを中心から縁に向かって軽くあてでならし、細工用はさみで切込みを入れる。各弁にリーフシェイパーで筋をつける。

▶モスグリーンをダスティングし、裏返してプラムをダスティングする。筆の柄の先端をあてでカップ状にする。

▶花2本とつぼみ1本を組み、緑のフローラルテープでまとめる。パーツAを下から通してとめる。

葉の組立て：

▶葉A2枚と葉B3枚を組み、ベージュのフローラルテープでまとめる。上記と同様のパーツAを下から通してとめる。

▶ところどころにブラウンをダスティングする。

Cherry Blossoms Double 八重桜

一重の桜（P.288）と同様に、和風のケーキデコレーションによく合う花。一重の桜よりも華やかさを演出できます。花弁が幾重にも重なったふくよかな雰囲気が特徴。それを表現するため、フラワーカッターで抜いたペーストをたたんで横から花弁を重ねる手法を考えました。丸い‘ぼんぼり’のような愛らしい姿にまとめます。

- フラワーペースト（淡いピンク、緑、ピンク、淡い緑、茶色）
- 緑ワイヤー（＃26、＃30）
- フローラルテープ（緑、淡い緑）
- 極小ペップ（白）
- ポレーン（プリムローズ）
- ダスティングパウダー（スプリンググリーン、バイオレット、プラム、モスグリーン、バーガンディー）
- 6枚弁カッター（＃1、＃3）
- ローズペタルカッター（＃3）
- カリックスカッター（＃5）
- リーフカッター A（＃1、＃2）

花 *flower*

花芯：

▶ペップ5本を半分に折る。

▶先端をフック状に曲げた緑ワイヤー＃26の上部にペップを添え、緑のフローラルテープを巻いてまとめる。

▶ペップの先端に卵白を塗り、プリムローズのポレーンをつける。

花弁：

▶淡いピンクのペーストを薄くのし、6枚弁カッター＃1で抜く。

▶各花弁の境目にカッティングホイールで少し切込みを入れ、細棒で花弁の幅を広げる。

▶各花弁の先端にローズペタルカッター＃3の先をあててV字にカットする。

▶竹串で花脈をつけ、花の中心にスプリンググリーン、花弁の縁にバイオレットをダスティングする。

▶花芯のワイヤーを上から通して花弁と花芯を接着し、花弁の形をととのえる。乾かす。（A）

A

▶淡いピンクのペーストを薄くのし、6枚弁カッター＃1でさらに4枚抜く。
▶着色前までを前頁と同じ要領でつくる。花弁の縁にバイオレットをダスティングする。
▶花脈をつけた面を外側にしてそれぞれ半分に折り、さらに左1/3を奥に、右1/3を手前に折る。
▶4枚ともAの花弁の周囲に横から接着する。

がく：
▶緑のペーストを厚めにのし、カリックスカッター＃5で抜く。▶がく片をボーンスティックで広げ、裏返して筆の柄の先端をあててカップ状にする。▶花のワイヤーに下から通して花の根元に接着し、がく、花弁の根元にプラムをダスティングする。▶1/4幅の緑のフローラルテープを短く切って片方の端を斜めにカットし、端を1cmほど残して茎の中ほどに巻きつける。

つぼみ *bud*

B

花弁：
▶「プルドフラワー」(P.257)参照。ピンクのペーストを俵形にし、細棒でくぼみをつける。細工用はさみで6等分の切込みを入れ、各花弁を外側に広げて細棒でのし、カップ状にする。
▶先端をフック状に曲げた緑ワイヤー＃30を通してとめる。花弁を閉じ、乾かす。(B)

外側　内側

▶前頁の花弁と同じ要領でつくる。ただし、6枚弁カッター＃3を使い、ダスティングはしない。
▶裏返して各花弁の縁から中心に向かってボーンスティックをあててカップ状にする。
▶Bのワイヤーに下から通し、花弁をつぼめて接着する。緑のフローラルテープを巻く。

がく：
▶花のがくと同じ要領でつくる。ただし、淡い緑のペーストを使う。
▶がくをワイヤーに通してつぼみに接着し、花弁にプラム、がくにバイオレットをダスティングする。
▶1/4幅の緑のフローラルテープを短く切って片方の端を斜めにカットし、端を1cmほど残して茎の中ほどに巻きつける。

花とつぼみの組立て：

▶花2本、または花2本とつぼみ1本を、1/4幅のフローラルテープを巻いた下の位置で組み、緑のフローラルテープを巻いてまとめる。

葉 *leaf*

葉A　葉B

葉A：

▶「花弁・葉をつくる手法」(P.254)参照。緑と茶色のペーストを軽く混ぜ、ワイヤーを通す山を残して薄くのす。

▶ワイヤーの山を上端まで残してリーフカッターA（#2)で抜き、緑ワイヤー#30を通す。

▶葉の上端をボーンスティックで細長くのばし、根元もワイヤーにそって指で転がして少しのばす。

▶リーフシェイパーで葉脈をつけてフラワーシェイパーで縁をならし、左右から内側に軽く折り曲げる。モスグリーン、バーガンディーをダスティングする。

葉B：

▶葉Aと同じ要領でつくる。ただし、リーフカッターA（#1)を使う。

葉の組立て：

▶葉A 2枚と葉B 2枚を組み、緑のフローラルテープを巻いてまとめる。

▶全幅の淡い緑のフローラルテープを約1.5cm長さに切り、上部に細工用はさみで5等分の切込みを入れる。

▶それぞれ指でこよりにして細くし、バイオレットをダスティングする。

▶組んだ葉の分かれ目に巻きつける。

Cherry Blossoms

桜は枝から直接咲いているような不思議な咲き方をする。意識的に咲き終わりの花や葉を加えて乱れ咲いた雰囲気を出すと、いっそう風情が増す。

Cherry Blossoms Double

日本古来のおとぎ話をイメージさせる花。ひと枝をかんざしのようにまとめる。ひと枝でも充分な存在感のあるオーナメントとして使える。

Tulip

チューリップ

全体が卵のようにまとまった花弁の表情が愛らしい花。オリジナル型紙を使い、ワイヤー入りの花弁は根元に厚みを残して整形すること、ワイヤーなしの花弁は根元のペーストを一部除いて丸みを出すことで、この特徴的な形の再現に成功しました。

- フラワーペースト（黄色、ピンク、淡いピンク、緑）
- 白ワイヤー（＃30、＃32）
- 緑ワイヤー（＃22、＃26）
- フローラルテープ（緑、淡い緑）
- ダスティングパウダー（スプリンググリーン、レモンイエロー、パールホワイト、プラム、ローズ、プリムローズ、モスグリーン）
- チューリップ（内花弁、外花弁）のオリジナル型紙（P.423）
- チューリップのつぼみ（内花弁、外花弁）のオリジナル型紙（P.423）
- ローズペタルカッター（＃3）
- しずく形発泡スチロール（直径28mm）
- とうもろこしの皮

花 flower

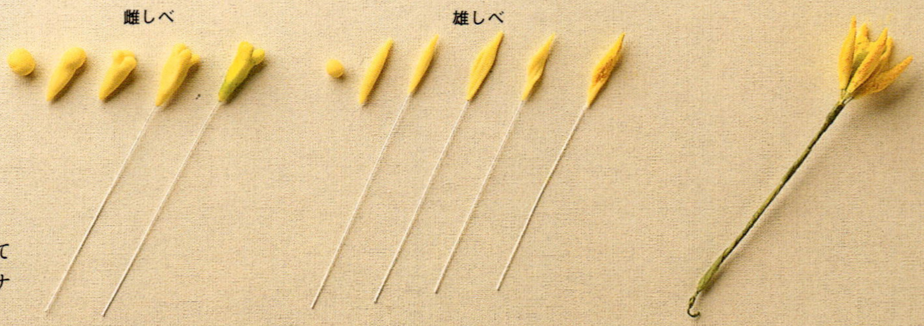

雌しべ：
▶黄色のペーストを少量丸めてしずく形にし、頭部にカッターナイフで3等分の切込みを入れる。▶白ワイヤー＃32をさしてとめ、頭部の各片を指で丸く形づくる。▶ペーストの側面を三角錐の形にととのえ、スプリンググリーンをダスティングする。

雄しべ（6本）：
▶黄色のペーストを少量丸めて棒状にし、白ワイヤー＃32をさしてとめる。▶ペーストにリーフシェイパーで筋をつけ、少しねじる。▶卵白を塗り、レモンイエローのダスティングパウダーをつける。

花芯（雄しべと雌しべ）の組立て：
▶雌しべの周囲に雄しべ6本を組み、緑のフローラルテープを巻いてまとめる。

内花弁（3枚）：
▶「長い花弁・葉を一度に複数つくるサンドイッチ手法」（P.255）参照。ピンクのペースト、白ワイヤー＃30を使う。▶根元に厚みを残してワイヤーの周囲を薄くのし、内花弁の型紙をあてて切り抜く。この面が表（内側）になる。▶上端をローズペタルカッター＃3の先でV字にカットする。▶フラワーシェイパーとリーフシェイパーを使って中心線をひき（P.259）、根元をさけて竹串をあてて花脈をつける。▶パールホワイトをダスティングする。

▶内側の根元にフラワーシェイパーをあててカップ状にする。
▶上部にプラムとローズ、根元にプリムローズとスプリンググリーンをダスティングする。
▶上部縁を左右から竹串に巻きつけて内側にカールさせる。

内花弁の組立て：
▶生乾きのうちに内花弁3枚を花芯の周囲に組み、緑のフローラルテープを巻いてまとめる。

外花弁（3枚）：
▶内花弁と同じ要領でつくる。ただし、外花弁の型紙を使う。また、1枚ずつ整形・ダスティングまで通して仕上げる。

外花弁の組立て：
▶外花弁を1枚ずつ仕上げては、内花弁のすき間をうめるように形をそわせながら組み、緑のフローラルテープを巻いてまとめる。
▶さらに茎にティッシュペーパーを添えて淡い緑のフローラルテープを巻く。
▶茎、花弁の根元にモスグリーンをダスティングする。

つぼみ *bud*

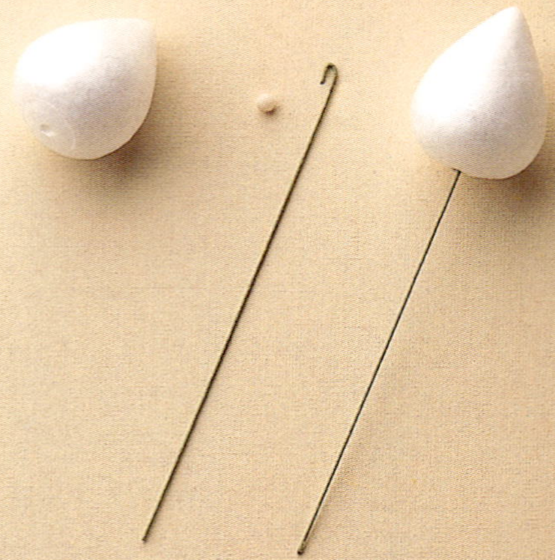

土台：

▶しずく形発泡スチロールの底面中央に竹串で穴をあける。

▶穴に卵白を塗り、丸めた少量のペーストを入れてうめる。

▶緑ワイヤー＃22の先端をフック状に曲げ、卵白をつけて穴にさし込んでとめる。乾かす。

葉 *leaf*

▶「パロットチューリップ」(P.300)の葉と同じ要領でつくる。

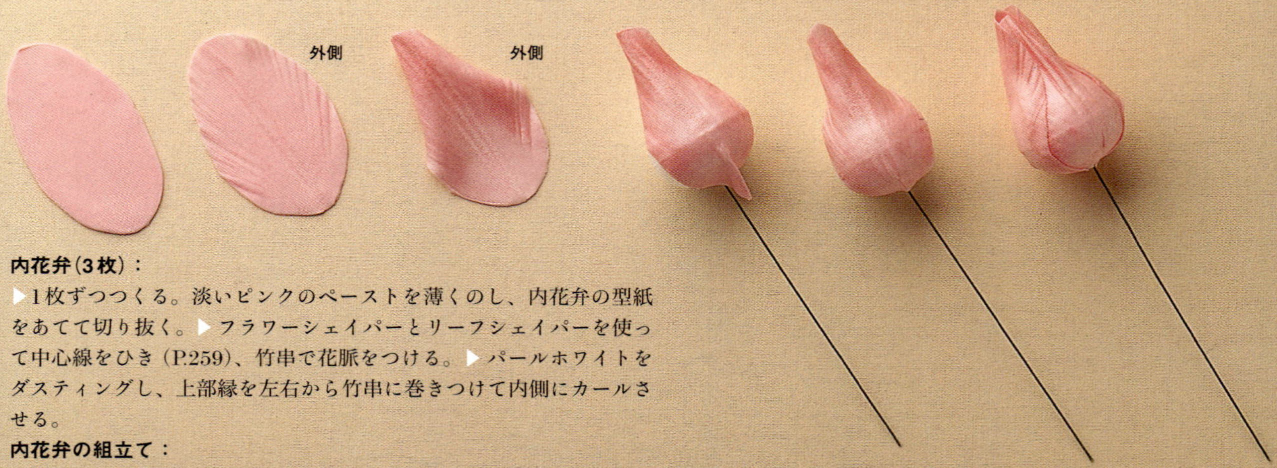

内花弁(3枚)：

▶1枚ずつつくる。淡いピンクのペーストを薄くのし、内花弁の型紙をあてて切り抜く。▶フラワーシェイパーとリーフシェイパーを使って中心線をひき(P.259)、竹串で花脈をつける。▶パールホワイトをダスティングし、上部縁を左右から竹串に巻きつけて内側にカールさせる。

内花弁の組立て：

▶土台に内花弁1枚を、花弁の両脇から合わせて貼り、下部中央に余分なペーストを寄せる。▶余分なペーストを切り取り、土台にぴったりとそわせる。▶さらに内花弁2枚を順に同様につくっては貼って土台を覆う。上から見た時に土台が見えないように、また、外花弁を接着しやすいように土台にぴったりと接着する。

外花弁(3枚)：

▶内花弁の要領で1枚ずつつくる。ただし、外花弁の型紙を使う。

外花弁の組立て：

▶外花弁を1枚ずつ仕上げては、下部のV字ラインを両側から合わせるようにして内花弁の周囲に接着する。▶ワイヤーにティッシュペーパーを添え、淡い緑のフローラルテープを巻く。▶茎にスプリンググリーンを、花弁の根元にプリムローズをダスティングする。

開きかけのつぼみ：

▶つぼみと同じ要領でつくる。ただし、最後に外花弁の上部を少し外側に反らせる。

☛ 作品例（P.379）

Parrot Tulip

パロットチューリップ

花弁の縁が細かく分かれ、さまざまにカールしているのが特徴です。オリジナル型紙でペーストを抜いたら縁に細かな切込みを入れて、花弁に鳥の翼のような動きをつけましょう。白い花弁を汚さないように、雄しべはダスティングせず、ダスティングパウダーを蒸留酒で溶いたものを塗ります。

- フラワーペースト（黄色、白、緑）
- 白ワイヤー（＃30、＃32）
- 緑ワイヤー（＃26）
- フローラルテープ（緑、淡い緑）
- ダスティングパウダー（スプリンググリーン、ブラウン、パールホワイト、ルビー、モスグリーン）
- パロットチューリップ（内花弁、外花弁）のオリジナル型紙（P.425）
- ローズペタルカッター（＃3）
- とうもろこしの皮

花 *flower*

花芯（雄しべと雌しべ）：
▶雄しべ、雌しべともに、「チューリップ」（P.296）と同じ要領でつくって組み立てる。ただし、雄しべはブラウンのダスティングパウダーを蒸留酒で溶いて筆で塗る。

内花弁（3枚）：
▶チューリップと同じ要領でつくる。ただし、白のペースト、パロットチューリップ（内花弁）の型紙を使う。根元を除く花弁の縁をローズペタルカッター＃3の先でV字にカットし、ギザギザにする。

▶中心線をひいて花脈をつける。パールホワイトをダスティングし、内側の根元をカップ状にする。
▶ルビーのダスティングパウダーを蒸留酒で溶いて両面に中心線を描き、根元にルビーをダスティングする。

内花弁の組立て：
▶チューリップと同じ要領で生乾きのうちに花芯の周囲に組み、緑のフローラルテープでまとめる。

外花弁（3枚）：

▶内花弁と同じ要領でつくる。ただし、外花弁の型紙を使う。また、根元を除く花弁の縁をローズペタルカッター＃3とカッティングホイールで写真のようにギザギザにカットし、リーフシェイパーで縁をカールさせる。1枚ずつ整形・ダスティング・ペインティングまで通して仕上げる。

外花弁の組立て：

▶チューリップと同じ要領で外花弁を1枚ずつ仕上げては内花弁の周囲に組み、緑のフローラルテープでまとめる。

▶さらに茎にティッシュペーパーを添えて淡い緑のフローラルテープを巻く。

▶茎、花弁の根元にモスグリーンをダスティングする。

葉 *leaf*

▶「長い花弁・葉 をつくる手法」（P.255）参照。緑のペースト、緑ワイヤー＃26を使い、カッティングホイールで写真のような形に切り抜く。

▶とうもろこしの皮で葉脈をつけ、縁をフラワーシェイパーでならし、指でカーブをつける。

▶モスグリーンをダスティングする。

Marguerite

マーガレット

似通った花が多いなか、マーガレットらしくつくるポイントは、花弁を細長く、がくを小さく仕上げることです。デイジーカッターで抜いた花弁は2倍近くまで細長くのばします。繊細で壊しやすいので、花弁はあまり広げず、少しカップ状にするとよいでしょう。固いつぼみから開きかけのつぼみまで添えることで、よりマーガレットらしさが増します。

- フラワーペースト（緑、白）
- 緑ワイヤー（＃22、＃24、＃30）
- ポレーン（レモンイエロー）
- ダスティングパウダー（スプリンググリーン、レモンイエロー、モスグリーン）
- デイジーカッター（＃2、＃3、＃4）
- デイジーリーフカッター

花 *flower*

がく：

▶ 緑のペーストを少量丸めてしずく形にし、頭部を細棒でカップ状にして細工用はさみで8等分の切込みを入れる。

▶ がく片をフラワーシェイパーで縦長に広げてととのえる。

▶ 先端をフック状に曲げた緑ワイヤー＃22をさしてとめ、乾かす。

花弁：

［1層め］

▶ 白のペーストをのし、デイジーカッター＃2で抜く。

▶ 各花弁の境目にカッティングホイールで中心近くまで切込みを入れ、各花弁をボーンスティックで長くのばす。リーフシェイパーで花脈をつける。

▶ がくの上にのせ、中心を細棒の太い側で押し込んでがくにぴったり接着する。

［2層め］
▶1層めと同じ要領で花弁をもう1枚つくる。1層めの上に、1層めの花弁と互い違いになるようにのせ、細棒の太い側で押し込んでぴったりと接着する。
▶中心にスプリンググリーンをダスティングする。

花芯：
▶緑のペーストを少量丸め、爪楊枝にさす。
▶ペーストに卵白を塗ってレモンイエローのポレーンをつけ、花の中心に接着する。
▶花弁とがくの境目を中心にレモンイエローをダスティングする。

つぼみ *bud*

開きかけのつぼみ：

［1層め］
▶花と同じ要領で花弁をつくる。ただし、デイジーカッター＃3を使う。
▶花脈をつけた面を外側にして花弁を半分に折り、先端をフック状に曲げた緑ワイヤー＃24を置いてとめる。
▶花弁の右1/3を手前に、左1/3を奥に折り、指で筒状につぼめる。乾かす。

［2層め］
▶1層めと同じ要領で花弁をもう1枚つくる。
▶花脈をつけた面を外側にして1層めのワイヤーに下から通し、1層めにそわせるようにつぼめて接着する。

▶がくをつくる。緑のペーストをのしてデイジーカッター＃4で抜き、がく片をボーンスティックで広げる。
▶つぼみのワイヤーに下から通し、花弁に接着する。
▶つぼみとがくの境目を中心にレモンイエローをダスティングする。

葉 *leaf*

固いつぼみ：
▶白のペーストを少量丸め、リーフシェイパーでラインをひく。
▶先端をフック状に曲げた緑ワイヤー＃24をさしてとめる。
▶開きかけのつぼみと同じ要領でがくをつくってつぼみに接着し、ダスティングする。

▶「花弁・葉をつくる手法」（P.254）参照。緑のペーストをワイヤーを通す山を残して薄くのし、デイジーリーフカッターで抜く。緑ワイヤー＃30を通す。
▶リーフシェイパーで葉脈をつけ、指でカーブをつける。
▶モスグリーンをダスティングする。

Carnation

カーネーション

細長いがくと、フリルのついた花弁とのバランスが特徴的な花です。その風情を表現するために、カッターで抜いたペーストを4等分して花弁に仕立て、がくの中にうめ込む手法を考えました。また、丸みをおびた節からのびる独特な葉を表現する、オリジナルの手法もご紹介します。

- フラワーペースト(緑、サーモンピンク)
- 緑ワイヤー(＃22)
- フローラルテープ(緑)
- 極小ペップ(白)
- ダスティングパウダー（プラム、モスグリーン）
- カーネーションカッター(＃1、＃2)
- とうもろこしの皮

花 *flower*

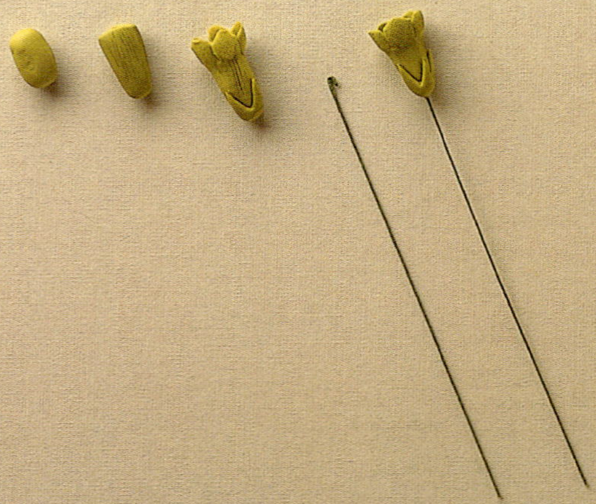

がく：

▶ 緑のペーストを少量丸めて俵形にし、細棒をさし込んでカップ状にする。

▶ 外側にとうもろこしの皮をあてて筋をつける。細工用はさみで上部に浅い切込みを5ヵ所入れ、各がく片をフラワーシェイパーで山型に整形する。下部はV字に切込みを入れる。

▶ 先端をフック状に曲げた緑ワイヤー＃22をさしてとめる。乾かす。

A

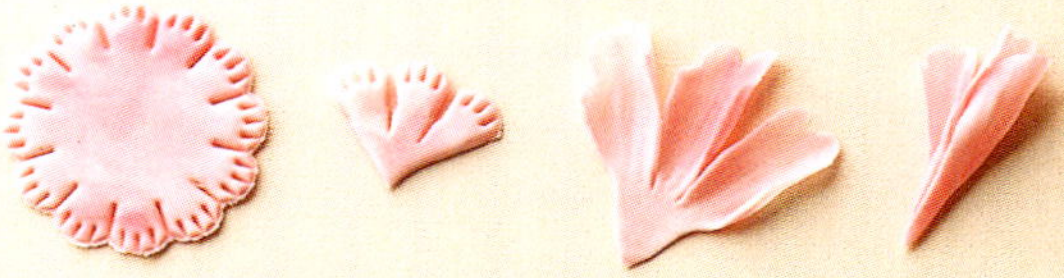

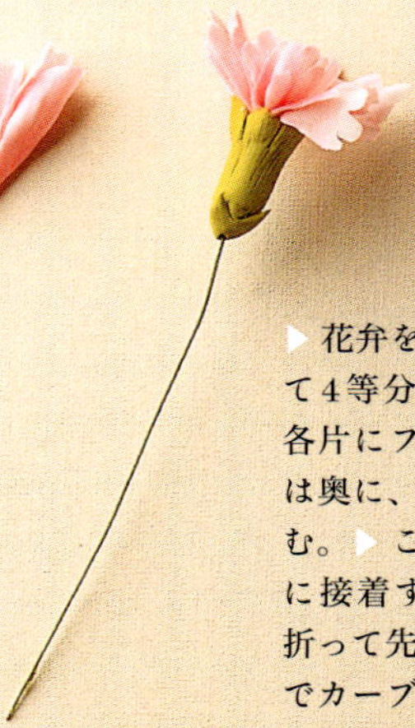

花弁：

▶サーモンピンクのペーストを厚めにのし、カーネーションカッター＃1で抜く。

▶4等分し、各片の境目にカッティングホイールで少し切込みを入れる。

▶各片をフラワーシェイパーでのばし、竹串でフリルをつけ、根元を軽くつぼめる。

▶がくのカップの内壁にそって4枚を接着する。(A)

▶花弁を同じ要領でもう1枚抜いて4等分し、整形する。ただし、各片にフリルをつけたら、左1/3は奥に、右1/3は手前に折りたたむ。▶これらをAの花弁の内側に接着する。▶ペップを半分に折って先端の突起をカットし、指でカーブをつけて花弁の中心にさし込んでとめる。▶ワイヤーに緑のフローラルテープを巻く。花弁の縁にプラム、がくにモスグリーンをダスティングする。

葉 *leaf*

▶緑のペーストを棒状にする。

▶スポンジパッドの穴に押し込んで中央に突起をつくり、突起の両側をのす。カッティングホイールで写真のような形に切り抜く。

▶フラワーシェイパーで葉を広げて整形する。裏返して中心に筆の柄の先端をあててカップ状にし、指で葉にカーブをつける。

▶花の茎に下から通して接着し、モスグリーンをダスティングする。

つぼみ *bud*

▶がく、花弁、葉とも、花と同じ要領でつくる。ただし、がくのサイズは小さめにし、花弁はカーネーションカッター＃2で1枚抜いてAの段階までにし、ペップをさしてとめる。

Tea Rose

ティーローズ

幾重にも重なった花弁の繊細な美しさが特徴です。そこで花弁をできるだけ薄くできるよう、ペーストを2度抜きする手法を考えました。3〜4層めまでは、間隔をできるだけ詰め、なおかつ重ならないように巻くのがポイント。また、外側になる花弁ほど色を淡くすると、グラデーションがつきます。なお、花弁を7層以上にする場合は、もう1段階大きなカッターでペーストを抜き、花弁の数を適宜増やすとよいでしょう。

- フラワーペースト(白、淡いピンク、緑)
- 緑ワイヤー(＃22、＃30)
- フローラルテープ(緑)
- ダスティングパウダー(ピンク、スプリンググリーン、バーガンディー、フォレストグリーン)
- バニッシュ
- ラージローズペタルカッター(＃1、＃2)
- カリックスカッター(＃1)
- ローズリーフカッター(＃1、＃2)
- ローズペタルベイナー
- ローズリーフベイナー

花 *flower*

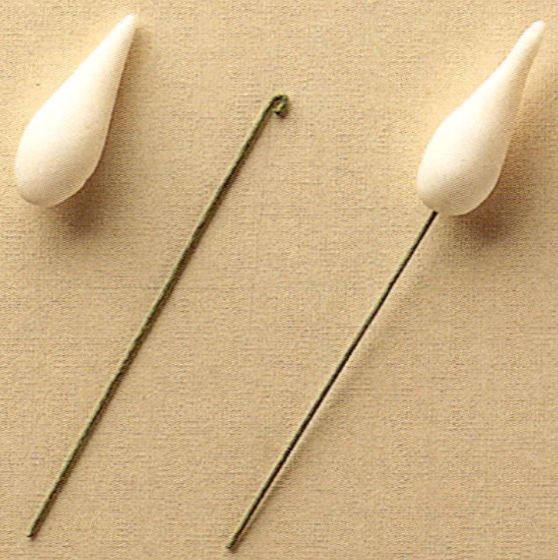

土台：

▶白のペーストを丸め、ラージローズペタルカッター＃2の8割くらいの長さのしずく形にする。

▶先端をフック状に曲げた緑ワイヤー＃22をさしてとめ、乾かす。

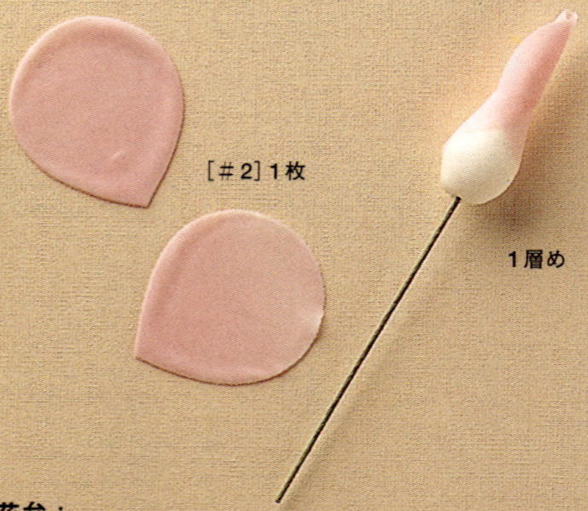

花弁：

［1層め］

▶淡いピンクのペーストをラージローズペタルカッター＃2で2度抜きする(P.246)。

▶緑をボーンスティックで軽くなぞってならし、丸みのある側を上にして土台に巻きつける。

1層め

［1層め］
▶1層めは、真上から見た時に土台が完全に隠れるように巻く。

2層め

［#2］3枚

［2層め］
▶1層めと同じ要領で花弁を3枚つくる。▶1層めの周囲に3枚をきつく、かつ真上から見た時に花弁同士がくっつかないように巻く。

3層め

［#2］3枚

［3層め］
▶さらに同じ要領で花弁を3枚つくり、2層めの周囲に巻く。

4層め

［#2］3枚

［4層め］
▶さらに同じ要領で花弁を3枚つくり、3層めの周囲に巻く。ただし、花弁の色は、白のペーストをたして淡くする。

5層め

［#1］3枚

［5層め］
▶4層めと同じ要領で花弁を3枚つくり、4層めの周囲に巻く。ただし、ペーストはラージローズペタルカッター#1で2度抜きし、上部縁を左右から竹串に巻きつけて外側にゆるくカールさせる。

6層め

［#1］5枚

［6層め］
▶5層めと同じ要領で花弁を5枚つくり、5層めの周囲に巻く。なお、5、6層めのように大きな花弁は、写真のようにローズペタルベイナーで花脈をつけてもよい。

がく：

▶緑のペーストをのしてカリックスカッター＃1で抜き、細工用はさみで写真のような切込みを入れる。
▶がく片にボーンスティックをあててカールさせ、花のワイヤーに下から通し、花の根元に接着する。
▶さらに、緑のペーストを少量丸めてワイヤーに通し、がくの根元に接着する。

▶ワイヤーにティッシュペーパーを添えて緑のフローラルテープを巻く。
▶花弁の縁にピンク、花弁の根元にスプリンググリーン、がくにバーガンディー、フォレストグリーンをダスティングする。

つぼみ *bud*

▶花と同じ要領でつくるが、花弁は5層めまでにし、がくにはバーガンディーをダスティングする。

葉 *leaf*

葉A

葉B

葉の組立て

葉A：

▶「花弁・葉をつくる手法」(P.254)参照。緑のペーストをワイヤーを通す山を残して薄くのし、ローズリーフカッター＃1で抜く。緑ワイヤー＃30を通す。
▶ローズリーフベイナーで葉脈をつけ、フォレストグリーン、バーガンディーをダスティングする。
▶バニッシュをつけるか蒸気にあててつやを出す。

葉B：

▶葉Aと同じ要領でつくる。ただし、ローズリーフカッター＃2を使う。

葉の組立て：

▶葉A1枚の下に葉B2枚を組み、緑のフローラルテープを巻いてまとめる。

☞ 作品例（P.378）

All in One Rose

オールインワンローズ

「オールインワンローズ」とは、シュガーフラワーの用語です。別名「クイックローズ」。ペーストを5枚弁カッターで抜いて花弁5枚分を一度に形づくるため、スピーディーに数多くつくれるのが特徴です。ポイントは、小さめの5枚弁カッターを使うこと。大きなサイズにつくると、かわいらしさが半減してしまいます。

- フラワーペースト（濃いピンク、緑）
- 緑ワイヤー（＃22、＃30、＃32）
- フローラルテープ（緑）
- ダスティングパウダー（プリムローズ、バーガンディー、フォレストグリーン）
- バニッシュ
- 5枚弁カッター（＃1、＃2）
- カリックスカッター（＃3）
- ローズペタルカッター（＃3）
- ローズリーフカッター（＃2、＃3）
- ローズリーフベイナー

花 *flower*

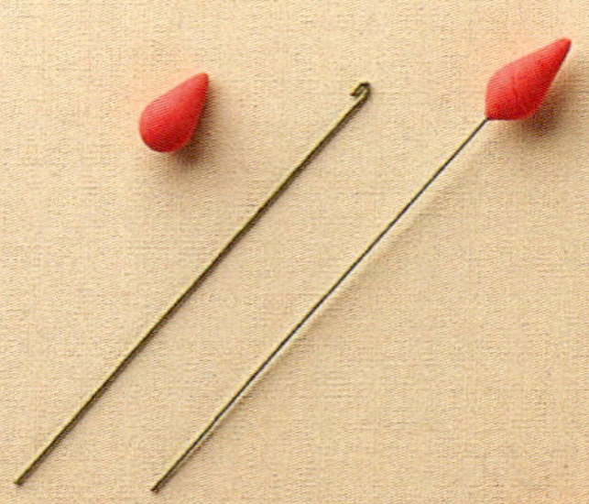

土台：
▶濃いピンクのペーストを丸め、花弁の8割くらいの長さのしずく形にする。先端をフック状に曲げた緑ワイヤー＃22をさしてとめ、乾かす。

花弁：
［1層め］
▶濃いピンクのペーストを薄くのし、5枚弁カッター＃2で抜く。
▶各花弁の縁をボーンスティックで軽くなぞってごくゆるいカーブをつける。

▶花芯のワイヤーに下から通す。まず、花弁1を土台に巻き、その周囲を花弁2と3で巻く。

▶さらにその周囲を花弁4、5、6（2層め）の3枚で巻く。ここでは4と5を巻き、6を巻くスペースをあけておく。

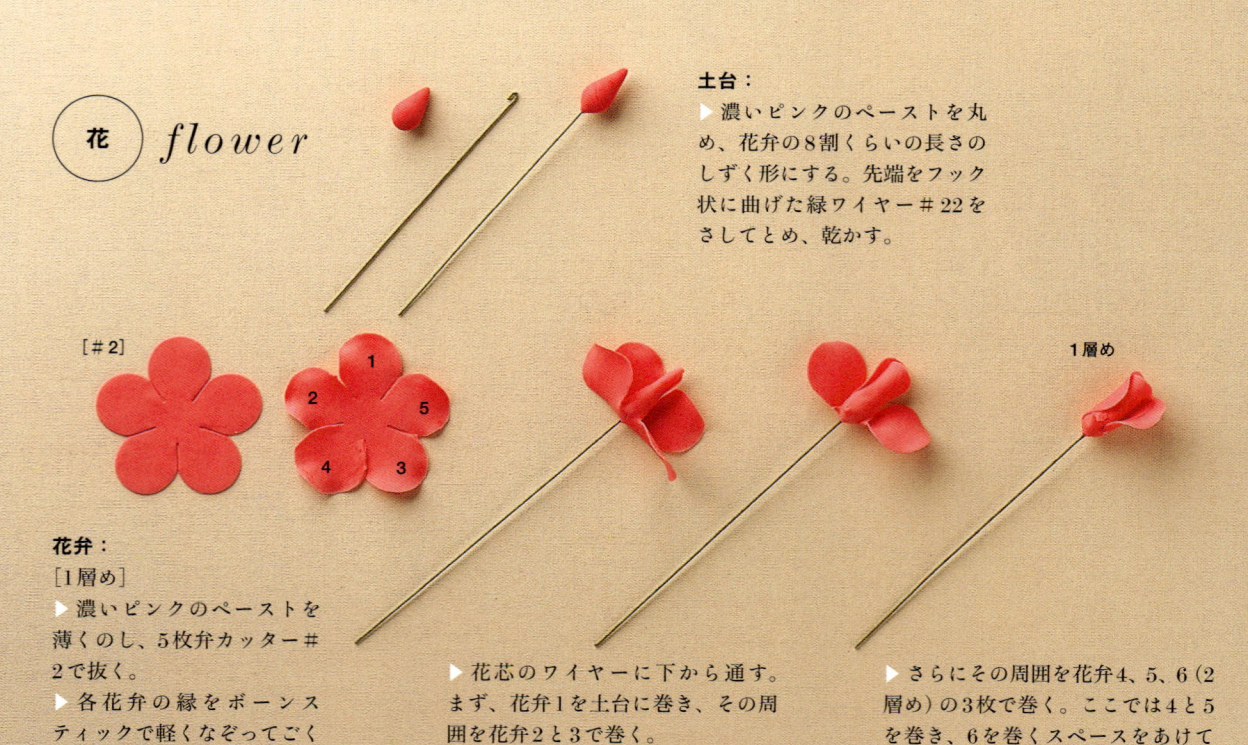

［＃2］

［＃1］

花弁：

［2層め］

▶1層めと同じ要領でペーストを抜き、整形する。ただし、花弁は花弁6を除いて縁を左右から竹串に巻きつけて外側にゆるくカールさせる。

▶1層めのワイヤーに下から通し、花弁6を1層めの最後の1枚として巻きつける。残りの花弁は周囲にそわせる。

［3層め］

▶2層めと同じ要領でペーストを抜き、整形する。ただし、5枚弁カッター＃1を使い、5弁とも縁を外側にカールさせる。

▶2層めのワイヤーに下から通し、2層めの周囲にそわせて形をととのえる。
▶花弁の根元にプリムローズをダスティングする。

がく：

▶「ティーローズ」(P.306)と同じ要領でつくって接着する。ただし、カリックスカッター＃3を使う。
▶少量の丸めたペーストも同様に接着する。

▶ティーローズと同じ要領で緑のフローラルテープを巻き、がくにダスティングする。

つぼみ *bud*

▶花と同じ要領で1層めまでつくる。

▶濃いピンクのペーストをローズペタルカッター＃3（5枚弁カッター＃2の1片に近いサイズ）で1枚抜く。
▶ボーンスティックで縁をならして1層めにつけ加える。

▶花と同じ要領でがくをつくって接着し、フローラルテープを巻いてダスティングする。

葉 *leaf*

▶ティーローズの葉A、Bと同じ要領でつくる。ただし、ローズリーフカッター＃2と＃3で抜く。
▶＃2の葉1枚の下に＃3の葉4枚を組み、緑のフローラルテープでまとめる。

つる *tendril*

▶「野バラ」(P.312)のつると同じ要領でつくる。

Dog Rose

野バラ

可憐な野バラは、どんな目的のケーキにも合わせやすいオールマイティーな花。実際の花弁は必ずしも形が均一ではありませんが、シンプルな構成の花なので、意識して花弁の形を揃えた方が美しく仕上がります。花をカップ状にする時は、アルミホイルに添えた指を動かして花弁の位置を調整すると、微妙なバランスが生まれ、さらに風情が増します。

- フラワーペースト（緑、淡いピンク）
- 白ワイヤー（＃32）
- 緑ワイヤー（＃22、＃30、＃32）
- フローラルテープ（緑）
- 木綿糸（黄色）
- ポレーン（レモンイエロー）
- ダスティングパウダー（バーガンディー、ピンク、スプリンググリーン、モスグリーン、フォレストグリーン）
- バニッシュ
- カリックスカッター（＃2、＃3）
- ローズペタルカッター（＃2）
- ローズリーフカッター（＃2）
- ローズリーフベイナー

花 *flower*

雄しべ：

▶「糸の花芯 8の字の輪でボリュームを出す手法」(P.250)参照。黄色の糸をひとさし指と中指に30回ほど巻き、輪のサイズが同じ8の字形にする。

▶8の字の輪を重ねて白ワイヤー＃32を通してとめ、糸の輪を等分に切る。

▶糸の先端に卵白を塗り、レモンイエローのポレーンをつける。(P.250のように糸をカールさせてもよい。)

雌しべ：

▶緑のペーストを少量丸めて爪楊枝にさし、卵白を塗ってレモンイエローのポレーンをつける。バーガンディーのダスティングパウダーを蒸留酒で溶き、中央に少し塗る。

花芯(雄しべと雌しべ)の組立て：

▶雄しべの糸を均等に散らし、中央に雌しべを卵白で接着する。

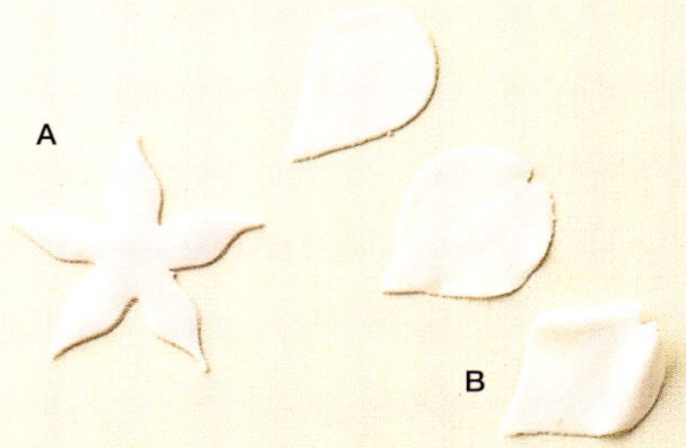

花弁：

▶淡いピンクのペーストを薄くのし、カリックスカッター＃3で抜く。(A)
▶同様のペーストをのしてローズペタルカッター＃2で5枚抜き、それぞれ上部の先端に同じローズペタルカッターの先をあててV字にカットする。
▶5枚とも細棒で幅を広げ、縁をボーンスティックで軽くなぞってならす。
▶さらに、上部縁を左右から竹串に巻きつけて外側にゆるくカールさせる。(B)

▶四角く切ったアルミホイルの上にAをのせ、Bを写真のように3枚のせて接着する。

▶さらに残りのB2枚を写真のように重ねて接着する。
▶花の中心にボールスティックをあて、もう片方の手でアルミホイルごと花弁を持ち上げてカップ状にし、花弁の位置を調整する。

▶花芯をさしてとめ、アルミホイルにのせたまま形をととのえ、フラワースタンドにさして乾かす。
▶緑ワイヤー＃22を添え、緑のフローラルテープを巻く。

がく：

▶「ティーローズ」(P.306)のがくと同じ要領でつくって接着する。ただし、カリックスカッター＃2で抜く。少量の丸めたペーストも同様に接着する。
▶花弁にピンク、花弁の根元にスプリンググリーン、がく、茎にモスグリーンをダスティングする。

葉 *leaf*

▶オールインワンローズの葉と同じ要領でつくって組む。ただし、ローズリーフカッター＃2のみを使う。

つぼみ *bud*

▶淡いピンクのペーストを少量丸めてしずく形にし、先端をフック状に曲げた緑ワイヤー＃22をさしてとめ、乾かす。
▶花のがくと同じ要領でがくをつくり、ワイヤーに下から通し、つぼみを覆って接着する。緑のフローラルテープを巻く。花の場合よりも小さく丸めたペーストも同様に接着する。
▶モスグリーン、バーガンディーをダスティングする。

つる *tendril*

▶緑ワイヤー＃32を竹串に巻きつけてカールさせ、軽くのばす。

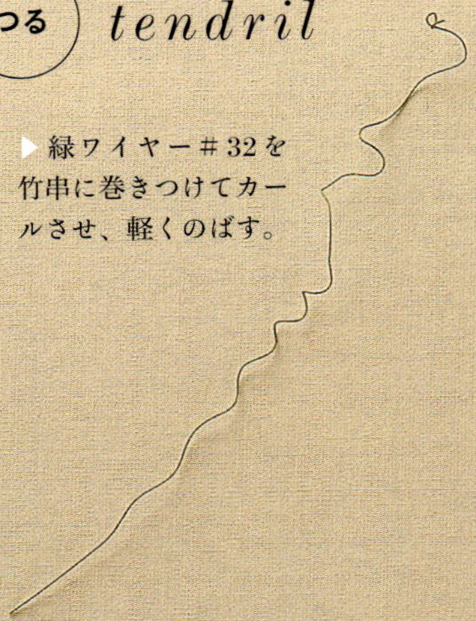

Lily of the Valley　スズラン

花やつぼみが数多く揃うことで、かわいらしさが際立つ花。合理的につくり、組立て方や、フローラルテープを使った細かなディテールの表現で雰囲気を出しました。花とつぼみは完全にうつむかせることが、スズランらしさを出すポイントです。

- フラワーペースト（白、緑）
- 白ワイヤー（＃30）
- 緑ワイヤー（＃24、＃26）
- フローラルテープ（淡い緑、緑）
- ダスティングパウダー（スプリンググリーン、モスグリーン、プリムローズ、フォレストグリーン、バーガンディー）
- ブロッサムプランジカッター
- とうもろこしの皮

つぼみ bud

▶白のペーストを少量丸め、先端をフック状に曲げた白ワイヤー＃30をさしてとめる。乾かす。
▶1/3幅の淡い緑のフローラルテープをペーストのすぐ下から約1cm巻き、5mmほど余分を残して先端を斜めに切り、上向きに反らせる。

花 flower

▶白のペーストをのしてブロッサムプランジカッターで抜き、丸めた少量の白のペーストの上にのせる。
▶中心にブロッサムプランジカッターの押出し弁をあてて押し込み、カップ状にする。
▶先端をフック状に曲げた白ワイヤー＃30をさしてとめ、乾かす。つぼみと同じ要領でフローラルテープを巻く。

花とつぼみの組立て：

▶ つぼみ約3本を、フローラルテープを反らせた位置で上から順に1本ずつ組み、緑のフローラルテープを巻いてまとめる。

▶ 続いて花約5本を順に同じ要領で加えて組み、フローラルテープでまとめる。花を組みはじめたら、支柱として緑ワイヤー＃24を添えて一緒にフローラルテープを巻く。

▶ ピンセットで花首を下向きにし、花の位置が互い違いになるように左右にふる。手で支柱のワイヤーを持ち、茎全体にカーブをつける。

▶ つぼみにスプリンググリーン、プリムローズ、花の根元にモスグリーンをダスティングする。

葉 *leaf*

▶ 「長い花弁・葉をつくる手法」(P255)参照。緑のペースト、緑ワイヤー＃26を使い、カッティングホイールで写真のような形に切り抜き、とうもろこしの皮を押しつける。

▶ リーフシェイパーで葉脈をつけ、縁をボーンスティックでなぞってゆるいカーブをつける。フォレストグリーンをダスティングする。先端にバーガンディーをダスティングしてもよい。

▶ 葉の根元を左右から軽く内側に折り曲げてつぼめる。

Peony　しゃくやく

見事な大輪咲きの花。中心の花弁は3枚弁カッターで抜いたペーストを切り離してつくり、また、外側の花弁になるほど不揃いな切込みを入れて自然さを演出します。花弁の奥深くに花芯が位置するように組み立てることが、美しさの秘訣です。

- フラワーペースト(緑、濃いピンク、淡い緑)
- 緑ワイヤー(＃22、＃28、＃30、＃32)
- 白ワイヤー(＃30)
- フローラルテープ(緑)
- 小ペップ(縦長の突起つき。白)
- ポレーン(レモンイエロー)
- ダスティングパウダー(フォレストグリーン、バーガンディー)
- 3枚弁カッター
- ローズペタルカッター(＃3)
- ペオニーカッター(＃1、＃2、＃3)
- ラウンドローズペタルカッター(＃1、＃2、＃3、＃4)
- ペオニーリーフカッター
- ポインセチアカッターA
- とうもろこしの皮

花　*flower*

雌しべ：
▶少量の緑のペーストを約2cm長さの細い棒状にし、先端をフック状に曲げた緑ワイヤー＃32をさしてとめる。ペーストにカーブをつける。▶3本つくり、外側に開くように組み、緑のフローラルテープでまとめる。バーガンディーをダスティングする。

雄しべ(3束)：
▶半分の長さに切ったペップを、雄しべ1束につき約20本用意する。先端をフック状に曲げた緑ワイヤー＃28に添え、緑のフローラルテープでまとめる。▶先端に卵白を塗り、レモンイエローのポレーンをつける。

花芯(雄しべと雌しべ)の組立て：
▶雌しべの先端がとび出るように、雌しべの周囲に雄しべ3束を添え、緑のフローラルテープを巻いてまとめる。

▶緑のペーストで帯をつくり、ペップとフローラルテープの境目に巻く。

花弁：

［1層め］

▶濃いピンクのペーストを厚めにのし、3枚弁カッターで2枚抜く。

▶2枚とも3等分し、計6枚にする。

▶それぞれ細棒で広げる。上部縁にローズペタルカッター＃3の先で切込みを入れてギザギザにする。

▶竹串で花脈をつけ、縁をボーンスティックで軽くなぞってならし、根元を細くととのえる。

1層め

▶花芯の周囲に6枚貼る。

［＃3］5枚

［2層め］

▶「花弁・葉をつくる手法」(P.254)を参照して5枚つくる。濃いピンクのペースト、ペオニーカッター＃3、白ワイヤー＃30を使う。

▶上部縁にローズペタルカッター＃3の先で切込みを入れてギザギザにする。

▶竹串で花脈をつけ、ボーンスティックで縁をならす。

▶輪にしたティッシュペーパーに寝かせて休ませる。

2層め

▶1層めの周囲に5枚を組み、緑のフローラルテープを巻いてまとめる。

［＃2］6枚

［3層め］

▶2層めと同じ要領で6枚つくる。ただし、ペオニーカッター＃2を使う。また、上部縁にギザギザの切込みを入れた後、さらにカッティングホイールで1ヵ所V字に切込みを入れる。

3層め

▶2層めの周囲に6枚を組んで同様にまとめる。

［＃1］6枚

4層め

［4層め］
▶2層めと同じ要領で6枚つくる。ただし、ペオニーカッター＃1を使う。また、上部縁に切込みを入れた後、さらにカッティングホイールで2ヵ所V字に切込みを入れる。

▶3層めの周囲に6枚を組んで同様にまとめる。

［＃3］3枚

［＃2］3枚

［5層め］
▶2層めと同じ要領で6枚つくる。ただし、ペオニーカッター＃3を使うのは3枚。これは上部縁に切込みを入れた後、さらにカッティングホイールで1ヵ所V字に切込みを入れる。
▶残り3枚はペオニーカッター＃2を使い、上部縁に切込みを入れた後、カッティングホイールで2ヵ所V字に切込みを入れる。

5層め

▶4層めの周囲に2種類の花弁6枚を交互に組んで同様にまとめる。

がくA

がくB

がくA（3枚）：
▶「花弁・葉をつくる手法」（P.254）参照。緑のペーストを使い、ラウンドローズペタルカッター＃1の上下を逆にしてあてて抜く。▶緑ワイヤー＃30を通し、とうもろこしの皮で葉脈をつける。縁をボーンスティックで軽くなぞってならす。

がくB（3枚）：
▶がくAと同じ要領でつくる。ただし、カッティングホイールで写真のような形に切り抜く。▶リーフシェイパーで筋をつけ、フラワーシェイパーで縁をならす。

がくの組立て：
▶がくA、Bともにフォレストグリーン、バーガンディーをダスティングする。花の根元に交互に組んでフローラルテープを巻いてまとめる。

つぼみ *bud*

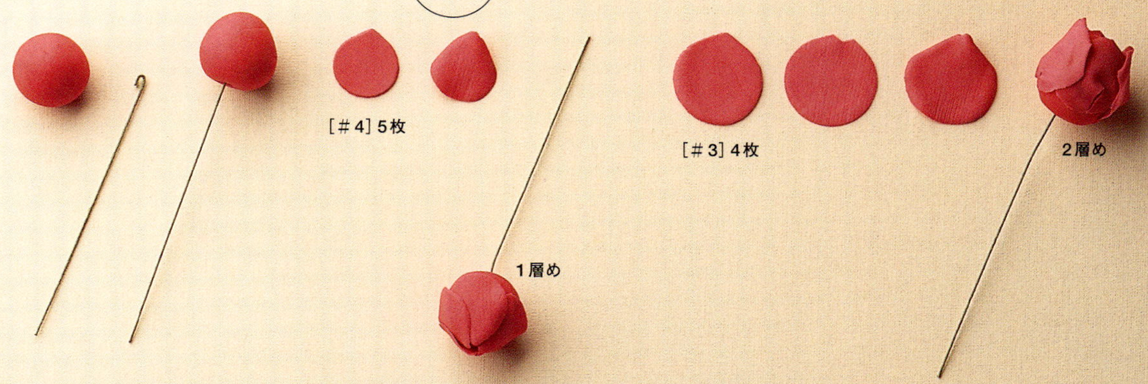

土台：
▶濃いピンクのペーストを丸め、先端をフック状に曲げた緑ワイヤー＃22をさしてとめる。乾かす。

花弁：
[1層め]
▶濃いピンクのペーストをのし、ラウンドローズペタルカッター＃4の上下を逆にしてあてて5枚抜く。▶それぞれとうもろこしの皮で花脈をつけ、ボーンスティックで縁をならし、上部縁を左右から竹串に巻きつけて内側にゆるくカールさせる。▶土台に5枚を貼る。真上から見た時に土台が完全に隠れるようにする。

[2層め]
▶1層めと同じ要領で4枚つくる。ただし、ラウンドローズペタルカッター＃3で抜き、上部の先端にローズペタルカッター＃3の先をあててV字にカットする。
▶1層めの周囲に4枚を写真のように均等に接着する。

[3層め]
▶2層めと同じ要領で4枚つくる。ただし、ラウンドローズペタルカッター＃2で抜く。
▶2層めの周囲に4枚を、2層めの花弁と互い違いの位置に写真のように接着する。

がくC（3枚）：
▶上記の花弁の1層めと同じ要領でつくる。ただし、淡い緑のペーストを使い、ラウンドローズペタルカッター＃3で抜く。

がくD（3枚）：
▶花のがくBと同じ要領でサイズを小さくしてつくる。

がくの組立て：
▶がくC、Dともに花のがくと同様にダスティングする。
▶つぼみの根元にがくCを貼り、がくDを組んで緑のフローラルテープを巻いてまとめる。

葉 *leaf*

葉A：
▶「花弁・葉をつくる手法」（P.254）参照。緑のペースト、ペオニーリーフカッター、緑ワイヤー＃30を使う。
▶リーフシェイパーで葉脈をつけ、指でカーブをつける。
▶輪にしたティッシュペーパーに寝かせて休ませる。

葉B：
▶葉Aと同じ要領でつくる。ただし、ポインセチアカッターAを使い、左右対称に2枚つくる。

葉の組立て：
▶葉A1枚の下に葉B2枚を組み、緑のフローラルテープでまとめる。フォレストグリーン、バーガンディーをダスティングする。

☛ 作品例（P.371）

Hydrangea あじさい

できるだけすき間のない半球状に仕上がるように組立て方を工夫しました。小さなつぼみから開きかけのつぼみ、開ききった花まで表現することで雰囲気が出ます。ひとつの花房の色合いにダスティングでグラデーションをつけると、美しさが際立ちます。

- フラワーペースト（淡い緑、白、紫、緑）
- 緑ワイヤー（＃28、＃30）
- 白ワイヤー（＃18）
- フローラルテープ（緑）
- ポレーン（バイオレット）
- ダスティングパウダー（スプリンググリーン、バイオレット、アフリカンバイオレット、フォレストグリーン）
- ロイヤルアイシング（淡い緑）
- バニッシュ
- あじさいカッター
- ローズペタルカッター（＃3）
- 口金（＃0）

つぼみ *bud*

小さなつぼみ：

▶「プルドフラワー」（P.257）参照。淡い緑のペーストをしずく形にし、カップ状にして4等分の切込みを入れる。

▶各花弁を外側に広げて細棒でのし、フラワーシェイパーで花弁の先端を山型にし、形をととのえる。

▶先端をフック状に曲げた緑ワイヤー＃30をさしてとめる。

▶約30本つくる。3本ずつ組み、それぞれ緑のフローラルテープを巻いてまとめる。(A) 10束できる。

▶A 6束を用意し、そのうちの1束を中心にして周囲に5束を添え、白ワイヤー＃18を添えて緑のフローラルテープでまとめる。(B) ところどころ花弁の縁にバイオレットをダスティングする。

開きかけのつぼみ：

▶「メキシカンハット」(P.257) 参照。白のペーストを使い、あじさいカッターで抜く。

▶各花弁をフラワーシェイパーで整形して裏返し、先端をフック状に曲げた緑ワイヤー＃28をさしてとめ、花弁をつぼめる。

▶スプリンググリーン、バイオレット、アフリカンバイオレットをダスティングする。約20本つくる。

▶2本を組んで緑のフローラルテープでまとめたもの (C) を4束、3本を組んでまとめたもの(D)を4束つくる。

▶C1束、D1束、A1束を組み、フローラルテープでまとめる。(E)

▶Eを4束つくってBの周囲に組み、フローラルテープを巻いてまとめる。

▶各つぼみの中心に淡い緑のロイヤルアイシング(口金＃0)を絞る。(またはB、Eの段階で絞っておいてもよい。)

▶適宜さらにダスティングして花房に色の変化をつける。

花 *flower*

花芯：

▶白のペーストを少量丸め、先端をフック状に曲げた緑ワイヤー＃28をさしてとめる。

▶ペーストの先端に卵白を塗り、バイオレット(花弁と同色)のポレーンをつける。

花弁：

▶「メキシカンハット」(P.257) 参照。紫のペーストを使い、あじさいカッターで抜く。

▶各花弁をフラワーシェイパーで整形して裏返し、星型スティックをさし込んで、花弁をカップ状につぼめると同時に花弁に筋をつける。

▶アフリカンバイオレットをダスティングし、花芯を通してとめる。約52本つくる。

花の組立て：

▶3本を組んで緑のフローラルテープを巻いてまとめたもの（F）を14束、2本を組んで同様にフローラルテープでまとめたもの（G）を5束つくる。

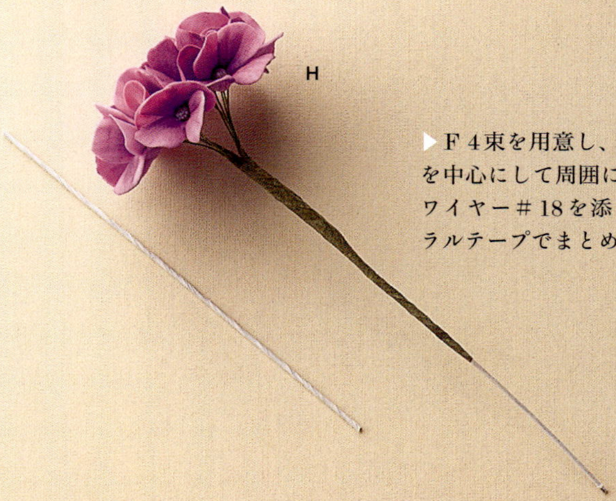

▶F 4束を用意し、そのうちの1束を中心にして周囲に3束を添え、白ワイヤー＃18を添えて緑のフローラルテープでまとめる。（H）

▶F 2束、G1束をフローラルテープでまとめる。（I）

▶Iを5束つくってHの周囲に組み、フローラルテープを巻いてまとめる。
▶適宜さらにダスティングして花房に色の変化をつける。

葉 *leaf*

▶「長い花弁・葉をつくる手法」（P.255）参照。緑のペースト、緑ワイヤー＃28を使い、カッティングホイールで写真のような形に切り抜く。

▶縁にローズペタルカッター＃3の先で切込みを入れてギザギザにする。
▶リーフシェイパーで葉脈をつける。

▶指でカーブをつけ、フォレストグリーンをダスティングする。好みでバニッシュをつけるか蒸気にあててつやを出す。

Japanese Hydrangea がくあじさい

さまざまな方向に花が乱れ咲くがくあじさいは、自然な風情が特徴的。フラワーカッターを使い分け、整形や組立て方を工夫して再現しましょう。凝った構成の花なので、ブーケやアレンジメントにさまざまに組合せ可能。メインの花にも添えの花にも向いています。

- フラワーペースト（緑、白、ラベンダー、青紫）
- 緑ワイヤー（＃20、＃28、＃32）
- 白ワイヤー（＃30、＃32）
- フローラルテープ（淡い緑）
- 極小ペップ（白）
- ダスティングパウダー（スプリンググリーン、アフリカンバイオレット、フォレストグリーン）
- バニッシュ
- 6枚弁カッター（＃2、＃4、＃7、＃8）
- ローズペタルカッター（＃3）

花 *flower*

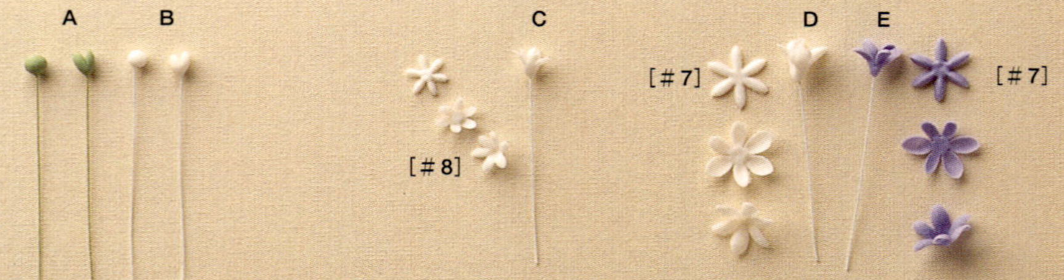

花の中心：

▶緑のペーストを少量丸め、緑ワイヤー＃32をさしてとめる。
▶ペーストに細工用はさみで切込みを入れる。10本つくる。(A)
▶白のペーストとワイヤーを使い、同じ要領で6本つくる。(B)
▶白のペーストを厚めにのし、6枚弁カッター＃8で抜く。
▶各花弁をフラワーシェイパーで広げ、筆の柄の先端をあててカップ状にし、白ワイヤー＃32をさしてとめる。6本つくる。(C)
▶白のペーストを厚めにのし、6枚弁カッター＃7で抜く。
▶花弁を細棒で軽くのし、さらにうち2、3枚を少し広げる。Cの要領で整形し、ワイヤーをさしてとめる。6本つくる。(D)
▶ラベンダーのペーストを使い、Dと同じ要領で6本つくる。(E)

▶緑のペーストを少量丸め、緑ワイヤー＃32をさしてとめる。乾かす。▶青紫のペーストを厚めにのし、6枚弁カッター＃7で抜く。▶各花弁をフラワーシェイパーで広げ、中心にボーンスティックをあててカップ状にする。▶緑のペーストをつけたワイヤーに下から通し、接着する。6本つくる。(F)

花の中心の組立て：

▶A～Fを2～3本ずつ組み、それぞれ淡い緑のフローラルテープを巻いてまとめる。(G)
▶スプリンググリーン、アフリカンバイオレットをダスティングする。

花弁：

[1層め]

▶「メキシカンハット」(P.257)参照。ラベンダーのペーストを使い、6枚弁カッター＃4で抜く。▶各花弁の境目にカッティングホイールで切込みを入れ、花弁を細棒で軽くのす。さらにうち2、3枚を細棒で広げる。▶裏返して各花弁にリーフシェイパーで中心線をひき、中心に星型スティックをあててカップ状にする。▶先端をフック状に曲げた白ワイヤー＃30を通してとめ、短く切ったペップを中心にさしてとめる。乾かす。

[2層め]

▶ラベンダーのペーストをのして6枚弁カッター＃2で抜く。

▶1層めと同じ要領で花弁を整形する。ただし、裏返す必要はなく、カップ状にはしない。

▶1層めのワイヤーに下から通し、1層めにそわせて接着する。アフリカンバイオレットをダスティングする。(H) 8本つくる。

▶H1本とG1束を組み、淡い緑のフローラルテープを巻いてまとめる。(I)

▶Iを4束つくって前後左右対称に組み、淡い緑のフローラルテープを巻いてまとめる。(J)

▶さらにJの各束の間にHを1本ずつ配してフローラルテープでまとめる。

▶中心近くにGを全体のバランスをみながら数束ずつ加え、緑ワイヤー＃20を添えてフローラルテープでまとめる。

葉 *leaf*

▶「あじさい」(P.321)の葉と同じ要領でつくる。

Hydrangea

つぼみから開ききった花まで混在させると、あじさいの
自然な美しさを演出できる。

Japanese Hydrangea

別名「隅田の花火」とも呼ばれる、がくあじさい。乱れ咲く自然な風情は、まさに夕暮れ時に打ち上げられた花火のような美しさ。

Japanese Iris　かきつばた

「かきつばた」は、あやめのなかでも特に日本らしい美しさが際立つ花。オリジナル型紙でつくります。構成が複雑で、花弁や葉の表情づけがポイントになることから、花弁や葉は生乾きのうちに組み立てて形をととのえるとよいでしょう。

- フラワーペースト（紫、淡い緑、緑、白）
- 白ワイヤー（＃30）
- 緑ワイヤー（＃22）
- フローラルテープ（緑）
- ダスティングパウダー（ディープパープル、ホワイト、レモンイエロー、モスグリーン）
- かきつばた（内花弁、外花弁A・B）のオリジナル型紙（P.420）
- ローズペタルカッター（＃2、＃3）
- とうもろこしの皮

内花弁（3枚）：
▶「長い花弁・葉をつくる手法」（P.255）参照。紫のペースト、白ワイヤー＃30を使い、内花弁の型紙をあてて切り抜く。▶リーフシェイパーで中心線をひき、竹串で花脈をつける。縁をボーンスティックでなぞってゆるいカーブをつける。▶さらに指で全体にカーブをつけ、ペーストの根元をつぼめて細くする。▶ディープパープルをダスティングする。

内花弁の組立て：
▶生乾きのうちに内花弁3枚を組み、緑のフローラルテープを巻いてまとめる。
▶ホワイトのダスティングパウダーを蒸留酒で溶き、各花弁の外側の根元にラインを描く。

花と葉　*flower & leaf*

外花弁（3枚）：
▶パーツAを内花弁と同じ要領でつくる。ただし外花弁Aの型紙を使い、花弁の上部を反らせ、根元をつぼめる。また、1枚ずつ整形・ダスティングまで通して仕上げてはパーツBをつける。▶パーツBは、紫のペーストを薄くのして外花弁Bの型紙をあてて切り抜く。ボーンスティックでハート部分にゆるいカーブをつけて反らし、下部は軽くつぼめてパーツAと同様にダスティングする。1枚ずつつくる。▶レモンイエローのダスティングパウダーを蒸留酒で溶き、パーツAの内側上部にラインを描く。

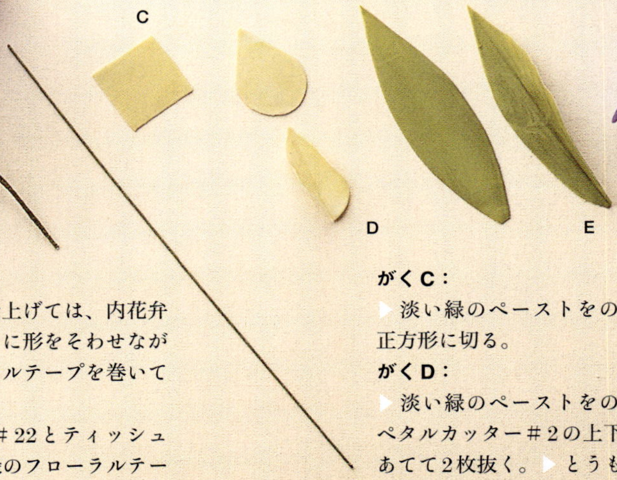

外花弁の組立て：

▶外花弁を1枚ずつ仕上げては、内花弁のすき間をうめるように形をそわせながら組み、緑のフローラルテープを巻いてまとめる。

▶さらに緑ワイヤー＃22とティッシュペーパーを添えて、緑のフローラルテープを巻く。

がくC：

▶淡い緑のペーストをのし、小さな正方形に切る。

がくD：

▶淡い緑のペーストをのし、ローズペタルカッター＃2の上下を逆にしてあてて2枚抜く。▶とうもろこしの皮で筋をつけ、リーフシェイパーで中心線をひく。左右から内側に折り曲げる。

葉E：

▶緑のペーストをのしてカッティングホイールで写真のような形に2枚切り抜く。がくDと同様に筋をつけて整形する。

がくと葉の組立て：

▶外花弁の根元にがくCを巻きとめ、さらにがくD、葉Eを互い違いに順に接着する。モスグリーンをダスティングする。

つぼみ *bud*

▶白のペーストを少量丸めてしずく形にし、先端をフック状に曲げた緑ワイヤー＃22をさしてとめ、土台とする。

▶紫のペーストをのしてローズペタルカッター＃3で3枚抜く。

▶それぞれボーンスティックで縁を軽くなぞってならし、竹串で花脈をつける。土台に巻きつけて接着する。

▶白のペーストを少量丸めて俵形にし、ワイヤーに下から通してつぼみの根元に接着する。

▶つぼみのワイヤーに緑ワイヤー＃22とティッシュペーパーを添え、緑のフローラルテープを巻く。

▶上記のD、Eと同じ要領でがくと葉を2枚ずつつくる。ただし、がくはローズペタルカッター＃3を使う。葉もサイズを小さくする。

▶がくと葉を上記の要領でつぼみの根元から接着し、ダスティングする。

Casablanca Lily

カサブランカ

純白の清楚な美しさ、そして大輪でインパクトがあることから、ブライダルの定番の花です。花弁のウエーブや突起模様、しっとりとした質感など、ディテールをていねいに表現しましょう。下部をふっくら見せるつぼみのつくり方は私流です。

- フラワーペースト（白、淡い緑、緑）
- 白ワイヤー（＃30）
- 緑ワイヤー（＃20、＃30）
- フローラルテープ（白）
- ダスティングパウダー（バイオレット、スプリンググリーン、レッド、バーガンディー、パールホワイト、フォレストグリーン）
- カサブランカカッター（内花弁、外花弁）

花 *flower*

雌しべ：

▶「ペーストの花芯」(P.248) 参照。白のペーストをしずく形にし、白ワイヤー＃30をさしてとめる。▶頭部を残してペーストを下にのばし、カサブランカカッター（内花弁）の約8割の長さにする。頭部にカッターナイフで3等分の切込みを入れる。▶カーブをつけ、バイオレット、スプリンググリーンをダスティングする。

雄しべ（6本）：

▶少量の淡い緑のペーストをボート形にし、先端をフック状に曲げた白ワイヤー＃30をさしてとめる。乾かす。

▶ペーストの上面に卵白を塗り、レッド、バーガンディーのダスティングパウダーをつける。

▶ワイヤーにショートニングをつけ、スプリンググリーンをダスティングする。

花芯（雄しべと雌しべ）の組立て：

▶雌しべの先端がとび出るように、雌しべの周囲に雄しべ6本を添え、白のフローラルテープを巻いてまとめる。

▶ダスティングパウダーが散らないようにラップで覆っておく。

内花弁（3枚）：
▶「長い花弁・葉をつくる手法」（P.255）参照。白のペースト、白ワイヤー＃30、カサブランカカッター（内花弁）を使う。
▶ワイヤーの山に竹串をあてて中心線をつけ、竹串で花脈をつける。縁をボーンスティックでなぞってウエーブをつける。▶裏にリーフシェイパーの先端をあてて細かなくぼみをつける（表に突起模様ができる）。▶全体にパールホワイト、中心にスプリンググリーンをダスティングする。

内花弁の組立て：
▶花芯の周囲に内花弁3枚を生乾きのうちに、根元を互い違いにして組み、白のフローラルテープを巻いてまとめる。
▶発泡スチロール製の立体成形型にさし、フラワースタンドにさして乾かす。

外花弁の組立て：
▶外花弁を1枚ずつ仕上げては、内花弁のすき間をうめるように形をそわせながら組み、白のフローラルテープを巻いてまとめる。
▶内花弁と同じ要領で乾かす。
▶茎にティッシュペーパーを添え、白のフローラルテープを巻く。

外花弁（3枚）：
▶内花弁と同じ要領でつくる。ただし、外花弁のカッターを使う。また、1枚ずつ整形・ダスティングまで通して仕上げる。

葉 *leaf*

▶「長い花弁・葉をつくる手法」(P.255) 参照。緑のペースト、緑ワイヤー＃30を使い、カッティングホイールで写真のような形に切り抜く。
▶リーフシェイパーで葉脈をつけ、縁をフラワーシェイパーでなぞってならし、指でカーブをつける。
▶フォレストグリーンをダスティングする。

つぼみ *bud*

▶白のペーストを丸めてしずく形にし、先端をフック状に曲げた緑ワイヤー＃20をさしてとめ、土台とする。乾かす。

▶白のペーストを3つ棒状にし、それぞれ根元1cmを残して細棒でのす。
▶フラワーシェイパーで幅を広げ、中心線をひく。
▶土台に3枚を順に、一部重なるように配して貼る。中央部はふっくらさせ、先端部は細くつぼまった形にととのえる。
▶全体にパールホワイト、各花弁の中心と根元にスプリンググリーンをダスティングする。
▶ワイヤーにティッシュペーパーを添え、淡い緑のフローラルテープを巻く。

Blue Hibiscus ブルーハイビスカス

ハイビスカスのなかでもとびきりさわやかな印象のブルーハイビスカスをとり上げました。花弁は実物よりも少々つぼめて組み立てた方が、上品な印象になります。

- フラワーペースト(水色、緑)
- 白ワイヤー(#26、#30)
- 緑ワイヤー(#20、#24、#30)
- フローラルテープ(白、緑)
- 小ペップ(球形の突起つき。白)
- 極小ペップ(白)
- ポレーン(ブルーベル、プリムローズ)
- ダスティングパウダー(ブルーベル、フォレストグリーン、バーガンディー)
- ハイビスカスカッター
- カリックスカッター(#2、#3)
- 6枚弁カッター(#4、#5)
- リーフカッターB
- リーフカッターA(#1)

花 *flower*

花芯：

▶小ペップ5本を短めに切って、球形の突起を輪のように組み、白のフローラルテープを巻いてまとめる。

▶さらに白ワイヤー#26を添えてフローラルテープを巻く。

▶水色のペーストを薄くのして6.5cm×1.5cmに切り、ワイヤーに巻いて接着する。

▶指でカーブをつけ、ペップの先端に卵白を塗ってブルーベルのポレーンをつける。

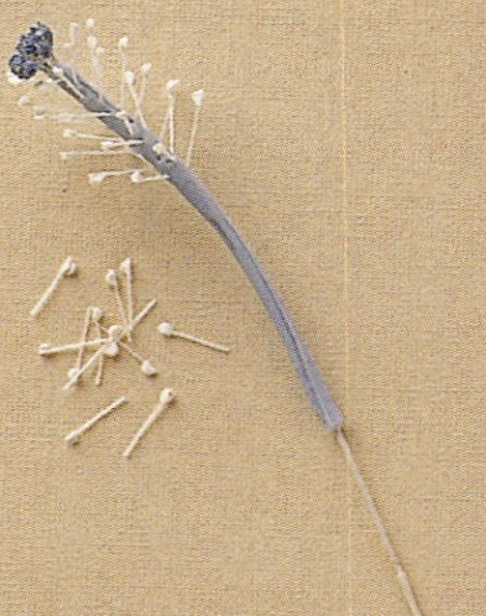

▶短く(1cm以内)切った極小ペップを、ペーストが乾かないうちにペーストの上部1/2弱の範囲にできるだけ多くさしてとめる。

▶ブルーベルのダスティングパウダーを蒸留酒で溶き、ペーストにさしたペップの首に塗る。

▶さらに、ペップの先端に卵白を塗り、プリムローズのポレーンをつける。

▶ペーストの下部にブルーベルをダスティングする。

花弁（5枚）：

▶「長い花弁・葉をつくる手法」（P.255）参照。水色のペースト、白ワイヤー＃30を使う。

▶ペーストをハイビスカスカッターの長さより少し長めの棒状にし、つくる花弁の約2倍の幅に薄くのす。

▶ワイヤーを置く位置に細筆で卵白を塗り、ワイヤーを置く。

▶ペーストを半分に折りたたんでワイヤーを挟み、固定する。

▶ワイヤーの周囲を細棒でふたたび薄くのし、ハイビスカスカッターで抜く。

▶竹串で花脈をつける。縁をボーンスティックでなぞってウエーブをつけ、外側にゆるくカールさせる。

▶根元を中心にブルーベルをダスティングし、輪にしたティッシュペーパーに寝かせて休ませる。

▶花芯の周囲に花弁5枚を、それぞれが一部重なるように配して組み、緑のフローラルテープを巻いてまとめる。

▶大きめに切ったアルミホイルを茎の下から通して花弁を囲むようにあてる。花弁の配置、開き具合をととのえてアルミホイルで固定し、フラワースタンドにさして乾かす。

がくA

がくB

がくA：

▶緑のペーストを薄くのし、カリックスカッター＃2で抜く。

▶ボーンスティックをあててカーブをつけ、リーフシェイパーでがく片に中心線をひく。

がくB：

▶緑のペーストを薄くのし、6枚弁カッター＃4で抜く。

▶リーフシェイパーでがく片に中心線をひく。

がくの組立て：

▶花の茎にA、Bの順にがくを下から通し、花の根元に接着する。フォレストグリーン、バーガンディーをダスティングする。

▶緑ワイヤー＃20とティッシュペーパーを添え、緑のフローラルテープを巻いてまとめる。

葉 *leaf*

▶「花弁・葉をつくる手法」(P.254)参照。緑のペーストをワイヤーを通す山を残して薄くのし、リーフカッターB、リーフカッターA(＃1)で抜く。緑ワイヤー＃30を通す。

▶リーフシェイパーで葉脈をつけ、縁をボーンスティックでなぞってカーブをつける。フォレストグリーンをダスティングし、根元を軽くつぼめる。

つぼみ *bud*

花弁：

▶「プルドフラワー」(P.257)参照。水色のペーストをしずく形にし、カップ状にする。

▶星型スティックをあてて5等分のラインをつけ、ラインにそって細工用はさみで5等分の切込みを入れる。

▶フラワーシェイパーで各花弁の先端を山型にととのえる。先端をフック状に曲げた緑ワイヤー＃24をさしてとめる。

▶花弁をねじってつぼめ、ブルーベルをダスティングする。

がくC：

▶「メキシカンハット」(P.257)参照。緑のペーストを使い、カリックスカッター＃3で抜く。

▶花のがくAと同じ要領で整形し、中心に筆の柄の先端をあててカップ状にする。

がくD：

▶花のがくBと同じ要領でつくる。ただし、6枚弁カッター＃5を使う。

がくの組立て：

▶花のがくと同じ要領でC、Dの順につぼみに接着し、ダスティングする。

▶ワイヤーにティッシュペーパーを添え、緑のフローラルテープを巻く。

がくC

がくD

Sunflower ひまわり

一歩間違うと粗野な印象になりがちなひまわりを、上品にかわいらしく、表情豊かに仕上げるつくり方をご紹介します。花芯はあまり大きくしないことがポイント。また、花弁の間にアルミホイルを挟み、花弁同士が重なるのを防ぎましょう。

- フラワーペースト（緑、黄色、淡い緑）
- 緑ワイヤー（＃20、＃30）
- フローラルテープ（緑、淡い緑）
- 小ペップ（縦長の突起つき。白）
- ポレーン（ブラウン、レモンイエロー）
- ダスティングパウダー（スプリンググリーン、レモンイエロー、タンジェリン、フォレストグリーン、モスグリーン）
- ひまわりカッター
- 6枚弁カッター（＃1）
- カリックスカッター（＃1、＃2、＃3）
- デイジーカッター（＃2）
- クロスステッチボード

花 *flower*

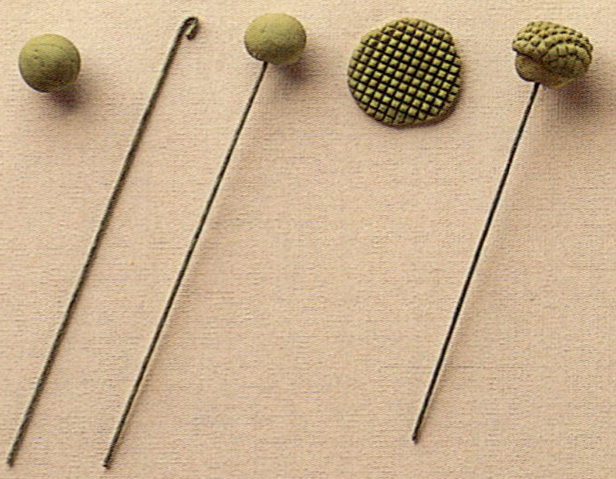

花芯：

▶ 緑のペーストを少量丸め、先端をフック状に曲げた緑ワイヤー＃20をさしてとめる。乾かす。▶ 緑のペーストを少量丸め、クロスステッチボードを押しつけて細かい格子模様をつける。円形にし、丸めたペーストの上面に接着する。水を塗ってブラウンのポレーンをつけ、スプリンググリーンをダスティングする。

▶ 半分の長さに切ったペップ約10本を緑のフローラルテープで1束にまとめる。7束つくる。

▶ ペップを指で折り、不揃いにする。先端に卵白を塗り、ブラウンとレモンイエローのポレーンをつける。

花芯の組立て：

▶ 円形ペーストの周囲にペップ7束を添え、緑のフローラルテープを巻いてまとめる。

A

花弁：

▶黄色のペーストをのし、ひまわりカッターで2枚抜く。うち1枚半を使う。

▶1/4サイズに6枚カットし、各花弁の境目にカッティングホイールで中心近くまで切込みを入れる。

▶各花弁をフラワーシェイパーで縦にのばし、細棒で幅を広げ、竹串で花脈をつける。

▶さらに各花弁にリーフシェイパーで筋を2本ずつひく。(A)

▶黄色のペーストをのし、6枚弁カッター＃1で2枚抜く。

▶四角く切ったアルミホイルの中央に6枚弁のペースト1枚をのせ、もう1枚を花弁が互い違いになるように重ねて接着する。その上からA2枚を写真のように対角線上に置いて接着する。

▶さらにA2枚を、すでに置いた2枚に半分重なるように置いて接着する。

▶残りの2枚も同じ要領で置いて接着する。

▶花の中心にボールスティックをあて、もう片方の手でアルミホイルごと花弁を持ち上げてカップ状にする。

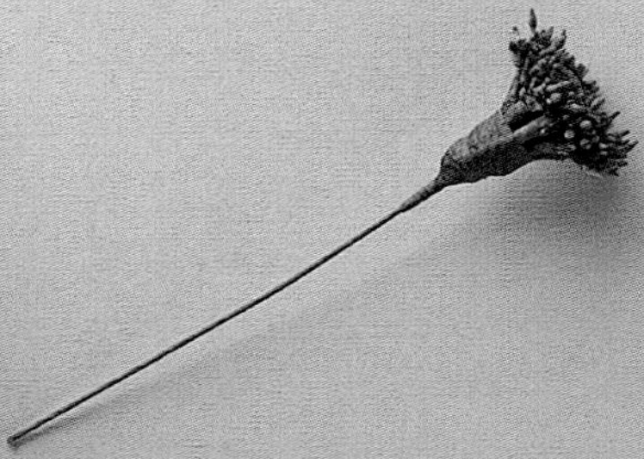

▶花の中心に卵白を塗って花芯をさしてとめ、アルミホイルごとフラワースタンドにさして乾かす。

▶アルミホイルは各花弁の間にも挟み、花弁同士が重ならないようにする。

▶花弁の内側根元にレモンイエロー、タンジェリンをダスティングする。

がくA

がくA：

▶緑のペーストをのし、カリックスカッター＃1で2枚抜く。

▶ボーンスティックでのばしてカーブをつけ、がく片にリーフシェイパーで中心線をひく。

▶がく片を10枚に切り離す。

がくB

がくB：

▶「メキシカンハット」(P.257) 参照。緑のペーストを使い、カリックスカッター＃1で抜く。

▶がくAと同じ要領で整形し、中心に細棒の太い側をあててカップ状にする。

▶がくAを花弁の根元にまず5枚貼り、その下側にすき間をうめるようにして残り5枚を貼る。

▶茎にティッシュペーパーを添え、淡い緑のフローラルテープを巻く。

▶続いてがくBを茎に下から通し、がくAの根元に接着する。

▶がくと茎の境目を中心にフォレストグリーンをダスティングする。

つぼみ *bud*

▶淡い緑のペーストを丸め、先端をフック状に曲げた緑ワイヤー＃20をさしてとめる。乾かす。

▶淡い緑のペーストをのし、デイジーカッター＃2で抜く。
▶各花弁を細工用はさみで2等分する。それぞれボーンスティックでのばし、先端をゆるくカールさせる。

▶ワイヤーに下から通して、丸めたペーストに接着する。
▶先端にレモンイエローをダスティングする。

▶淡い緑のペーストをのし、カリックスカッター＃2、＃3で1枚ずつ抜く。
▶各がく片をボーンスティックでのばしてカーブをつけ、リーフシェイパーで中心線をひく。

▶つぼみのワイヤーにがくを＃3、＃2の順に下から通し、接着する。

▶さらに、淡い緑のペーストを花のがくBと同様に抜いて整形し、下から通して接着する。
▶ティッシュペーパーを添えて淡い緑のフローラルテープを巻く。がくにモスグリーン、がくと茎の境目を中心にフォレストグリーンをダスティングする。

葉 *leaf*

▶「花弁・葉をつくる手法」(P.254)参照。淡い緑のペーストをワイヤーを通す山を残して薄くのし、カッティングホイールで写真のような形に切り抜く。▶緑ワイヤー＃30を通し、リーフシェイパーで葉脈をつける。▶指でカーブをつけ、フォレストグリーンをダスティングする。淡い緑のフローラルテープを巻く。

Dahlia Pompon

ポンポンダリア

1枚1枚筒状にカールした花弁が特徴。ペーストを竹串に巻きつけてきついカールをつけ、根元をスモッキング用ピンセットでつまんで形を固定します。組立ては、どこから見ても丸い形に見えるようにすることがポイントです。

- フラワーペースト（赤、黄色、黄緑、緑、淡い緑）
- 緑ワイヤー（＃22、＃30）
- フローラルテープ（緑）
- 極小ペップ（白）
- ポレーン（レモンイエロー）
- ダスティングパウダー（タンジェリン、レッド、フォレストグリーン、バーガンディー）
- バニッシュ
- デイジーカッター（＃1、＃2、＃3）
- 6枚弁カッター（＃2、＃4、＃5）
- ローズペタルカッター（＃3）
- スモッキング用ピンセット

花 *flower*

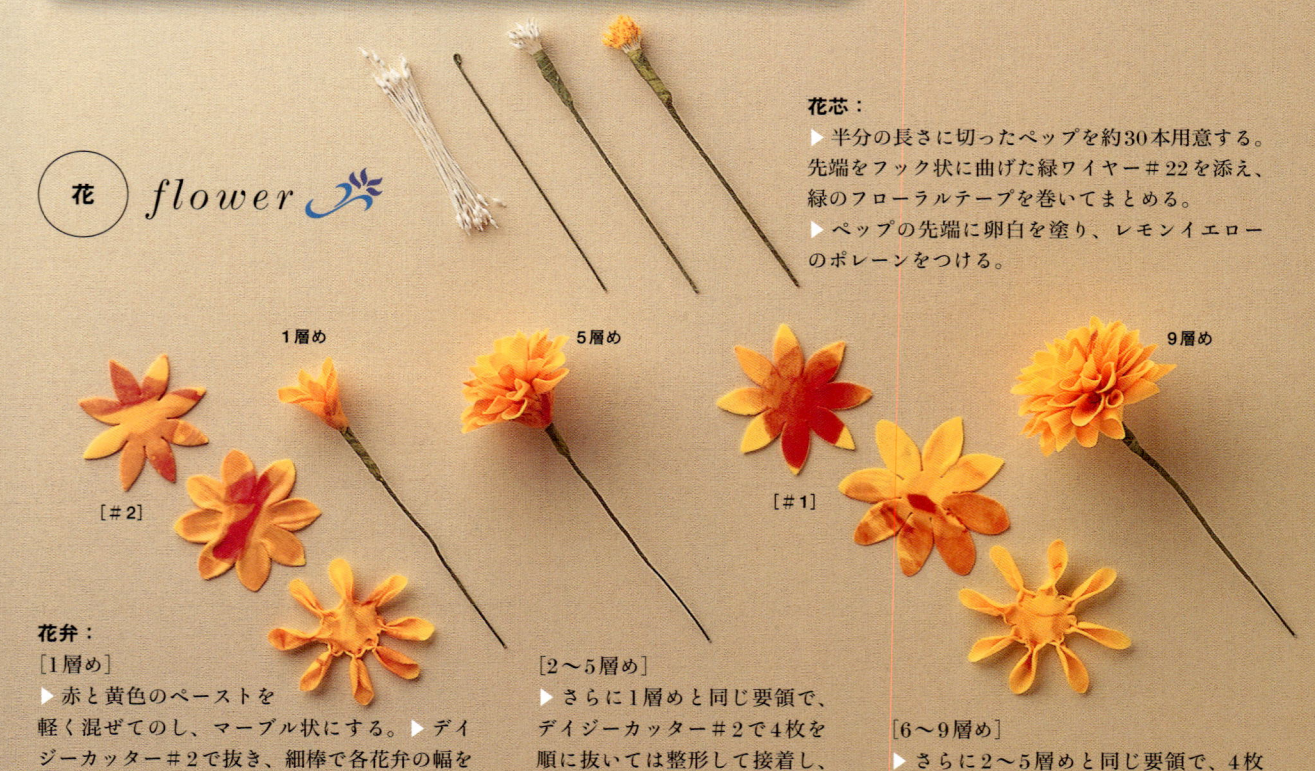

花芯：

▶半分の長さに切ったペップを約30本用意する。先端をフック状に曲げた緑ワイヤー＃22を添え、緑のフローラルテープを巻いてまとめる。

▶ペップの先端に卵白を塗り、レモンイエローのポレーンをつける。

花弁：

[1層め]

▶赤と黄色のペーストを軽く混ぜてのし、マーブル状にする。▶デイジーカッター＃2で抜き、細棒で各花弁の幅を広げる。▶各花弁を両側から竹串で巻いてカールさせ、各根元を裏からスモッキング用ピンセットでつまんでしめる。▶花芯のワイヤーを上から通し、つぼめて接着する。乾かす。

[2〜5層め]

▶さらに1層めと同じ要領で、デイジーカッター＃2で4枚を順に抜いては整形して接着し、乾かす。ただし、花弁の長さは、層が増えるごとに少しずつボーンスティックで長くのばす。

[6〜9層め]

▶さらに2〜5層めと同じ要領で、4枚を順に抜いては整形・接着して乾かす。ただし、デイジーカッター＃1で抜く。

▶花弁の縁にタンジェリン、レッドをダスティングする。

がく：
▶黄緑のペーストをのし、6枚弁カッター＃2で2枚抜く。
▶各がく片の縁をボーンスティックでなぞってならし、花の茎に順に下から通す。がく片が互い違いになるように接着する。
▶がくにバニッシュを塗ってつやを出す。

▶緑のペーストをのし、6枚弁カッター＃4で抜く。
▶ボーンスティックでがく片をならし、カップ状にして茎に通す。黄緑のがくの下に少し浮かせぎみに接着する。
▶茎にティッシュペーパーを添え、緑のフローラルテープを巻く。

▶花首を曲げ、がくと茎の境目を中心にフォレストグリーン、バーガンディーをダスティングする。

つぼみ *bud*

▶緑のペーストを少量丸め、先端をフック状に曲げた緑ワイヤー＃22をさしてとめる。乾かす。(A)
▶赤と黄色のペーストを軽く混ぜてのし、デイジーカッター＃3で2枚抜く。各花弁を細工用はさみで2等分する。
▶各花弁をフラワーシェイパーでなぞってゆるくカールさせ、Aのワイヤーに順に下から通し、接着する。
▶淡い緑のペーストをのし、デイジーカッター＃3で抜く。
▶各弁をフラワーシェイパーでなぞり、つぼみのワイヤーに通し、つぼみにそわせて接着する。バニッシュを塗ってつやを出す。
▶緑のペーストを6枚弁カッター＃5で抜く。各弁をボーンスティックでなぞってカップ状にして各先端を反らせる。
▶淡い緑のペーストの下に接着する。
▶がくにフォレストグリーン、バーガンディーを、つぼみにタンジェリンをダスティングする。

葉 *leaf*

葉A：
▶「花弁・葉をつくる手法」(P.254)参照。淡い緑のペーストをワイヤーを通す山を残して薄くのし、カッティングホイールで写真のような形に切り抜く。
▶上部縁にローズペタルカッター＃3の先端をあててギザギザにカットし、緑ワイヤー＃30を通す。
▶リーフシェイパーで葉脈をつける。

葉B：
▶葉Aと同じ要領で小さくつくる。

葉の組立て：
▶葉A1枚の下に葉B2枚を組み、緑のフローラルテープを巻いてまとめる。
▶フォレストグリーンをダスティングする。

Eustoma Double

トルコききょう（八重咲き）

ブライダルにも人気の八重咲きのトルコききょう。花嫁のドレスのように花弁がふんわりと広がり、花首が細いのが特徴です。花弁がきつく巻きついたつぼみは、名前の由来とされるようにトルコ人のターバンに似ています。可憐かつ華やかな花です。

- フラワーペースト（淡い緑、黄色、クリーム色、緑）
- 緑ワイヤー（＃22、＃30）
- 白ワイヤー（＃30）
- ポレーン（グリーン、レモンイエロー）
- フローラルテープ（緑）
- ダスティングパウダー（パールホワイト、スプリンググリーン、モスグリーン、フォレストグリーン）
- ペオニーカッター（＃2）
- ローズペタルカッター（＃1）

花 *flower*

雌しべ：

▶少量の淡い緑のペーストを棒状にし、裏面にボーンスティックをあててふたつくぼみをつける。表面の中央をピンセットでつまむ。▶先端をフック状に曲げた緑ワイヤー＃30をさしてとめ、乾かす。上面に卵白を塗ってグリーンのポレーンをつける。▶淡い緑のペーストをラグビーボール形にして下から通し、棒状のペーストの約5mm下にとめて乾かす。

雄しべ（6本）：

▶少量の黄色のペーストを棒状にし、白ワイヤー＃30をさしてとめる。ペーストに卵白を塗り、レモンイエローのポレーンをつける。

花芯（雄しべと雌しべ）の組立て：

▶雌しべのラグビーボール形ペーストの周囲に雄しべ6本をそわせ、緑のフローラルテープを巻いてまとめる。

内花弁（5枚）：

▶クリーム色のペーストをのし、ペオニーカッター＃2で1枚抜く。

▶根元の両側を少しカットして竹串で花脈をつけ、パールホワイトをダスティングする。

▶根元を中心にスプリンググリーンをダスティングし、上部縁をボーンスティックでなぞってウエーブをつける。

▶指で根元をカップ状にし、上部縁は外側にゆるくカーブさせる。輪にしたティッシュペーパーに寝かせて休ませる。

▶花芯のラグビーボール形ペーストに貼る。

▶同じ要領でもう4枚を、1枚ずつつくっては少しずつ重なるように接着する。

外花弁(5枚)：
▶「長い花弁・葉をつくる手法」(P.255)参照。クリーム色のペースト、白ワイヤー＃30を使い、ペオニーカッター＃2で抜く。
▶根元の両側を少しカットし、内花弁と同じ要領で整形・ダスティングする。指で全体にカーブをつけ、輪にしたティッシュペーパーに寝かせて休ませる。
▶内花弁の周囲に外花弁5枚を組み、緑のフローラルテープを巻いてまとめる。

がく：
▶緑のフローラルテープを短めに5枚切る。上部を山型にカットしてとがらせ、指でこよりにして細長くする。▶アラビアガムを湯または水で溶いて幅広の面に塗り、各外花弁の中心にそって花の根元に貼る。緑のフローラルテープを巻く。▶がくにモスグリーンをダスティングする。

つぼみ *bud*

土台：
▶クリーム色のペーストを少量丸めてしずく形にし、先端をフック状に曲げた緑ワイヤー＃22をさしてとめる。乾かす。

花弁：
[1層め]
▶クリーム色のペーストをのしてローズペタルカッター＃1で抜く。
▶縁をボーンスティックでならし、パールホワイトをダスティングする。丸みのある側を上にして土台に巻きつける。

[2層め]
▶1層めと同様に4枚抜く。竹串で花脈をつけ、縁をボーンスティックでなぞってゆるいカーブをつける。▶全体にパールホワイト、根元を中心にスプリンググリーンをダスティングする。この面が外側になる。▶4枚を1層めの周囲に均等につけ、4枚を同時に巻く。各花弁の端が横向きになるまで両手を使ってきつくペーストをねじる。スプリンググリーンをダスティングする。

がく：
▶花のがくと同様に5枚つくり、つぼみの周囲に均等に貼ってフローラルテープを巻く。同様にダスティングする。

葉 *leaf*

▶「花弁・葉をつくる手法」(P.254)参照。緑のペーストをワイヤーを通す山を残して薄くのし、カッティングホイールで写真のような形に切り抜く。
▶緑ワイヤー＃30を通し、リーフシェイパーで葉脈をつける。
▶指でカーブをつけ、フォレストグリーンをダスティングする。

Cosmos

コスモス

花芯を強調することでコスモスらしさ、かわいらしさを際立たせました。花が風にゆれる可憐な姿は、花弁の位置をあえて不揃いにして表現します。フローラルテープのこよりを上手に使って自然さを演出しましょう。

- フラワーペースト（ピンク、黄色、淡い緑、緑）
- 緑ワイヤー（＃22、＃32）
- フローラルテープ（緑）
- 極小ペップ（白）
- ポレーン（レモンイエロー）
- ダスティングパウダー（フューシャピンク、プラム、モスグリーン）
- バニッシュ
- 8枚弁カッター（＃1）
- ローズペタルカッター（＃3）
- 6枚弁カッター（＃8）
- デイジーカッター（＃2、＃4、＃5）

花 *flower*

花芯：

▶半分の長さに切ったペップを約40本用意する。先端をフック状に曲げた緑ワイヤー＃22を添え、緑のフローラルテープを巻いてまとめる。▶ペップの先端に卵白を塗り、レモンイエローのポレーンをつける。

A

花弁：

▶「メキシカンハット」（P.257）参照。ピンクのペーストを使い、8枚弁カッター＃1で抜く。

▶各花弁の幅を細棒で広げ、先端をローズペタルカッター＃3の先で2ヵ所ずつV字にカットする。

▶各花弁の境目にカッティングホイールで中心の突起まで切込みを入れる。

▶各花弁の縁をフラワーシェイパーでなぞってならし、裏返して中心に細棒の太い側をあててカップ状にくぼませる。各花弁にリーフシェイパーで筋を2本ずつひく。

▶花芯をさしてとめ、アルミホイルを下から通して花弁を囲むようにあてる。花弁の配置、開き具合をととのえてアルミホイルで固定し、フラワースタンドにさして乾かす。(A)

▶黄色のペーストをのして6枚弁カッター＃8で複数抜き、筆の柄の先端をあててカップ状にする。(B)

▶Aの花弁の中心にフューシャピンクをダスティングし、Bを数個接着する。

B

がく：

▶淡い緑のペーストをのし、デイジーカッター＃5で抜く。
▶ボーンスティックでならし、花の茎に下から通し、花の根元に接着する。
▶全幅と1/2幅の緑のフローラルテープをそれぞれ短めに切る。
▶上部に細工用はさみで6等分（全幅）、2等分（1/2幅）の切込みを入れ、それぞれ先端を斜めにカットし、指でこよりにして細長くする。
▶計8本のこよりを花首に接着する。
▶茎にティッシュペーパーを添え、緑のフローラルテープを巻く。

つぼみ *bud*

▶緑のペーストを少量丸める。先端をフック状に曲げた緑ワイヤー＃22をさしてとめ、土台とする。乾かす。▶ピンクのペーストをのし、デイジーカッター＃2で抜く。各花弁をボーンスティックでならし、ワイヤーに下から通して土台を覆う。▶さらに、淡い緑のペーストをのしてデイジーカッター＃4で抜き、土台のワイヤーに下から通し、接着する。緑のフローラルテープを巻く。▶1/2幅の緑のフローラルテープを短めに8枚切る。それぞれ上部を山型にカットしてとがらせ、指でこよりにして細長くする。▶アラビアガムを湯または水で溶いて幅広の面に塗り、土台の根元に均等に貼る。▶ワイヤーにティッシュペーパーを添え、緑のフローラルテープを巻く。▶つぼみにプラム、がくにモスグリーンをダスティングする。つぼみにバニッシュを塗ってつやを出す。

葉 *leaf*

▶全幅の緑のフローラルテープを1/4幅にカットし、適当な長さに切る。▶それぞれ指でこよりにして細長くし、不揃いに切っていくつかの束にまとめる。

▶緑ワイヤー＃32に緑のフローラルテープを巻いて茎とする。これにこよりの束を組んでフローラルテープでまとめる。

☛ 作品例

八重咲きのトルコききょうのロマンチックな雰囲気を生かしたアレンジメント。ガラスの器にドライフラワーを詰めてトルコききょうを固定している。ドライフラワーとともに飾ることで香りも楽しめる仕立て。トルコききょうの特徴のひとつは、花のボリュームに比べて花首が細いこと。つぼみを印象的にあしらうことで花首の細さが際立ち、より可憐な印象になる。

秋の花コスモス、ワレモコウ、りんどうを合わせたアレンジメント。乱れ咲いている自然な風情を大切にした、キャスケードスタイル。

☛ **作品例**（P.389）

Spider Chrysanthemum スパイダー菊

くねくねと曲がった細長い花弁の表情がユニークな花。フラワーカッターで抜く花弁と、ワイヤー入り花弁が自然になじむように組みましょう。つぼみは、フラワーカッターで抜いた花弁をつけたどの段階でがくをつけてもよく、それぞれ一分～七分咲きを表現できます。

- フラワーペースト(緑、淡い緑)
- 緑ワイヤー(＃24、＃30)
- 白ワイヤー(＃35)
- フローラルテープ(緑)
- ポレーン(レモンイエロー)
- ダスティングパウダー (フォレストグリーン、バーガンディー)
- 6枚弁カッター(＃1、＃2、＃3、＃4、＃5)
- 菊の葉カッター
- 毛糸針

花 *flower*

花芯：

▶緑のペーストを少量丸め、先端をフック状に曲げた緑ワイヤー＃24をさしてとめる。乾かす。

▶ペーストの上面に卵白を塗り、レモンイエローのポレーンをつける。

花弁：

▶緑のペーストと淡い緑のペーストをそれぞれ薄くのし、2枚を重ねてさらにのす。6枚弁カッター＃4で2枚抜く。

▶1枚は淡い緑の面を上にし、もう1枚は緑の面を上にする。

▶それぞれ各花弁に細工用はさみで2～3等分の切込みを入れ、ボーンスティックで花弁をのばし、内側にゆるくカールさせる。

▶まず、上面が淡い緑のペーストを花芯のワイヤーに下から通して花芯を覆い(A)、次に上面が緑のペーストを同様に接着する。(B)

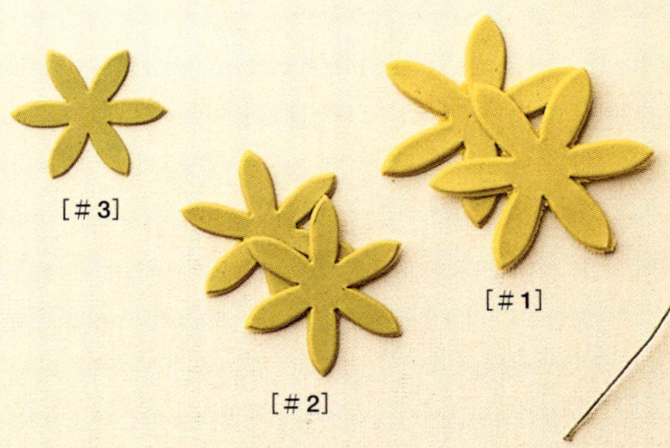

▶淡い緑のペーストをのし、6枚弁カッター＃3で1枚、＃2で2枚、＃1で2枚抜く。
▶それぞれ花弁をボーンスティックでのばし、各花弁に細工用はさみで2〜4等分の切込みを入れる。
▶リーフシェイパーを各花弁の外側から内側へ動かして中心線をひき、花弁を内側にゆるくカールさせる。
▶Bのワイヤーに小さいペーストから順に通し、接着する。(C)

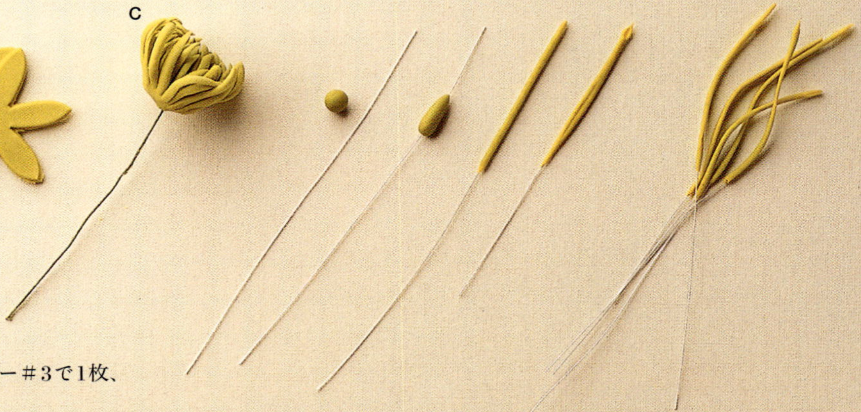

▶淡い緑のペーストを少量丸め、白ワイヤー＃35に通す。
▶てのひらで転がしてペーストをワイヤーの先端までのばす。先端に毛糸針の先を押しあてて少しさし込んで深いくぼみをつけ、指でカーブをつける。
▶長さに変化をつけて約20本つくる。

▶Cの根元にバランスをみながら約20本のワイヤー花弁を組み、緑のフローラルテープを巻いてまとめる。

がく：
▶緑のペーストをのし、6枚弁カッター＃4、＃5で1枚ずつ抜く。
▶それぞれ各がく片に細工用はさみで切込みを入れ、ボーンスティックでがく片をのばし、リーフシェイパーで内側にゆるくカールさせる。

▶茎に＃4のがくを通して花の根元に接着し、続いて＃5のがくを少し浮かせて接着する。
▶緑のフローラルテープを巻き、がくと茎の境目を中心にフォレストグリーン、バーガンディーをダスティングする。

つぼみ *bud*

▶花のAまたはB〜C段階まで同様につくる。
▶花のがくと同じ要領でがくをつくって（がくの大きさはつぼみの大きさに合わせる）接着し、フローラルテープを巻いてダスティングする。

葉 *leaf*

▶「花弁・葉をつくる手法」(P.254)参照。緑のペーストをワイヤーを通す山を残して薄くのし、菊の葉カッターで抜く。緑ワイヤー＃30を通す。
▶リーフシェイパーで葉脈をつけ、ボーンスティックでカーブをつける。フォレストグリーンをダスティングする。

Cattleya Orchid　カトレア

唇弁、側花弁、がく片の組立て方がポイントです。唇弁が大きいので、がく片3枚のうち2枚は側花弁の前に配すると、安定がよく、形よく仕上がります。

- フラワーペースト（白、濃いピンク、緑）
- 白ワイヤー（＃28、＃30）
- 緑ワイヤー（＃26）
- フローラルテープ（緑）
- ダスティングパウダー（プリムローズ、ルビー、ホワイト、フォレストグリーン、バーガンディー）
- バニッシュ
- カトレアカッター（唇弁、側花弁A・B）
- タイガーリリーカッター
- とうもろこしの皮

花 *flower*

花芯：

▶ 白のペーストを少量丸める。ボーンスティックをあててカップ状にし、カッターナイフで上部に数ヵ所切込みを入れる。

▶ 先端をフック状に曲げた白ワイヤー＃28をさしてとめ、プリムローズをダスティングする。乾かす。

唇弁：

▶ 濃いピンクのペーストをのし、カトレアカッター（唇弁）で抜く。根元の細い部分は切り取る。

▶ 細棒で幅を広げて竹串で花脈をつけ、縁をボーンスティックでなぞってウエーブをつける。

▶ 根元を中心にルビー、プリムローズをダスティングし、ホワイトのダスティングパウダーを蒸留酒で溶いてラインを描く。

▶ ワイヤーを通す穴を残した三角錐状にして接着する。乾かす。

唇弁と花芯の組立て：

▶ 濃いピンクのペーストを少量丸めて、唇弁の中に三角錐の穴をふさぐように貼り、その上から花芯のワイヤーをさしてとめる。乾かす。

側花弁(2枚)：

▶「花弁・葉をつくる手法」(P.254)参照。濃いピンクのペーストをワイヤーを通す山を残して薄くのす。

▶カトレアカッター(側花弁A・B)で1枚ずつ抜く。

▶それぞれ細棒で幅を広げ、白ワイヤー＃30を通す。

▶竹串で花脈をつけ、縁をボーンスティックでなぞってウエーブをつける。

▶ルビーをダスティングする。

C

側花弁とがく片の組立て：

▶側花弁2枚をCのような配置で組み、2枚の中央手前に唇弁を組んで緑のフローラルテープを巻いてまとめる。

▶続いてがく片1枚をDのように側花弁2枚の中央後方に組み、フローラルテープでまとめる。

▶最後にがく片2枚をEのようにそれぞれ側花弁の手前に組んでフローラルテープでまとめる。(F)

がく片(3枚)：

▶側花弁と同じ要領でつくる。ただし、タイガーリリーカッターで3枚抜き、縁をボーンスティックでなぞってゆるいカーブをつける。

D

E

E

F

葉 *leaf*

▶「長い花弁・葉をつくる手法」(P.255)参照。緑のペースト、緑ワイヤー＃26を使い、カッティングホイールで長い葉の形に切り抜く。

▶とうもろこしの皮で葉脈をつけ、リーフシェイパーで中心線をひく。縁をフラワーシェイパーでなぞってカーブをつける。

▶フォレストグリーン、バーガンディーをダスティングする。バニッシュをつけるか蒸気にあててつやを出す。

Moth Orchid

胡蝶蘭

複雑な唇弁を形、色ともにていねいに再現することが美しさのポイント。側花弁、がく片が平らに近くあまり表情がないため、これらと唇弁との大きさのバランスも大切です。より形よく仕上げるため、オリジナル型紙を使ったつくり方をご紹介します。

- フラワーペースト（白、黄色、緑）
- 白ワイヤー（＃24、＃30、＃35）
- 緑ワイヤー（＃26）
- フローラルテープ（白）
- ダスティングパウダー（スプリンググリーン、プリムローズ、バーガンディー、パールホワイト、フォレストグリーン）
- バニッシュ
- モスオーキッドカッター（唇弁）
- 胡蝶蘭（側花弁、がく片B・C）のオリジナル型紙（P.426）
- とうもろこしの皮

唇弁：

▶「花弁・葉をつくる手法」（P.254）参照。白のペーストを使い、モスオーキッドカッター（唇弁）で抜く。▶さらに写真のように一部をカットする。▶白ワイヤー＃30を通し、根元のペーストを指で転がして棒状にのばす。根元をさけて縁をボーンスティックでならす。▶竹串に巻きつけてカーブをつけた白ワイヤー＃35（1/4幅の白のフローラルテープを細長くこよりにして代用してもよい）を、唇弁の表の先端から約1cm内側に置いて接着し、先端のペーストを内側に折る。フラワーシェイパーで、ペーストを重ねた跡を消し、中心線を押さえる。▶ワイヤー＃35の下のペーストを指でつまんで中央に寄せる。▶唇弁の根元の棒状部分を直角に起こし、ペーストの端2～3mmからワイヤーを後ろに折り返して突起をつくる。（A）

A

花 *flower*

▶白のペーストを少量丸め、Aのワイヤーの突起にさしてとめる。
▶黄色のペーストを少量丸め、中央をくぼませる。
▶黄色のペーストを少量ずつ2個丸める。
▶それぞれ唇弁に写真のように接着する。
▶スプリンググリーン、プリムローズ、バーガンディーをダスティングし、バーガンディーのダスティングパウダーを蒸留酒で溶いてラインなどを描く。
▶左右に広がったペーストを両側から内側に立ち上げる。

側花弁（2枚）：
▶白のペーストをワイヤーを通す山を残してのし、ベイニングツールでさらにのして花脈をつける。
▶側花弁の型紙をあててカッティングホイールで切り抜き、白ワイヤー＃30を通す。この面が表（内側）になる。
▶縁をフラワーシェイパーで軽くなぞってならし、全体にパールホワイト、中心にプリムローズ、スプリンググリーンをダスティングする。

がく片B：
▶白のペーストをワイヤーを通す山を残して薄くのし、がく片Bの型紙をあてて切り抜く。
▶白ワイヤー＃30を通してリーフシェイパーで筋をつけ、縁をボーンスティックでならす。
▶全体にパールホワイト、根元にスプリンググリーンをダスティングする。

がく片C（2枚）：
▶がく片Cの型紙を使って、がく片Bと同じ要領でつくる。

唇弁と側花弁、がく片の組立て：
▶まず側花弁2枚を写真のような配置で組み、白のフローラルテープを巻いてまとめる。
▶続いて、側花弁2枚の間に手前から唇弁を組み、白のフローラルテープでまとめる。
▶最後に、がく片B、がく片C2枚を側花弁と唇弁の後方に1枚ずつ写真のような配置で組んではフローラルテープでまとめる。
▶白のペーストを少量丸めて茎に下から通し、花の根元を固定する。

つぼみ *bud*

▶白のペーストを丸めてしずく形にし、先端に細工用はさみで3等分の切込みを入れる。
▶先端をフック状に曲げた白ワイヤー＃24をさしてとめ、花弁を閉じ、リーフシェイパーでラインをひく。
▶スプリンググリーン、バーガンディーをダスティングし、バニッシュをつけてつやを出す。

葉 *leaf*

▶「花弁・葉をつくる手法」（P.254）参照。緑のペーストをワイヤーを通す山を残して薄くのし、カッティングホイールで葉の形に切り抜く。緑ワイヤー＃26を通す。
▶とうもろこしの皮で葉脈をつけ、リーフシェイパーで中心線をひく。縁をフラワーシェイパーでなぞってならす。
▶フォレストグリーンをダスティングし、バニッシュをつけてつやを出す。

Cyclamen

シクラメン

花弁の重なり方が特徴的な花。最後に接着する花弁の配置と表情づけを工夫すると、咲きはじめから満開の状態まで表現できます。また、シクラメンらしさをもっともひき立てているのは、ハート形の緑豊かな葉の存在です。形、模様ともにていねいにつくりましょう。葉の数が多いほど、花が生き生きとして見えます。

- フラワーペースト（濃いピンク、淡い緑、白、緑）
- 緑ワイヤー（＃20、＃28）
- フローラルテープ（緑、淡い緑）
- 極小ペップ（白）
- ポレーン（レモンイエロー）
- ダスティングパウダー（プラム、フォレストグリーン、バーガンディー、フューシャピンク、ホワイト）
- カリックスカッター（＃5）
- シクラメン（花弁）のオリジナル型紙 （P.422）
- ハートカッター

花 *flower*

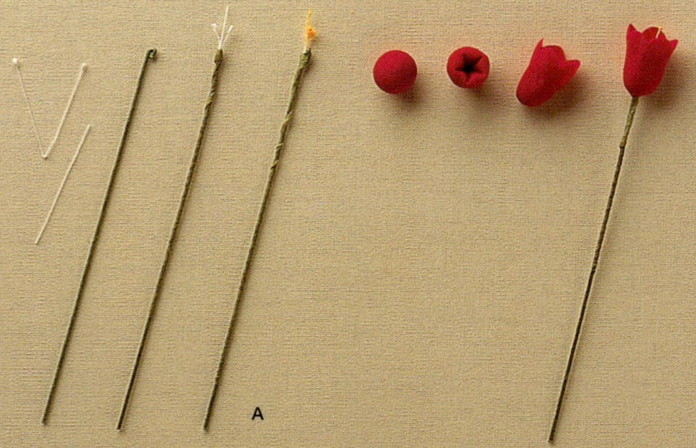

花芯：

▶ペップは1本を半分に折り曲げ、もう1本は先端の突起をカットする。これらのペップを、先端をフック状に曲げた緑ワイヤー＃20に1cmほどとび出させて添え、緑のフローラルテープを巻いてまとめる。

▶ペップの先端に卵白を塗り、レモンイエローのポレーンをつける。(A)

▶濃いピンクのペーストを少量丸め、細棒をさし込んでカップ状にする。

▶星型スティックを押しあてて5分割のしるしをつけ、それぞれフラワーシェイパーで内側からのばして上端を山型にする（この段階でペーストの長さは1.5cm以内にする）。

▶Aをさしてとめる。乾かす。

B

がく：

▶淡い緑のペーストを少量のしてカリックスカッター＃5で抜き、花芯のワイヤーに下から通し、接着する。ワイヤーにティッシュペーパーを添え、淡い緑のフローラルテープを巻く。

▶茎にショートニングを塗ってプラムをダスティングし、がくと花首にフォレストグリーンをダスティングする。

▶バーガンディーのダスティングパウダーを蒸留酒で溶き、各がく片の根元から先端に向かってラインを描く。

▶花首を曲げる。(B)

花弁(5枚)：

▶濃いピンクのペーストをのし、型紙をあててカッティングホイールで切り抜く。

▶竹串で花脈をつけて、縁をフラワーシェイパーで軽くなぞってならし、さらに縁をボーンスティックでなぞってカーブをつける。

▶フューシャピンク、プラムをダスティングする。

花弁の組立て：

▶Bのワイヤーを花芯のくぼみを上にして持ち、作業する。ワイヤーを手前、花芯を奥に見て右側にくる花芯の山からスタートする。花弁の1枚めを、花弁の先端を下に向け、花脈をつけた面を外側にして、根元を5～6mmとび出させて花芯の山にそわせ、とび出させた部分を山の内側に折り込んで接着する。

▶続いて2枚めを、1枚めを接着した山の隣の山にそわせて同じ要領で接着する。さらに3、4枚めも同様に順に接着する。

4枚め

▶4枚めまで接着したら、花芯のくぼみを下にし、最後に残った花芯の山にそわせて5枚めを接着する。5枚めは、咲きはじめのものほど茎にそって倒し、開花とともに立ち上がらせる。

▶フューシャピンクのダスティングパウダーを蒸留酒で溶き、花弁の根元から先端に向かって細筆で塗り描く。

つぼみ *bud*

▶「プルドフラワー」(P.257)参照。白と濃いピンクのペーストを軽く混ぜて丸め、長めのしずく形にする。
▶カップ状にして5等分の深い切込みを入れ、それぞれをフラワーシェイパーで細長くのばして先端を山型にする。
▶先端をフック状に曲げた緑ワイヤー＃20をさしてとめ、ペーストをねじる。乾かす。(C)
▶淡い緑のペーストを少量のし、カリックスカッター＃5で抜く。ボーンスティックでカップ状にしてCのワイヤーに通し、接着する。つぼみにプラムをダスティングする。
▶ワイヤーにティッシュペーパーを添えて淡い緑のフローラルテープを巻き、花と同じ要領で仕上げる。

葉 *leaf*

▶「花弁・葉をつくる手法」(P.254)参照。緑のペーストをワイヤーを通す山を残して薄くのし、ハートカッターで抜く。

▶縁を細棒でなぞってハートのふたつの山が接近するくらいまで広げ、山の境目にカッティングホイールで切込みを入れる。

▶緑ワイヤー＃28を通す。縁にコームスティックをあててギザギザにカットする。

▶リーフシェイパーで葉脈をつけ、ボーンスティックで縁をならす。ボールスティックで根元をくぼませる。

▶ふたつの山を互い違いにして一部を重ねる。輪にしたティッシュペーパーに寝かせて休ませる。

▶ホワイトのダスティングパウダーを蒸留酒で溶き、細筆で葉脈を描く。さらに、綿棒でぼかし模様をつける。

▶フォレストグリーン、バーガンディーをダスティングする。

☛ 作品例

シクラメンの鉢植え。シクラメンを上手に表現するには、茎の下側が見えなくなるくらい葉を多くし、また、花はできるだけ中央に寄せることがポイント。鉢はパスティヤージュでタイル風に製作したもの。

Poinsettia

ポインセチア

中心の花部分を細かくていねいに表現することで、より印象が華やかになります。葉は下側にいくほど大きくし、色合いも緑を増やします。

- フラワーペースト（黄色、淡い緑、赤、緑）
- 緑ワイヤー（＃20、＃28、＃30）
- フローラルテープ（緑、赤）
- 木綿糸（赤）
- ポレーン（レモンイエロー）
- ダスティングパウダー（レッド、フォレストグリーン）
- ポインセチアカッター B（＃1、＃2、＃3、＃4）

花 *flower*

▶「糸の花芯 一度に2束できる手法」（P.249）参照。赤の糸をひとさし指と中指に15回ほど巻き、緑ワイヤー＃30で両側からとめて糸の輪を切る。▶糸を5mm長さに切り揃え、糸の先端を指でつぶす。緑のフローラルテープを巻く。4束用意する。（A）▶黄色のペーストを少量丸めて平らにし、細工用はさみで切込みを入れる。（B）▶淡い緑の

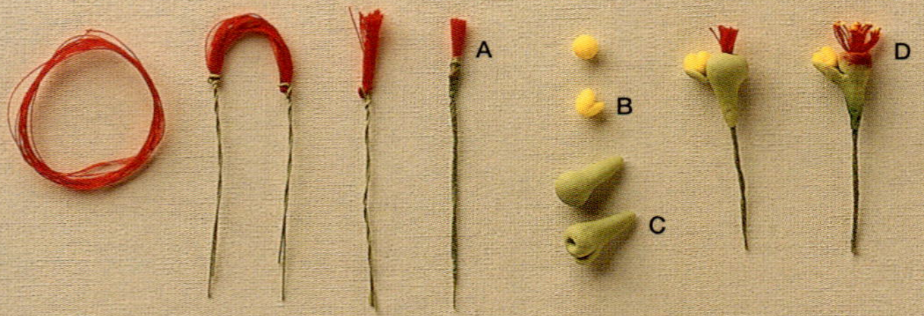

ペーストを少量丸めて1.5cm長さのしずく形にする。上面2/3のスペースをカップ状にし、残り1/3のスペースに切込みを入れる。（C）▶AをCのくぼみにさしてとめ、Cの切込みにBをはめて接着する。▶糸の先端に卵白を塗り、レモンイエローのポレーンをつける。▶レッドのダスティングパウダーを蒸留酒で溶き、Cの上縁にラインを描く。Cの根元にフォレストグリーンをダスティングする。4本つくる。（D）

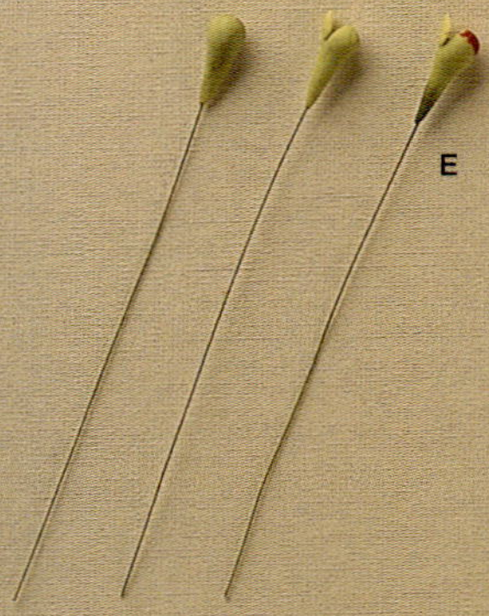

▶淡い緑のペーストを少量丸めてしずく形にし、緑ワイヤー＃30をさしてとめる。▶ペーストの頭部に1ヵ所薄い切込みを入れ、薄いペーストをフラワーシェイパーでならして残りのペーストにそわせる。▶レッドのダスティングパウダーを蒸留酒で溶き、ペーストの上面に塗る。根元にフォレストグリーンをダスティングする。6本つくる。（E）

葉 *leaf*

葉F（6枚）：

▶「花弁・葉をつくる手法」（P.254）参照。赤のペースト、緑ワイヤー＃30、ポインセチアカッター B（＃4）を使う。▶ワイヤーを通したら根元のペーストを指で転がして少しのばす。▶リーフシェイパーで葉脈をつけ、フラワーシェイパーで縁をならす。根元を左右から軽くつぼめる。

葉G、H（計12枚）：

▶葉Gはポインセチアカッター B（＃3）、葉Hは同（＃2）を使って、葉Fと同様に各6枚つくる。

花と葉の組立て：

▶花Eと葉F、Gを組み、緑のフローラルテープを巻いてまとめる。6本つくる。(I)

▶花D1本とI2本、葉H1枚を写真のような配置で組み、緑のフローラルテープでまとめる。

▶まとめた状態。3本つくる。(J)

▶中心に花D、その周囲にJ3本と葉H3枚を交互に組み、緑のフローラルテープでまとめる。(K)

▶葉にレッドをダスティングする。

葉L(5枚)：

▶葉Fと同じ要領でつくる。ただし、ペーストは赤と緑を軽く混ぜてのし、赤と緑の配分をみながらポインセチアカッターB(#1)で抜く。カッターは左右を逆にしてあてて抜いてもよい。ワイヤーは#28を使う。

▶緑の部分にはフォレストグリーン、赤の部分にはレッドをダスティングし、赤のフローラルテープを巻く。

▶葉L5枚をKの下側に組み、緑ワイヤー#20を添えて緑のフローラルテープを巻いてまとめる。

Ivies

アイビー4種

シュガーフラワーのブーケやアレンジメントに流れるようなラインをもたせるのに最適な葉。さまざまな種類をつくれると重宝します。ここではシンプルなかわいらしいものから、模様や色合いがユニークなものまで、手法の違う4種類のアイビーをご紹介します。

アイビーA
- フラワーペースト（淡い緑）
- 緑ワイヤー（＃24、＃30）
- フローラルテープ（ベージュ）
- ダスティングパウダー（モスグリーン、バーガンディー）
- アイビーカッターA（＃1、＃2、＃3）

アイビーC
- フラワーペースト（淡い緑、緑、クリーム色）
- 緑ワイヤー（＃24、＃30）
- フローラルテープ（緑）
- アイビーカッターA（＃2、＃3）、C（＃2）

アイビーB
- フラワーペースト（淡い緑、緑）
- 緑ワイヤー（＃24、＃30）
- フローラルテープ（緑、茶色）
- ダスティングパウダー（モスグリーン、フォレストグリーン、プリムローズ）
- バニッシュ
- アイビーカッターB（＃1、＃2）

アイビーD
- フラワーペースト（黄色、緑）
- 緑ワイヤー（＃24、＃30）
- フローラルテープ（茶色）
- ダスティングパウダー（モスグリーン、プリムローズ）
- アイビーカッターC（＃1、＃2、＃3）
- バニッシュ

アイビーA：
▶「花弁・葉をつくる手法」（P.254）参照。淡い緑のペースト、緑ワイヤー＃30、アイビーカッターA（＃1、＃2、＃3。模様がシンプルなので形のかわいい小さめのサイズが向く）を使い、複数つくる。▶それぞれリーフシェイパーで葉脈をつけ、縁をボーンスティックでなぞってならす。▶ワイヤーにベージュのフローラルテープを巻き、葉の中央にモスグリーン、バーガンディーをダスティングする。▶緑ワイヤー＃24に葉を小さいものから1枚ずつ互い違いになるように添えて組み、ベージュのフローラルテープを巻いてまとめる。

▶葉の1枚1枚をピンセットで持ち上げ、手で茎全体にカーブをつける。▶1/4幅のベージュのフローラルテープを短めに切ってこよりにしたものを、茎のところどころに巻きつける。

アイビーB：
▶アイビーAと同じ要領でつくる。ただし、淡い緑や緑のペースト、アイビーカッターB（＃1、＃2）、緑のフローラルテープを使う。▶淡い緑の葉にはモスグリーン、緑の葉にはフォレストグリーンをダスティングし、バニッシュをつけてつやを出す。プリムローズなどのダスティングパウダーを蒸留酒で溶き、爪楊枝で葉脈を描く。

▶アイビーAと同じ要領で組み、仕上げる。ただし、茶色のフローラルテープを使う。

5 Sugar Flowers

アイビーC：

▶淡い緑のペーストをのす。

▶緑のペーストをのしてアイビーカッターA（＃3）で抜き、淡い緑のペーストにのせて軽くのす。

▶アイビーカッターA（＃2）で抜く。この要領で複数つくる。カッターをあてる位置を変えるとさまざまな模様ができる。（E）

▶クリーム色のペーストをワイヤーを通す山を残して薄くのす。

▶Eをのせて軽くのし、クリーム色の縁を残してアイビーカッターC（＃2）で抜く。

▶アイビーAと同じ要領で整形し、組んで仕上げる。ただし、緑のフローラルテープを使う。

アイビーD：

▶アイビーAと同じ要領でつくる。ただし、黄色と緑のペーストを軽く混ぜてのし、アイビーカッターC（＃1、＃2、＃3）で抜く。ワイヤーに茶色のフローラルテープを巻く。

▶バニッシュをつけてつやを出す。モスグリーン、プリムローズのダスティングパウダーをそれぞれ蒸留酒で溶き、葉の黄色部分にはモスグリーン、緑部分にはプリムローズを綿棒でたたくようにつけて斑点模様にする。

▶アイビーAと同じ要領で組んで仕上げる。ただし、茶色のフローラルテープを使う。

Pine Cone & Pine Needles　松ぼっくりと松葉

松ぼっくりの形はさまざま。無造作につくった方が松ぼっくりらしさが出ます。層を近づけすぎたり、形をととのえすぎるとバラのようになるので注意しましょう。松葉はできるだけ細くつくります。

松ぼっくり
- フラワーペースト（茶色）
- 緑ワイヤー（＃24）
- ダスティングパウダー（ブラウン、ブラック）
- 8枚弁カッター（＃2、＃3、＃4、＃5）

松葉
- フラワーペースト（緑）
- 白ワイヤー（＃35）
- ワイヤー（＃26）
- フローラルテープ（ベージュ）
- ダスティングパウダー（プリムローズ、バーガンディー、ブラウン）
- バニッシュ

松ぼっくり

▶茶色のペーストを少量丸め、緑ワイヤー＃24をさしてとめる。ペーストを指で約1cm長さにのばし、土台とする。乾かす。

［＃5］

［1層め］
▶茶色のペーストをのして8枚弁カッター＃5で抜き、カッティングホイールで3枚弁と4枚弁にカットする。
▶それぞれ各弁を細棒で広げ、ボーンスティックをあててカップ状にする。
▶両方ともブラウンにブラックを少し混ぜてダスティングし、土台のペーストに3枚弁、4枚弁の順に巻いて接着する。

1層め

［＃4］

［＃4］

［2〜3層め］
▶1層めと同じ要領でつくる。ただし、8枚弁カッター＃4で2枚抜き、1枚は5枚弁に、もう1枚は6枚弁にカットする。

▶1層めのワイヤーに5枚弁、6枚弁の順に通し、接着する。
▶さらに、茶色のペーストを少量丸めてワイヤーに下から通し、接着する。

3層め

［＃3］

［4層め］
▶1層めと同じ要領でつくる。ただし、8枚弁カッター＃3で抜き、7枚弁にカットする。▶同じ要領で3層めの下に接着し、丸めたペーストもつける。

［＃3］

［5層め］
▶1層めと同じ要領でつくる。ただし、8枚弁カッター＃3で抜き、カットはしない。▶同じ要領で4層めの下に接着し、丸めたペーストもつける。

5層め

［#2］

［6層め］

▶1層めと同じ要領でつくる。ただし、8枚弁カッター#2で抜き、カットはしない。

▶同じ要領で5層めの下に接着し、丸めたペーストもつける。

［#2］

［7層め］

▶6層めと同じ要領でつくり、6層めの下に接着する。丸めたペーストはつけない。

7層め

［#3］

［#4］

［#5］

［8～10層め］

▶1層めと同じ要領でつくる。ただし、8枚弁カッター#3（8層め）、#4（9層め）、#5（10層め）でそれぞれ抜き、カットはしない。

▶同じ要領で7層めの下に順に接着する。丸めたペーストはつけない。

10層め

松葉

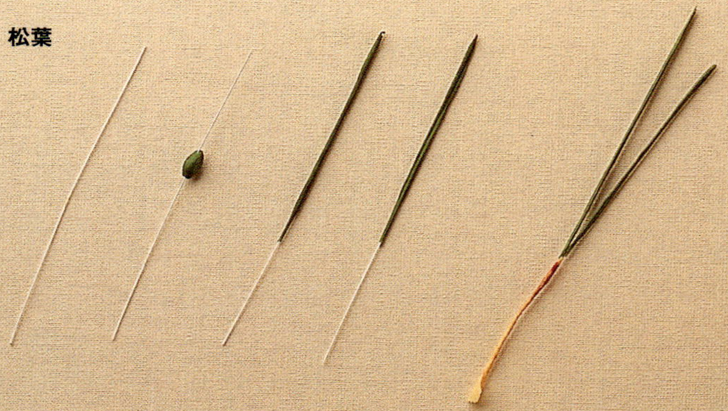

▶緑のペーストを少量丸め、白ワイヤー#35に通す。

▶ペーストを両てのひらと指で転がして細長くのばし、縦にワイヤー#26を押しあてて中心線をつける。

▶2本ずつ組み、ベージュのフローラルテープを巻いてまとめる。

▶ペースト部分にバニッシュを塗ってつやを出す。さらにプリムローズのダスティングパウダーを蒸留酒で溶いて先端に少し塗る。

▶バーガンディーのダスティングパウダーを蒸留酒で溶いてフローラルテープの上部に少し塗り、さらにブラウンをダスティングする。

Strawberry & Blackberry　いちごとブラックベリー

いちごは、細かいくぼみ模様を互い違いにつけることがポイント。ブラックベリーは、細かいパーツを短いワイヤーにさして土台にとめる手法をご紹介します。チクチクした質感を表現でき、また、パーツがはずれにくいのも利点です。

いちご

- フラワーペースト（赤、緑、クリーム色、淡い緑）
- 緑ワイヤー（＃22、＃24、＃30）
- ダスティングパウダー（レッド、プリムローズ、モスグリーン、スプリンググリーン）
- バニッシュ
- カリックスカッター（＃4）
- ローズリーフカッター（＃1、＃2）
- 口金（＃2）

ブラックベリー

- フラワーペースト（紫、淡い緑、クリーム色、緑）
- 緑ワイヤー（＃24、＃30）
- 白ワイヤー（＃35）
- ダスティングパウダー（バーガンディー、スプリンググリーン、レッド、モスグリーン）
- バニッシュ
- カリックスカッター（＃5）
- リーフカッターA（＃1、＃2）

いちご

実 *fruit*

完熟の実：

▶赤のペーストをしずく形にし、口金＃2で細かいくぼみを段ごとに互い違いにつける。▶茎側に細棒でくぼみをつけ、先端をフック状に曲げた緑ワイヤー＃22をさしてとめる。▶全体にレッドをダスティングする。プリムローズのダスティングパウダーを蒸留酒で溶き、細かいくぼみに細筆で塗る。▶バニッシュをつけてつやを出す。

へた：

▶「メキシカンハット」（P.257）参照。緑のペーストを使い、カリックスカッター＃4で抜く。▶ボーンスティックで各弁を外側にゆるくカールさせ、リーフシェイパーで筋をつける。モスグリーンをダスティングする。▶実のワイヤーに通し、接着する。

未熟の実：

▶完熟の実と要領は同じ。ただし、クリーム色のペースト、緑ワイヤー＃24を使い、スプリンググリーンのダスティングパウダーを蒸留酒で溶いて細かいくぼみに塗る。▶淡い緑のペーストで上記の要領でへたをつくって接着する。

葉 *leaf*

▶いちご、ブラックベリーともに葉のつくり方は同じ。「花弁・葉をつくる手法」（P.254）参照。どちらも緑のペースト、緑ワイヤー＃30を使用。いちごはローズリーフカッター＃1、＃2、ブラックベリーはリーフカッターA（＃1、＃2）を使う。

▶いちごの葉は細棒で幅を広げ、ブラックベリーの葉は細棒で縦長に整形する。リーフシェイパーで葉脈をつける。モスグリーンをダスティングする。

ブラックベリー

実 *fruit*

完熟の実：

▶紫のペーストを丸め、先端をフック状に曲げた緑ワイヤー＃24をさしてとめる（土台）。▶紫のペーストを複数丸め、短く切った白ワイヤー＃35を通す（パーツ）。▶ピンセットを使ってパーツの片側のワイヤーに水をつけ、土台にワイヤーを1〜2mmとび出させてとめる。バーガンディーのダスティングパウダーを蒸留酒で溶き、とび出たワイヤーに塗る。▶バニッシュでつやを出す。

へた：

▶淡い緑のペーストをのしてカリックスカッター＃5で抜き、ボーンスティックでならす。▶実のワイヤーに通し、接着する。

未熟の実：

▶完熟の実と要領は同じ。ただし、クリーム色のペーストを使い、スプリンググリーン、レッドをダスティングする。スプリンググリーンのダスティングパウダーを蒸留酒で溶き、とび出たワイヤーに塗る。

ランタナはひと枝に花、葉、実が揃い、しかもさまざまな色が混在しているユニークな植物。ブーケやアレンジメントに四季を問わず使えて重宝する。実は土台に緑と紫の粒を貼りつけてつくり、花はプルドフラワーの手法でつくる。

☛ **作品例**（P.391）

☛ **作品例**

いちご、いちごの花、ブラックベリーをあしらったバスケット。フレッシュな印象で、春のお祝いごと全般に向く。テーブルや皿の中央に飾ったり、その周囲にクッキーを添えたりする演出もかわいらしい。ブラックベリーは、各粒にワイヤーを通さずに土台に貼りつけた簡略版。全体におさないイメージでまとめた作品なので、かえってリアルさを追求しない方がかわいい。バスケットは、ロイヤルアイシングの絞りで表現している。

Chapter 6

作品集

Gallery

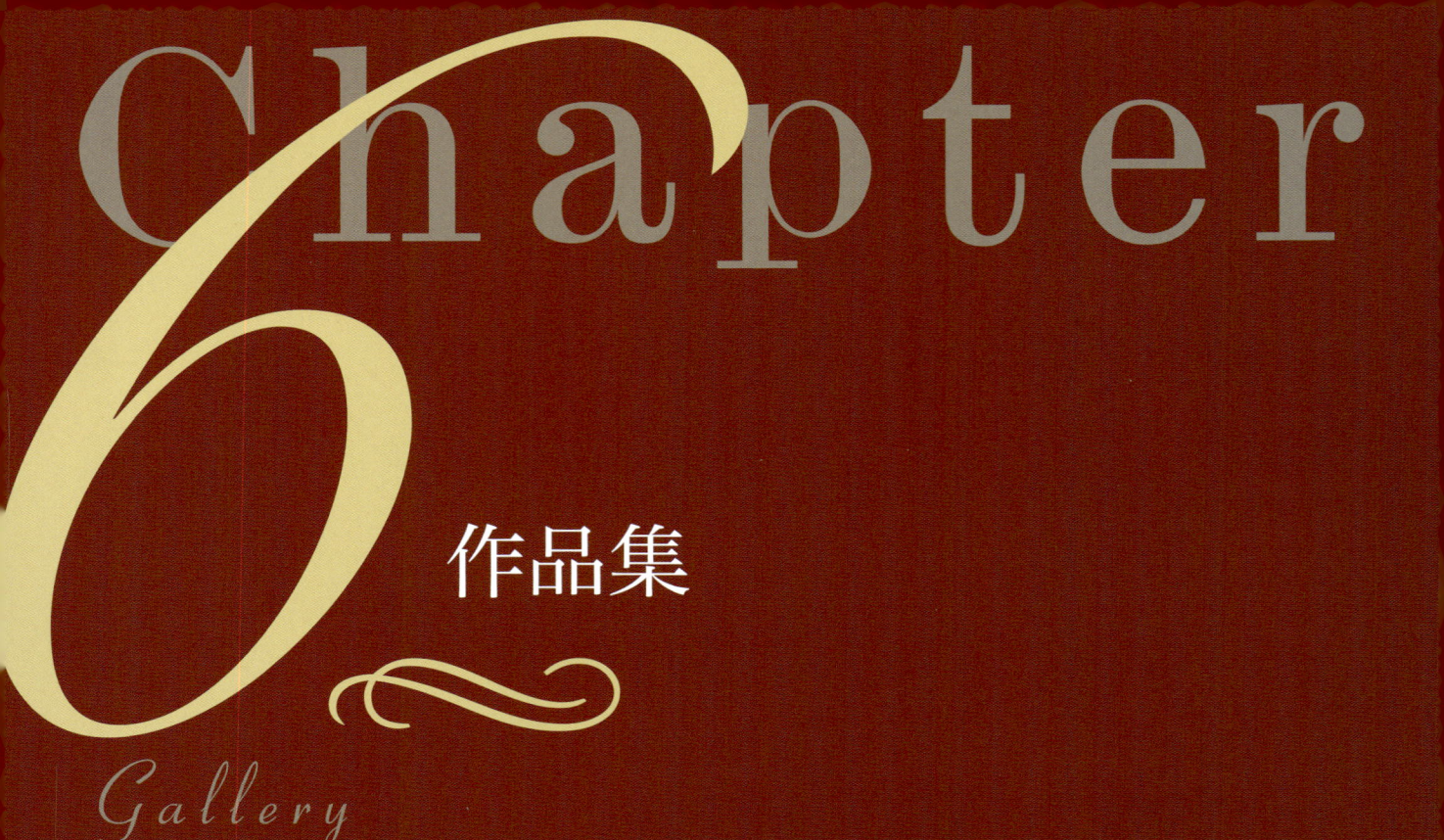

時代の流れとともにデザインの流行も移り変わり、あるいは繰り返されます。それはウェディングケーキをはじめ、お祝いの席を盛り上げるデコレーションケーキ全般にもいえることでしょう。

シュガークラフトの魅力は、伝統的なデザイン、いま流行のデザイン、シンプルな作品から芸術的な作品まで、どんなスタイルもそれぞれ効果的に表現できる対応性の広さです。

私はいつも作品を製作する時、見る方がストーリー性を感じ、その方のまわりをそよ風が吹き抜けるようなものをつくりたいとイメージします。

それぞれの個性を表現しながらつくれる楽しさと、贈った相手に喜んでいただけるという満足感。これらこそが、シュガークラフトを愛する人々をひきつけ続ける、共通する理由でしょう。

6 01 作品づくりのポイント

Cake Design

シュガークラフトの一番の魅力は、さまざまに自由な創作ができることです。
ただし、印象深い素敵な作品にするには、ちょっとしたポイントがあります。
ウェディングケーキづくりのポイントとあわせてご紹介しましょう。

a 創作のポイント

生クリームなどによるデコレーションと比べて、シュガーペーストやロイヤルアイシングなどを使ったデコレーションには、無限の広がりがあります。ただ、だからといってむやみに飾りすぎると、かえって印象が散漫になってしまいます。「何を表現したいか」を絞り込むことが、印象に残る作品を生む秘訣です。

目的を考える

作品づくりでまず大切なのは、そのケーキを「何の目的で使うか」をはっきりさせることです。ウェディング、誕生日、クリスマスなど、いつ、何のために、誰に向けてつくるかを明確にしてからデザインを考えましょう。

作品の「主役」「テーマ」を決める

デザインは、その作品で一番表現したい「主役」を最初に決めるとよいでしょう。たとえば、P.386でご紹介した作品は、夏のウェディングケーキ用に製作したもので、ブルーハイビスカスが主役です。この作品は、ある日、花屋さんでめずらしいブルーハイビスカスを見つけ、その美しさをシュガークラフトで表現したいという思いから生まれました。「南の島の海に面した崖上に咲くブルーハイビスカス」というテーマを設定し、主役のブルーハイビスカスが一番ひき立つようにケーキの色やそのほかのデコレーションを考え、ゴクラクチョウや波の絞り模様などを加えています。このように作品の「主役」「テーマ」を決めると、デザインしやすく、統一感のある作品に仕上げることができます。

自由に楽しく

目的を明確にし、作品の「主役」「テーマ」を決めたら、あとはアイデアをふくらませましょう。自然の事象から絵画などの芸術、手工芸、イマジネーションの世界にいたるまで、ありとあらゆるものをモチーフにでき、しかもそれをエレガントにも、斬新にも表現できます。かわいらしくつくることも、パロディックなユニークな作品に仕上げることも自由自在、これがシュガークラフトの醍醐味です。存分に創作を楽しみましょう！

b ウェディングケーキのポイント

シュガークラフトの最大の見せ場は、やはりウェディングケーキといえるでしょう。ウェディングそのものが多様化している現在、ウェディングケーキもより自由に表現したいものです。

演出の一部ととらえる

ウェディングケーキもウェディング全体の演出の一部であることを意識して創作すると、より印象に残るウェディングになります。ウェディングケーキの色や飾りを、ウェディングドレスやブライダルブーケ、テーブルデコレーションなどとコーディネートするのも、花嫁をよりいっそうひき立てるためのアイデア。季節感を出すには、シュガーフラワーが活躍します。ウェディングケーキに飾るシュガーフラワーとお色直しのドレスの色を揃える、といった演出もおしゃれです。

チュールレース

ウェディングケーキに最適な装飾のひとつに、チュールレースがあります。チュールエンブロイダリー(P.128)をほどこしたチュールレースは、花嫁のウェディングベールのような雰囲気を醸し出します。シンプルなウェディングケーキも、チュールレースを飾るだけで華やかにひき立つことでしょう。チュールレースはソフトタイプのナイロン製が向きます。

ウェディングケーキの最上段にチュールレースをギャザーを寄せてとめ、ふんわりとたらす。繊細かつ華やかな演出。

ダミーケーキの活用

日本の披露宴会場は食品の持込みを禁止しているところが多いようです。その場合、本物のケーキではなく、発泡スチロール製のダミーケーキ（P.402）を使ってウェディングケーキを製作することになります。ダミーケーキは、本物のケーキ以上にデザインに融通がきき、演出効果をいっそう高めることができます。また、早くから準備できる、作品として残せる、などの利点があります。

本物のケーキを使う場合

本物のケーキでシュガークラフトのウェディングケーキを仕立てることは、何ものにもかえがたい思い出となるでしょう。その場合、切り分けやすい形やデザインにする、シュガーフラワーのワイヤーなどはケーキに直接ふれないようにする、リボンインサーションはシュガーペーストを使う、などを念頭に入れておきます。シュガーフラワーやチュールレース（左記）をピックを使ってケーキにとめた場合や、ピラースティックを使った場合など、食に適さないものの使用に関しては、かならずケーキを切り分ける方に説明しておく必要があります。

記念にとっておける部分をつくる

ウェディングケーキは、その一部をとっておけるように工夫しておくと、身近に置いて記念に長く楽しむことができます。たとえば、最上段だけダミーケーキで製作してはずせるようにしておいたり、シュガーフラワーのブーケや小物などはケーキにのせるだけにするなど、工夫するとよいでしょう。ウェディングケーキに限らず、アニバーサリーのケーキ全般にいえるポイントです。

ケーキカットをする場合

ケーキ表面のカバーリングペーストはカットしづらいので、ナイフを入れる箇所をあらかじめカットして、リボンなどでマークしておくとよいでしょう。ダミーケーキを使う場合は、ナイフを入れる箇所をカットして抜き、かわりにカバーリングペーストを同じ形にしてさし込んでマークしておきます。カットする箇所は乾かないように直前までラップなどで覆っておきます。

搬入

ウェディングケーキは段ごとに分けられ、会場に着いてから組立て作業ができるようにしておくと、重さや大きさの点で運搬が楽です。運ぶことを念頭におき、壊れにくいデザインを考えることも大切です。運搬の際は、デコレーションがふれない充分な大きさのケースを用意し、すべり止めマットを敷いてからケーキを置きます。ケーキが斜めにならないように水平移動を心がけましょう。

引き出物

ウェディングの引き出物にミニチュアケーキ（P.202）やプチシュガー（P.120）を用意するのも、素敵な演出です。これらは大きい作品に比べて手間がかからず、数をつくることができる点でも向いています。特にプチシュガーは、何かといそがしい花嫁でもかなり前から準備できて便利。クリアケースに入れるといっそう映えます。

ミニチュアケーキ、プチシュガーとも、クリアケースに入れて贈ると美しさがひき立つ。ミニチュアケーキは底面を固定する、プチシュガーはすき間なく詰めるなど、ケースの中で動かないようにする。

本物のケーキでこしらえたミニチュアケーキは、ながめて楽しみ、食べて楽しめる。どんなケーキが入っているかはカットした時のお楽しみ…。

☛ 作品例

各ケーキからケーキボードにいたるまでタティングレースの絞りをほどこした、華麗なウェディングケーキ。タティングレースの色合いに紫のグラデーションをつけ、また、形やサイズの違うケーキを組み合わせることで変化をつけている。各ケーキやケーキボードの間に挟んだ台は、発泡スチロールの側面にリボンを巻いたもの。最上段のケーキに飾ったしゃくやくと大きな蝶のレースピースは、イギリスで開催された“Creative World of Sugar”（International Exhibition 2004）で、「オーナメントに自然の情景を表現する」というテーマでデモンストレーションを行なったもの。

作品例

左頁のウェディングケーキとのトータルコーディネートを考えて製作した、シュガーフラワーアレンジメント。あえてケーキよりもさらにダイナミックにシュガーフラワーを生けている。しゃくやくをオリエンタルイメージとしてとらえ、さまざまなあじさいを組み合わせてまとめた。シュガーフラワーだけでもこれだけの迫力を表現できるという好例。

☛ 作品例

花嫁衣裳の着物をイメージ。テクスチュアピンやインレイワークなどでカバーリングペーストにさまざまな模様をつけ、各ケーキを覆っている。水引のような飾りは、黄色に着色したアンブレイカブルジェルでつくったもの。塗りのかんざしは、ペーストにワイヤーをさし込んでつくり、バニッシュを塗ってつやを出している。ケーキは上4段を同じサイズにし、玉手箱を積み上げたような雰囲気に。金箔を貼り、八重桜と藤の花をあしらう。

作品例

お堀端に咲き乱れる夜桜をイメージしたケーキ。アイボリーのペーストでケーキ上面をカバーリングした後、水色のペーストでケーキをケーキボードごとカバーリングし、上面にカウンターサンクトップを行なっている。ダスティングで夜の妖しい光を表現。桜をあしらい、花弁を散らす。明治記念館で「想い出のプロポーズ」と題して作文を募集した際に選ばれた「夜桜の下のプロポーズ」を、シュガークラフトで表現した作品。

☛ 作品例

春のウェディングケーキ。桜が主役だが、小花の集合体なのでウェディングケーキとしてはインパクトに欠ける。そこで桜をひき立てながらマッチする、春一番に咲くもくれんを組み合わせた。舞い散る桜をイメージしてケーキ側面やケーキボードにエンボス模様をつけ、その上からブラッシュエンブロイダリーをほどこす。チュールエンブロイダリーをほどこしたチュールレースをあしらう。“WEDDING Cakes-A DESIGN SOURCE”（Squires Kitchen Magazine Publishing）のIssue4の表紙を飾った作品。

☛ 作品例

ダンスを踊る花嫁と花婿を主役にした、ロマンチックなウェディングケーキ。花嫁の胴体にシュガーソリューションでつくったコットン製のチュールレースを巻いて、ドレスをフワッと持ち上げている。ドレスや花嫁の髪などに飾った小花も、同様のチュールレースで製作したもの。全体のレーシーなイメージに合わせ、ケーキにのせたバラには葉ではなく、アンブレイカブルジェルでつくったリボンをあしらった。ふたつの人形は、バランスのとり方がポイント。花婿の肩にかける花嫁の腕などは、実際にふたつの人形を立ててから長さを決めている。なお、この作品はケーキがふたつに分かれているため運びやすい。ケーキにあしらったレースピースも、運んでも壊れにくいように細かくじょうぶな絞り模様にしている。

☛ 作品例

妖精を表現したいという思いと、ブライダルの定番である胡蝶蘭を一般的なイメージとは違う使い方でウェディングケーキに仕立ててみたいという思いをきっかけに製作した作品。妖精は自然の中に潜んでいるといういい伝えがある。そこで、そもそも熱帯植物であるラン（＝胡蝶蘭）をケーキにジャングルのように飾り、自然の中で遊ぶ妖精をイメージしてモデリングの人形をあしらった。新しい表現へのチャレンジから生まれた、個性的なウェディングケーキ。

作品例

動物を擬人化してウェディングの情景をあらわした、かわいらしいウェディングケーキ。モデリングでつくったさまざまな動物を登場させている。聖書を読むライオンの神父様や、鐘を鳴らす天使のくま、酔っぱらっているくまなど、全体にストーリー性をもたせ、姿勢も立ったものや上を向いたものなど変化をつけて、臨場感を出している。動物のサイズに合わせたミニチュアフラワーやミニチュアウェディングケーキなどをあしらう。

☛ **作品例**

ブライダルのテーブルを演出するのにぴったりな白1色のシュガーフラワーアレンジメント。中央にキャンドルを立てている。花の種類は、バラ、チューリップ、スイートピー、スズラン。アクセントとなる葉は、バラの葉とアイビーを使用している。

☛ 作品例

パロットタイプや八重咲きのものなど、さまざまな種類のチューリップを集めたアレンジメント。緑に着色してひも状に絞ったアンブレイカブルジェルを輪にしてチューリップの間にあしらい、また、ペーストの鉢を同様のひもで無造作にしばっている。固いペーストを砕いてスノーフレイクのラスターカラーをまぶしたものを、ケーキボードに敷きつめて飾る。

☛ 作品例

ケーキをエクステンションの絞りで覆いつくした、とても繊細で愛らしい作品。縦長のケーキにカウンターサンクトップを行ない、側面にフリルにしたペーストとリボンを巻く。これを境にして、ブリッジレスのエクステンションワークを上下に3層ずつ絞っている。エクステンションワークは、3層絞り終わったらケーキの上下を返してまた3層絞る。

作品例

ロイヤルアイシングのみで花を表現したウェディングケーキ。花をイメージした大きなレースピースを、上段ケーキ縁にぐるりと接着。レースピースは通常1色で絞ったものが多いが、ここではピンクと緑で絞っている。ケーキとケーキボードのバラ模様はパイピングジェルを使ったブラッシュエンブロイダリーによるもの。ロイヤルアイシングで絞ったラインを水のかわりにパイピングジェルでひっぱることで、より柔らかく優美な印象をつくり出している。下段のケーキにはブリッジレスのエクステンションワークを2層絞っている。

作品例
夏の黄色はかわいらしい。そこで、ラウンジから庭に向かって設置する夏向けのウェディングケーキをイメージして、黄色のバラをあしらったケーキを製作した。ケーキは、テクスチュアピンやエンボッサー、ステッチホイールなどで模様をつけた四角いケーキを積み重ねて、プレゼントボックスに見たてている。

☞ 作品例

ケーキにシュガーフラワーを無造作にのせてみたいという思いから製作。シュガーフラワーは重ねると壊れやすく、また、丈の長いグラジオラスをバランスよく配するむずかしさを考えて、ケーキの配置を工夫。手前に大きなサイズのケーキを置き、その後ろに小さめのケーキ2個を積んで手前のケーキよりも高さを出し、カサブランカとグラジオラスを流れるようなラインに飾った。あしらった葉はアンブレイカブルジェルでつくったもの。ケーキにはシリコン製型でつくったモールディングのレースを貼っている。

☛ 作品例

昼顔のシュガーフラワーをつくってみたいという思いが原点。昼顔のように素朴な花をウェディングケーキにあしらうと、意外性のある印象深い作品が生まれる。昼顔の花弁は、ちょうどいいフラワーカッター（抜き型）がなかったため、円形のペーストを五角形に広げてオリジナルで成形した。人形はケーキに座った姿勢をとらせ、ドレスのドレープでケーキを覆っている。この場合、人形の体は膝までつくればよいので製作しやすい。人形の顔は、もっとも気を使うパーツのひとつ。いったん型どりし、あとはフリーハンドで整形する。頬と鼻のラインが特にポイントとなる。

作品例

「羽衣」をイメージし、ダンスをする女の子を飾ったケーキ。バランスを保って人形を立たせることがポイント。ケーキ側面にはオリエンタルスタイルのストリングワークをほどこしている。ケーキ表面のマーブリング模様に合わせてストリングワークの色にグラデーションをつけ、また、ストリングの長さに変化をつけて躍動感を表現している。

☛ 作品例

ブルーハイビスカスを主役にした、夏向けのウェディングケーキ。オリヅルランの長い葉を組み合わせて変化をつけ、下から2段めのケーキに白いゴクラクチョウをとまらせた。各ケーキの側面には、海をイメージしてブラッシュエンブロイダリーで波模様をつくり、さらにその内側にパイピングジェルを塗って水の雰囲気を出している。

☛ 作品例

白をテーマカラーにしたウェディングケーキ。白いケーキにカサブランカ、ユーチャリス、スズラン、ジャスミンという白いシュガーフラワーだけをあしらっている。このように白だけで統一した場合、葉の緑がポイントになる。全体を単調に見せないために、濃い色から中間色、薄い色まで緑の色合いに変化をもたせている。ケーキ側面にはパールつきの透明のワイヤーをあしらい、チュールエンブロイダリーをほどこしたチュールレースを最上段のケーキにとめてフワッとたらす。

☛ 作品例

シュガーフラワーとチューブエンブロイダリーというふたつの手法でしゃくやくを表現したケーキ。この作品の主役は、着物の柄のようなイメージでケーキ側面に絞ったしゃくやくのチューブエンブロイダリー。チューブエンブロイダリーをひき立たせる役割として、シュガーフラワーをあしらっている。最上段のケーキは通常背を低くしてつくられるが、チューブエンブロイダリーが目立つように、あえてだ円で背の高いケーキを使用した。この作品のように、しゃくやくはどこか東洋的なイメージを残すとその美しさが際立つと思う。“WEDDING Cakes-A DESIGN SOURCE”（Squires Kitchen Magazine Publishing）のIssue5の表紙を飾った作品。

☛ 作品例

秋の花コスモスを主役にした可憐なウェディングケーキ。シュガーフラワーのコスモスのバスケットとコーディネートした。いわゆるブライダルの定番ではないこうした野の花をウェディングケーキに仕立てるのも、かえってしゃれた演出となる。下2段のケーキの側面には三角形の型を押しあててエンボス模様をつけている。

作品例

クリスマスカラーの赤と緑をあえて使わずに、ブルーをテーマカラーにしたクリスマスケーキ。シュガーモールドの手法でつくったベルや 'Merry Christmas'の文字をあしらい、ロイヤルアイシングの絞りにグラニュー糖をまぶしてつくったツリーや雪の結晶、ペーストにグラニュー糖をまぶしつけた雪玉などを飾る。グラニュー糖の白い色とブルーのコントラストが美しい。

☛ **作品例**

ポインセチアを主役にした、クリスマスシーズンのウェディングケーキ。ポインセチアはインパクトが強く、ほかの花との組合せがむずかしい。ここではクリスマスベルに形が似ている黄色のカラーを合わせ、また、ひと枝にさまざまな花や実がついたランタナを組み合わせて調和させている。松ぼっくりやひいらぎなど、オーソドックスなクリスマスの組合せをあえてはずした、ユニークで印象的なウェディングケーキ。

☛ 作品例

冬のパーティーバッグをイメージした作品。カップ咲きのオールドローズを1輪だけ飾って存在感を出している。ケーキのカバーリングは、まず側面にパターン＆テクスチュアⓒのC（P.47）の要領で縦じまをつくったカバーリングペーストを4枚はぎにして貼る。次に上面に円形のペーストを貼り、さらに上端を内側に折り返したペーストを側面上部に貼ってふたに見たてている。ケーキ側面に貼ったバラは、金太郎あめの要領でバラの形の棒状にしたペーストをスライスして形づくったもの。手提げのリボンは、ペーストの両端にワイヤーを入れて立ち上がらせている。

作品例
ディテールをていねいに表現したポインセチアの大輪1輪を、カウンターサンクトップで中央を低くしたケーキの上面にピックを使ってとめた、斬新なクリスマスケーキ。インパクトの強いポインセチアならではのデザインといえる。瓶にレースを飾るイメージで、ケーキ側面にバテンレースをあしらった点もユニーク。赤いケーキに白のバテンレースがひき立ち、楽しくてロマンチックな雰囲気を醸し出している。クリスマスの食卓に飾るのもおすすめ。

☛ 作品例

すべてパイピングフラワーで製作した花のバスケット。パイピングフラワーは、シュガークラフトならではの独特なかわいらしさがある。壊れにくく、退色しにくいのも魅力。陶器の置きもののように、テーブルに飾って楽しむのも素敵な演出。バスケットもロイヤルアイシングでバスケット絞りをして表現している。

作品例

ドットステッチで絞ったリボンのリースのプラークをのせた、クリスマスケーキ。とても細かい絞り模様は、繊細なレースのような印象。ドット絞りのボリュームに大小をつけ、浮き出るような立体感を出している。ケーキ側面には、ひいらぎやクリスマスリースを絞ったレースピースを飾る。

Chapter 7

道具、材料、トレース、接着材、型紙

Equipment, Materials, Tracing, Glue, Templates

シュガークラフトには特有の材料や道具があります。

道具は時代とともにより使いやすいもの、新しいものが登場しています。そのため、つい買いすぎる傾向にありますが、一方、古くから変わらず重宝されているものも少なくありません。いろいろ試してみるとご自分に合ったものが絞られてくるでしょう。

また、材料のなかでも食用色素の豊富さは魅力のひとつですが、そのほとんどが輸入品であり、国によって使用許可基準が異なります。口に入る場合や商品への使用には注意が必要です。

この章では、トレースや接着についてもまとめました。シュガークラフトのデコレーションの手法は数々ありますが、そこで常に必要となる図案・型紙のトレースの仕方や、パーツなどの接着の仕方は、実は重要なポイントです。状況に応じた方法を知っておくと、作品づくりをよりスムーズに運ぶことができます。

この章ではまた、本書に登場する作品や花で使われる型紙・図案を収載しました。型紙・図案はご自分で起こすこともできます。刺繍の本や絵本、カードなどヒントは至るところにあり、そこからイメージをふくらませるのも、作品づくりの楽しい作業といえるでしょう。

7 *01* 材料&道具

Materials & Equipment

シュガークラフトの基本的な材料・道具を中心にご紹介します。輸入品の材料などには
日本では食用認可がおりていないものもあります。未認可のものは販売物には使用せず、また、口に入る部分に使わないように
注意してください。なお、掲載品には現在販売されていないものが一部含まれることをご了承ください。

◎マジパン

アーモンドと砂糖を練り合わせたペースト。マジパニングに使う。マジパンのなかでもアーモンドの含有率の高いローマジパンが適する。手やボードにくっつきやすい時は粉糖を少し混ぜるとよい。冷凍可。

オリゴ糖入り粉糖

◎粉糖

おもにロイヤルアイシング、シュガーペーストの材料や打ち粉として使う。グラニュー糖100%でできた全粉糖、オリゴ糖入り、コーンスターチ入りなどの種類がある。ロイヤルアイシングをつくり口径の細い口金で絞る場合には、オリゴ糖入りか、全粉糖が適する。それ以外は手に入りやすい種類を使って問題ない。

◎乾燥卵白

卵白を乾燥させて粉末状にした製品。保存がきき、生卵白よりも計量しやすく変色しにくいなどの利点がある。ロイヤルアイシングを大量につくる場合などに便利。約3倍量の水を加え、30分以上おいて充分に溶かす。かならず漉してから使う。

◎トラガカントガム

パスティヤージュやフラワーペーストの材料として使う粘着材。ペーストにコシをつける役割。接着材料としても使える。CMC、タイロースパウダーなど、人工的につくられた同じ目的の製品もある。

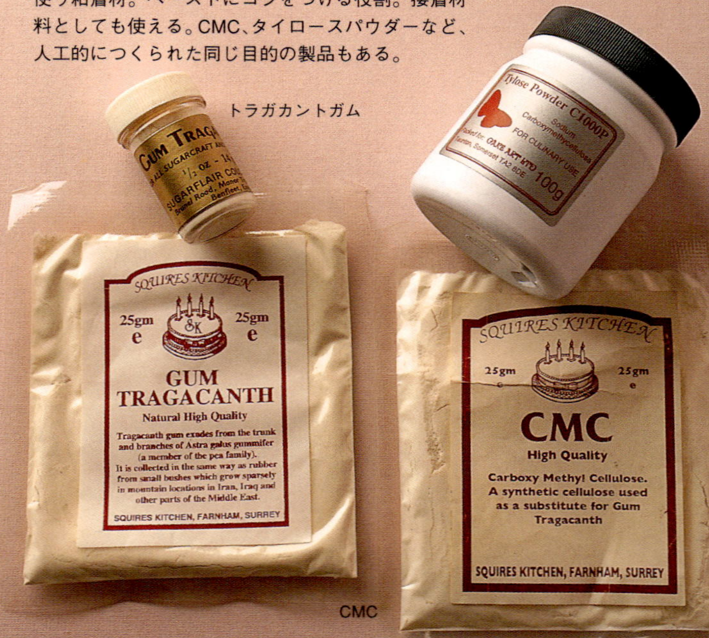

トラガカントガム

タイロースパウダー

CMC

◎シュガーペーストの市販品

各種ペーストは手づくりできるが、市販品を利用してもよい。大きく分けて、粉末に水を加えて練って使うものと、ペースト状のものとがある。種類もカバーリングペースト、モデリングペースト、フラワーペーストなど豊富。適宜手を加えて使ってもよい。

◎ロイヤルアイシングの市販品

ロイヤルアイシングも手づくりのほか、市販品を利用することもできる。エクステンション用、ランナウト用など、水を加えて泡立てればよい粉末が各種市販されている。ロイヤルアイシングが少量必要な時などにも便利。

◎色素

基本的な色素には下記の４種類がある。

A）ペーストカラー：ペースト状。濃度が高く、色の種類が豊富。ペーストの着色やペインティングなどに向く。

B）リキッドカラー：液状。濃度が薄めで色の種類は比較的限られる。ロイヤルアイシングの着色などに向く。

C）日本製の食用色素：粉末状。水で溶いて使う。色の種類は限られるが、濃さの調節や数色混ぜるなどで色の幅が広がる。ロイヤルアイシングの着色などに向く。

D）ダスティングパウダー：粉末状。白から中間色、濃い色まで種類豊富。蛍光色のものは「ラスターカラー」と呼ばれる。筆ではたいてつける（ダスティング）。また、無色の蒸留酒で溶いて人形の顔を描いたり、ペインティングにも使える。

そのほかにもさまざまな色素がある。

E）フォークアートカラー：液状。テラッとした独特な質感が出る。

F）ディスコカラー：粉末状。蛍光色でイルミネーションのような輝きの表現に向く。

G）パイピングスパークルズ：ゼリー状。Fと同じ。

H）マジックスパークルズ：薄い破片状。Fと同じ。

I）ムーンビーム：粉末状。ラスターカラーの一種でごく淡い色調。ペーストの色に合わせて使い分ける。

J）ギルデソル：油脂状。無色。ムーンビームを塗る前に薄く塗っておくと、ムーンビームの発色がよくなる。使いすぎるとむらになるので注意。

K）スーパーホワイト：粉末状。まっ白な色が特徴で、ロイヤルアイシングに加えると白さが際立つ。

L）カラーペン：細い文字を書いたり人形の顔などを描くのに気軽に使える。

◎バニッシュ

'Confectioner's Varnish' 'Confectioner's Glaze' などの名称で市販されている食用ニス。花弁・葉などのパーツに筆で塗ったり、パーツをさっと浸したりしてつやを出す。マニキュアのあき瓶に移し入れると使いやすい。バニッシュをつけた筆を洗うクリーナーもある。

◎ピン類

ローリングピンは、シュガーペーストがくっつきにくいシュガークラフト専用の麺棒。サイズが各種ある。また、のすとペーストに模様がつくテクスチュアピンも、模様やサイズの違うものが各種ある。

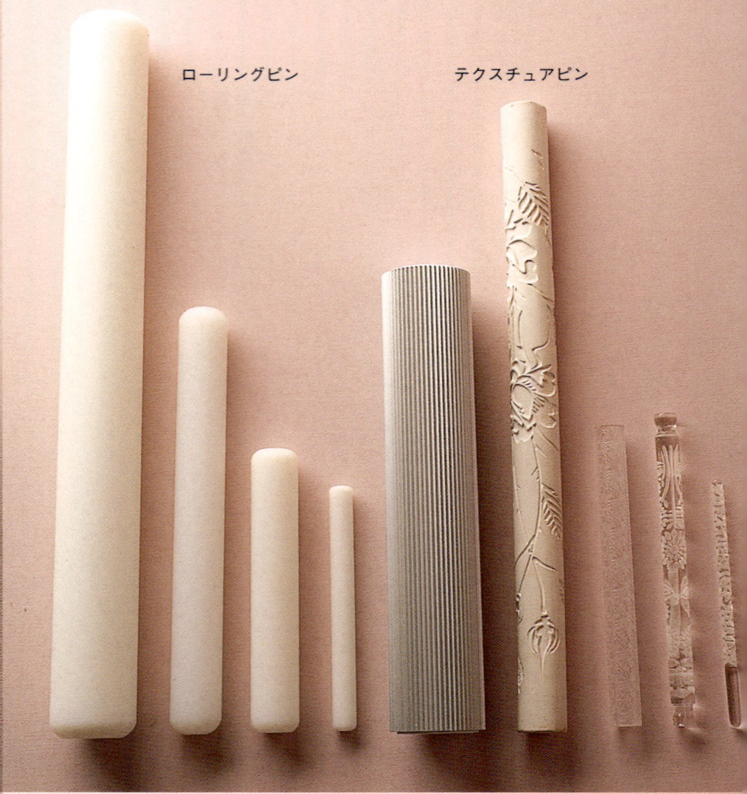

◎ボード類

材質・サイズが各種あり、作業に応じて使い分けるとよい。

A）ノンスティックボード：シュガーペーストをのす時などに使う。

B）アクリルボード：パスティヤージュやランナウトワークなど、パーツを確実に平らにしたいワークなどに向く。下に型紙や図案を置いて作業できるので、透明なものが便利。

C）スポンジパッド：モデリングツールでペーストを整形する時などに使う。パーツに突起をつけられる穴つきのものもある。

◎ならす道具

スムーサーはシュガーペーストの表面を平らにならすのに使う。ルーラー、スクレーパーは、ロイヤルアイシングによるコーティングの際に、ロイヤルアイシングを平らにならすのに使う。ルーラーはペーストの両脇に置き、ペーストを均一の厚みにのすのにも使える。

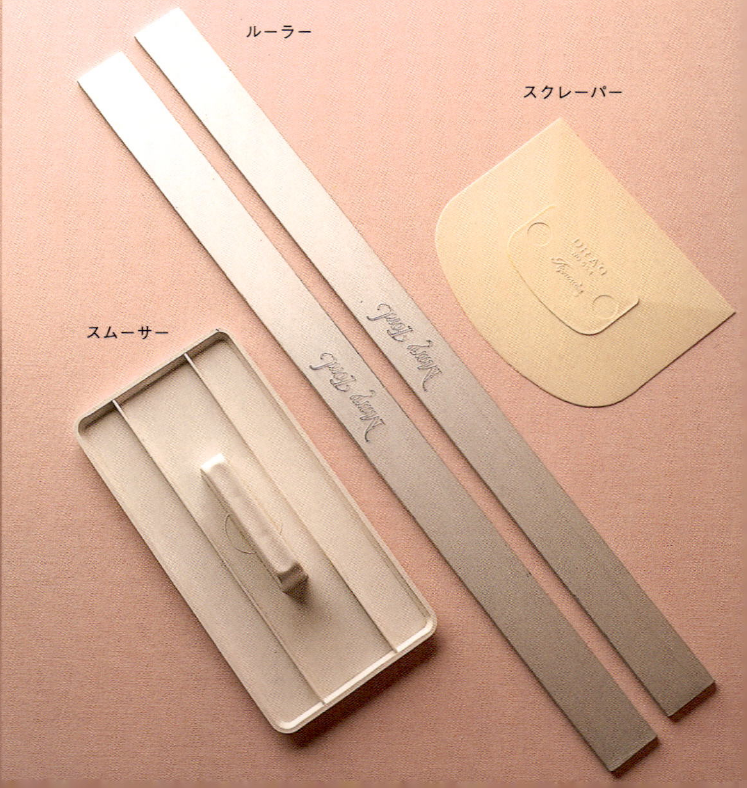

◎ティルティングターンテーブル

ケーキをのせて作業するための回転式台。すべり止めつきで傾斜がつけられるシュガークラフト専用のもの。ケーキ側面にロイヤルアイシングを絞る時などに便利。

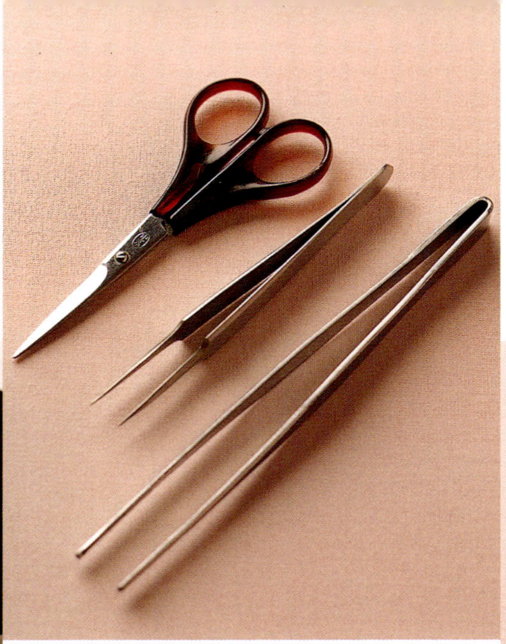

◎切る・つまむ道具

細工用はさみは、先端が細い小さなはさみ。ペーストに切込みを入れたり、パーツをカットするのに使う。なお、カッティングホイールやナイフスティック(下記)もペーストをカットする道具。ピンセットは、先端が平たいもの(写真右)は細工全般に向く。特に、シュガーフラワーのワイヤー入り花弁や葉、細い茎などの位置の修正に便利。先端がとがった小ぶりのもの(写真中央)は、ペップなど細かい箇所をつまむのに便利だが、柔らかいペーストを切ってしまわないように注意。

◎乾燥防止マット

透明なマット。カッター(抜き型)などで抜いた花弁や葉などのパーツが乾燥しないように、ボードにかぶせて使えて便利。

◎モデリングツール

おもにペーストのパーツの整形に使う。

A) ナイフ(シェル)スティック:ペーストを大まかにカットする。貝の模様をつける。

B) 星型スティック(6分割、5分割):ブルドフラワーなどに使う。ペーストにさし込み、5枚弁または6枚弁の筋をつける。

C) ボール(コーン)スティック:ペーストにカップ状のくぼみをつける。円錐のくぼみをつける。

D) フラワー(リーフ)シェイパー:花弁・葉の縁をならしたり、カーブをつけたり、花脈・葉脈をつける。リーフシェイパーの方が細い。

E) ボーンスティック:花弁・葉の縁をならしたり、カーブやウエーブをつける。

F) 細棒:フラワーペーストをのす。ペーストにくぼみをつける。

G) コームスティック:ペーストの縁をギザギザにカットしたり、細かいくぼみをつける。

H) ベイニングツール:複雑な花脈をつける。人形・動物に口の形をつける。

I) カッティングホイール:ペーストをカットする。特に曲線のカットに便利。

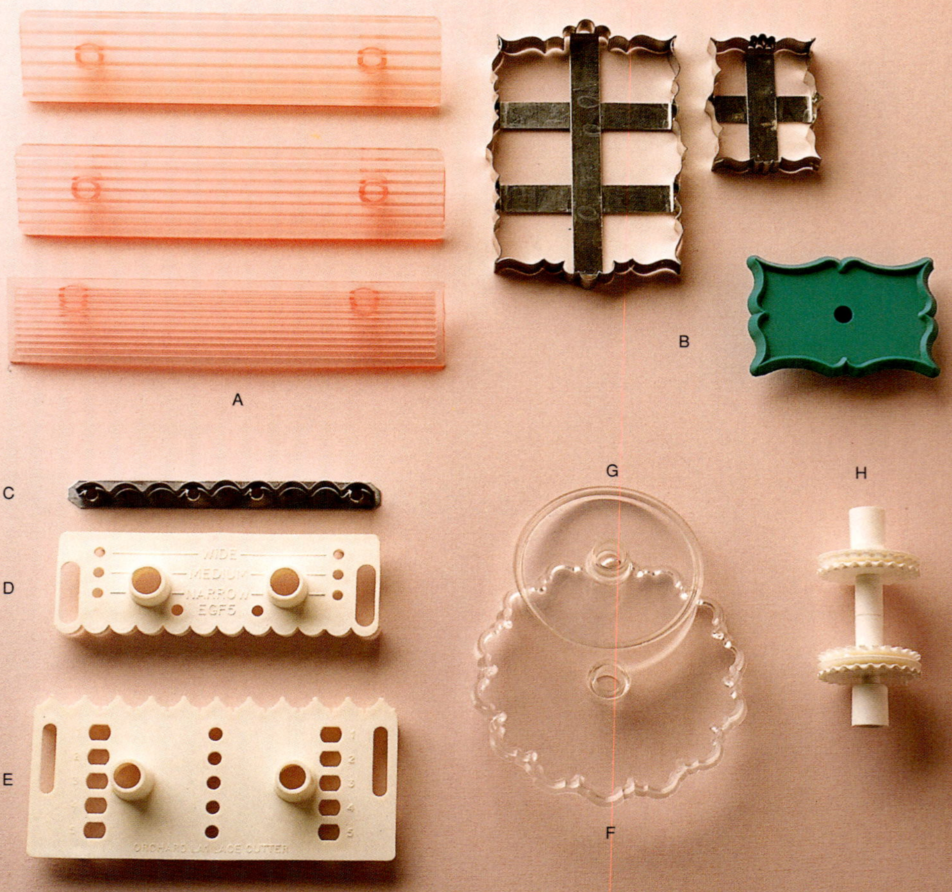

◎カッター(抜き型)

ペーストを抜くさまざまなカッターが市販されている。ここでご紹介するのはそのほんの一部。必要に応じて揃えていくとよい。型紙をつくって代用できるものもある。

A）ストリップカッター：細い帯が一度にたくさんつくれる。幅が違うものが各種ある。

B）プラークカッター：カードやプラーク(飾り板)の形に抜く。

C）ストレートフリルカッター：端をスカラップに抜く。金属製。

D）ストレートフリルカッター：端をスカラップに抜く。プラスチック製。

E）レースカッター：端をレース状に抜く。

F）ドイリーカッター：ドイリー(レースなどの円形敷きもの)の形に抜く。

G）ラウンドカッター：円形に抜く。

H）マルチリボンカッター：帯状に切る。カッターローラーの種類や位置を変えることで、帯の切り口の模様や幅を変えられる。

◎ペーパー類

用途に応じて使い分けるとよい。

A）トレーシングペーパー：型紙・図案のトレースに使う。

B）グラシン紙：パイピングバッグに使う。三角形に切ったものが市販されている。

C）OPシート：ラッピングフィルムとも呼ばれる厚手のセロファン紙。パイピングバッグやランナウトワークなどに使う。筒状に巻いたものや、パイピングバッグ用に三角形に切ったものがある。

D）ワックスペーパー：パーツをはがしやすいため、ロイヤルアイシングのレースピースづくりなどに向く。

E）シリコンペーパー：ワックスペーパーと用途は同じ。ワックスペーパーよりもさらにパーツをはがしやすい。

◎ダミーケーキ

本物のケーキの代用として使う発泡スチロール製の土台。飾る目的だけの場合や練習用に使う。さまざまな形とサイズがある。マジパニングは必要なく、シュガーペーストやロイヤルアイシングで覆って使う。シュガーペーストで覆う場合は、上面縁を削って自然な丸みをもたせておく。

◎モールド（型）

人形や動物、各種小物などの形をつくれる、さまざまなモールドがある。ここでご紹介するのはそのほんの一部。おもにペーストを詰めるが、シュガーモールドや、チュールレースを使ったシュガーソリューションのワークなどにも使われる。硬質プラスチック製、ゴム製、シリコン製などがあり、シリコン製は細かいディテールまで表現が可能。ペーストの両面に模様をつけられるタイプもある。

A）スワン
B）くまと子ぐま、風船
C）子犬
D）ハートのケース
E）人形の顔
F）妖精の羽
G）レース
H）ベル
I）ハイヒール
J）小人

◎ケーキボード

ケーキをのせる台。厚みのあるもの（写真下2枚）はケーキドラム 'cake drum'、薄いもの（写真上3枚）はケーキカード 'cake card' と呼ばれる。形、サイズともに多様で模様入りのものもある。通常はシュガーペーストなどで覆って使うが、デザインによってはそのままでもよい。きれいにふいてから使う。

◎ケーキスタンド

金属製や透明のアクリル製など、材質の違うさまざまなタイプがある。

02 トレース

Tracing

図案を写しとる作業を「トレース」といいます。
トレースの仕方を知っておくと、手芸などさまざまな分野からモチーフを得ることができ、初心者でもデザインの幅が広がります。
状況に合わせて下記の方法を使い分けるとよいでしょう。

a トレーシングペーパーを使うトレース法

トレーシングペーパーに写しとった図案を裏面からもなぞることがポイント。これにより、図案をシュガーペーストに同じ向きで写しとることができます。特に文字のトレースに用いる手法です。ここでは4種類のトレースの方法をご紹介します。下記のプロセス1はすべての方法に共通で、その後に各プロセスに進んでください。

1 共通プロセス。図案にトレーシングペーパーをのせ、鉛筆（HB）で図案をなぞる。ペーパーをひっくり返し、裏面からも表側の線を鉛筆でなぞる。

鉛筆の跡を押しあてる

ペーストが乾く前に行なう方法。手間がかからず、また、はっきりとしたラインをつけられます。ペーストをゆがめてしまいやすいので、平らな面へのトレースに向きます。

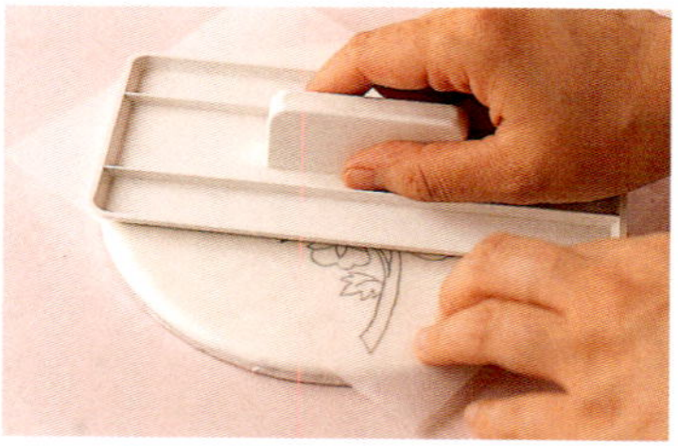

2 ペーストが柔らかいうちに①を表を上にしてのせ、ペーパーがずれないように注意しながらスムーサーでゆっくりこする。

3 でき上がり。

鉛筆の跡を竹串でなぞる

ペーストが乾いてから行なう方法。鉄筆ではペーパーが切れたりつれたりしがちですが、竹串はそうならないのが利点です。

2 乾いたペーストに①を表を上にしてのせ、竹串で図案をなぞる。

3 でき上がり。

鉛筆の跡を鉄筆でなぞる (P.210)

ペーストが乾いてから行なう方法。ペーストの地色が濃い場合は、このように鉄筆でなぞった跡の方がわかりやすいでしょう。なお、この方法ではプロセス①で、トレーシングペーパーに写した図案を裏面からもなぞっておく必要はありません。

2 乾いたペーストに①を表を上にしてのせ、鉄筆で図案をなぞる。でき上がり。(これはバラの図案だが、手法は同じ。)

ロイヤルアイシングの絞りを押しあてる

図案のラインをロイヤルアイシングで絞ったスタンプをつくり、ペーストが乾かないうちに押しあてる方法です。エンボシング(P.54)の一種ともいえます。口金を使うレタリングや、ブラッシュエンブロイダリー用のトレースに向きます。ペーストにくぼみがつくので、複雑な図案やペインティングなどには向きません。

2 ①のペーパーの裏面の上に透明アクリルボードをのせ、図案をロイヤルアイシング(口金#0)で絞り、乾かす。

3 ペーストが柔らかいうちに②を押しあてて絞り模様のくぼみをつける。

4 でき上がり。

b そのほかのトレース法

図案は限られますが、各種型や道具で跡をつけるのも、トレースの一種といえます。レタリング用には'HAPPY BIRTHDAY''MERRY CHRISTMAS' など、文字スタンプ(エンボッサー)が各種市販されています。

型を押しあてる (P.54)

1 ひいらぎカッター(抜き型)を押しあてて葉の模様をつける(エンボシング)。エンボッサーやパッチワークカッターなども活用できる。

テクスチュアピンを転がす (P.44)

1 バラ模様のテクスチュアピンを転がしてバラ模様をつける。

7 *03*

接着材

Glue

作品づくりの過程で接着作業は欠かせません。
シュガークラフトでの接着とは、「接着面を水分で柔らかくし、乾くと同時に固める」こと。
下記を参考に、状況に応じて使いやすい接着材を使うとよいでしょう。

a　ペーストが乾く前に使える手軽な材料

いずれも入手しやすく気軽に使えます。ただし、乾いたもの同士の接着はできません。なお、ほかの接着材にも共通していえることですが、ポイントは必要以上につけないこと。つけすぎると接着面が溶けたり、すべりやすくなるなど逆効果です。

水、卵白、無色の蒸留酒

・水、卵白は、シュガーフラワーの花弁や、軽いパーツなどの接着に向く。
・卵白は水よりも接着面の乾きが早く、接着力も強いが、はみ出した箇所が光って残るので注意。
・無色の蒸留酒(キルシュなど)は、ケーキのカバーリングなど、ケーキ(マジパン)に直接ふれるワークに向く。

b　ペーストが乾いてからも使える接着力の強い材料

グルー'glue'とは「糊」のことです。

ガムグルー

・ガムグルーには下記のような種類があり、ほぼ同様に使える。ペーストのほか、アンブレイカブルジェル、フローラルテープ、破損の修復など、あらゆる接着に向く。

(A)アラビアガム1:熱湯1～
上記割合で溶かしたもの。透明でゆるいゼリー状。水分が抜けてくると茶色っぽくなるので注意。溶けやすく、すぐに使える点が便利。水でも溶けるが、熱湯の方が溶けやすい。

(B)トラガカントガム(P.398) 1:水20～
上記割合で溶かしたもの。水を少量ずつ加えてよく混ぜると早く溶ける。不透明な糊状。すぐに使わない場合は水を加えて軽く混ぜておく。半日おくと自然に溶ける。

(C) CMC (P.398) 1:熱湯15～
上記割合で溶かしたもの。やや不透明で重たいゼリー状。水でも溶けるが、熱湯の方が溶けやすく、日持ちがよい。水の場合、半日おくと自然に溶ける。

(D)市販のグルー
そのまま使える。

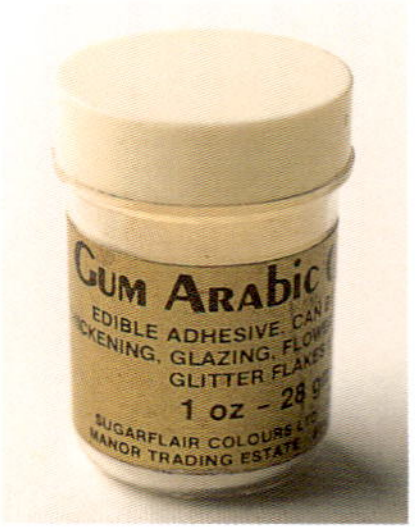

アラビアガムは、粘性のある樹液を加工した粉末。

'Edible Glue (食用糊)' と呼ばれる製品が市販されている。

・どのガムグルーも乾燥しやすいので、ふたつき容器に入れる。時間がたって濃度が増した場合、また用途に応じて、適宜水分を加えて調整する。冷蔵庫で保存する。
・ライスペーパーの接着には水分の使用をさけ、アラビアガム1:パイピングジェル1を練り合わせて使うとよい。

シュガーペーストのグルー

・モデリングの人形や動物づくりなどに向く。製作に用いているペーストに水を加えて練って使う。同色の強い接着材料となり、接着部が目立たない。

c　ロイヤルアイシング

乾いたパーツ同士の接着・組立てに使えます。

・フルピーク(P.106)のロイヤルアイシングを使う。
・ケーキとケーキボードの接着、オーナメントのケーキへの接着など、重さのあるものの接着に向く。
・トラガカントガムなど粉末の粘着材を少量混ぜるとさらに接着力が増す。

7 04 型紙&図案

Templates

この本に登場する作品で使用した型紙・図案を収載しました。
適宜ご利用ください。トレースの仕方はP.404をご参照ください。

P.85 ステンシル

葉

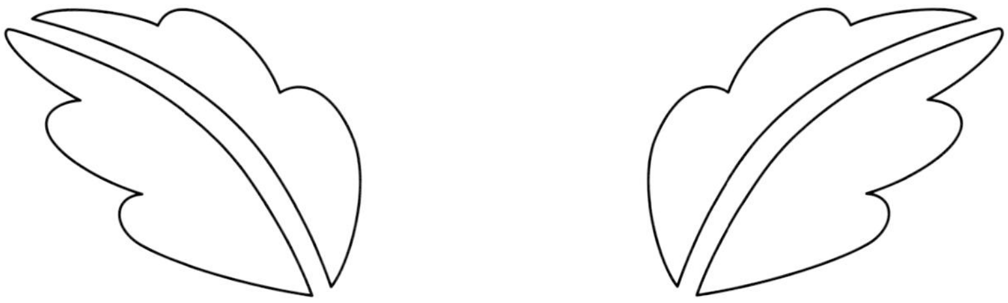

うさぎ

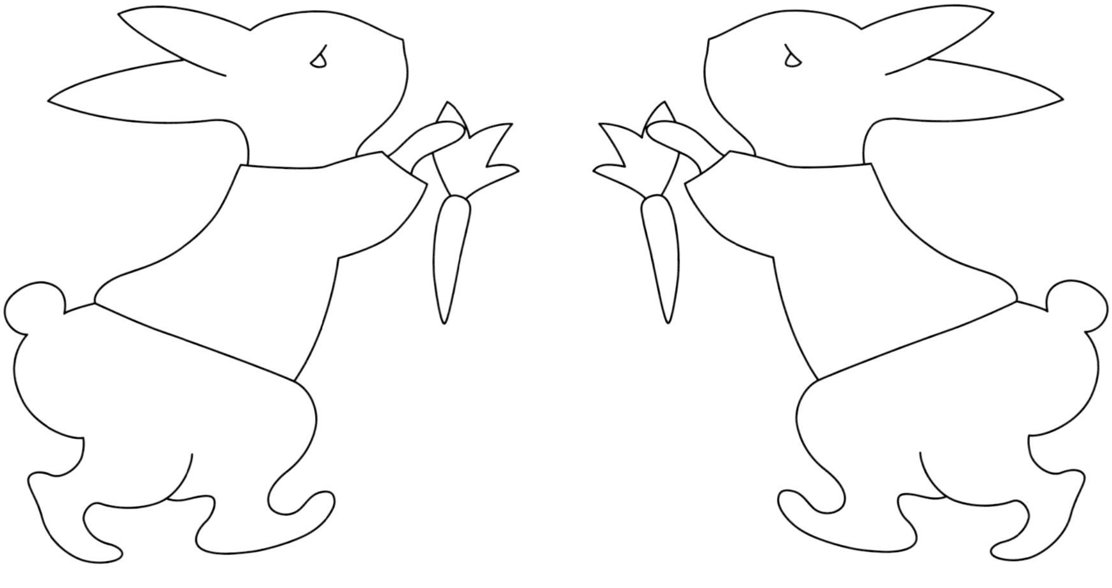

茂みの花

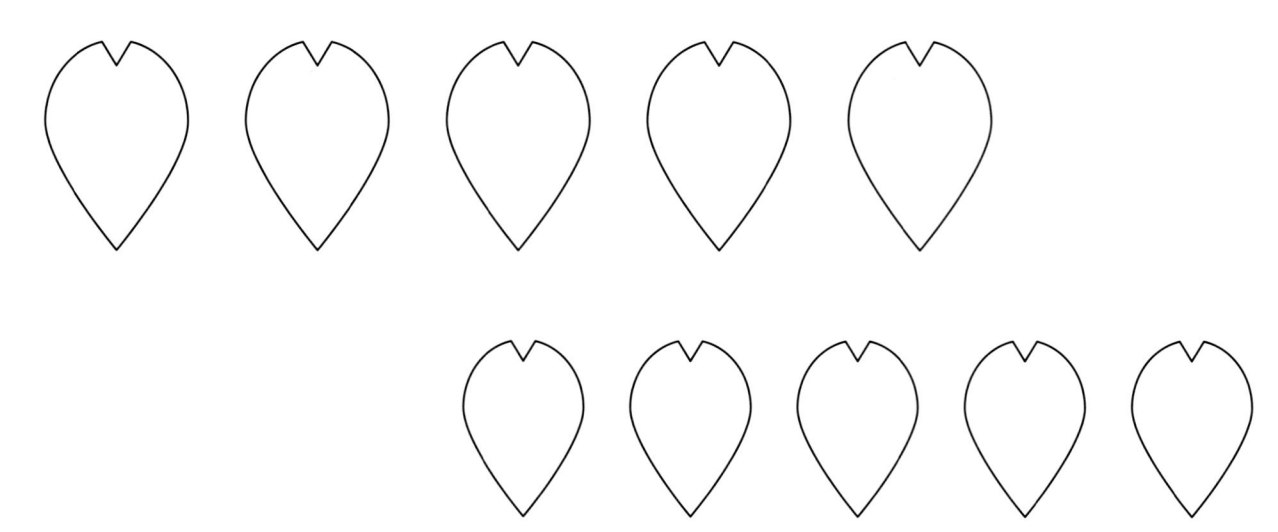

桜

リーフシェイパーで花脈をつけ、指でカーブをつける。

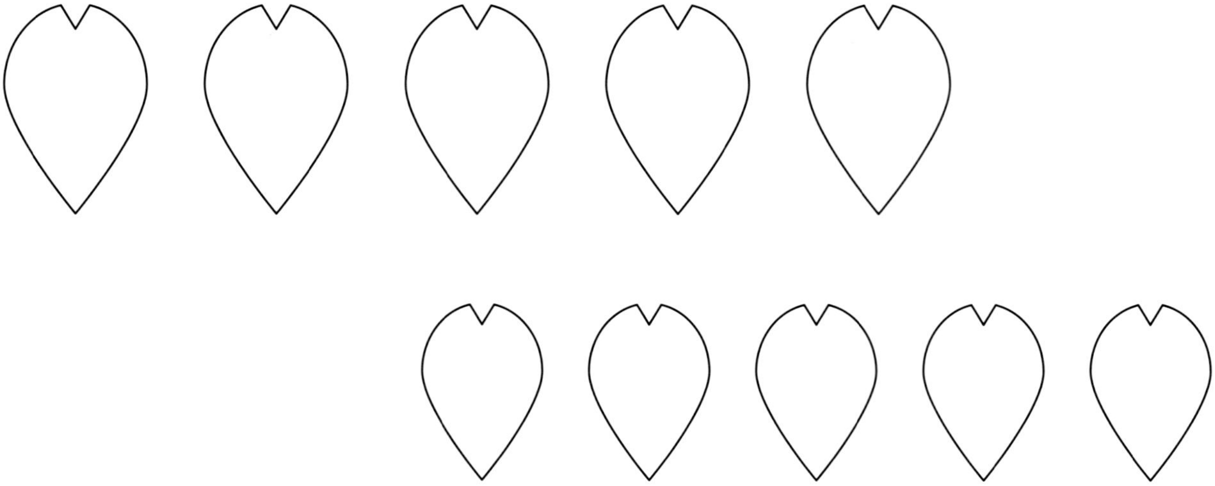

茂み

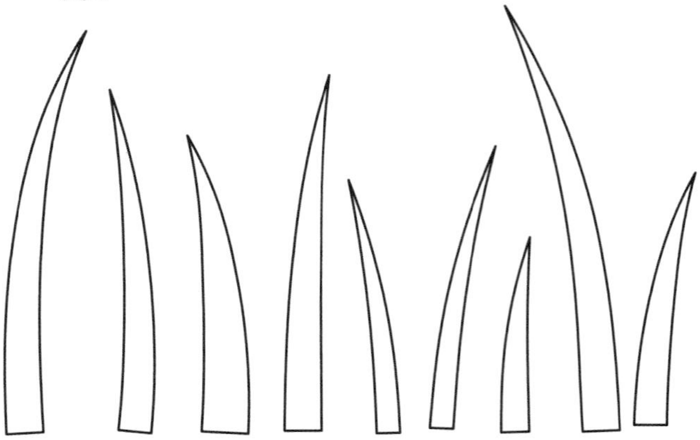

P.141 ドットステッチ

プラーク

●は赤、×は緑、○は黄色のロイヤルアイシングを絞る。
グレー部分はランナウトアイシングでうめる。

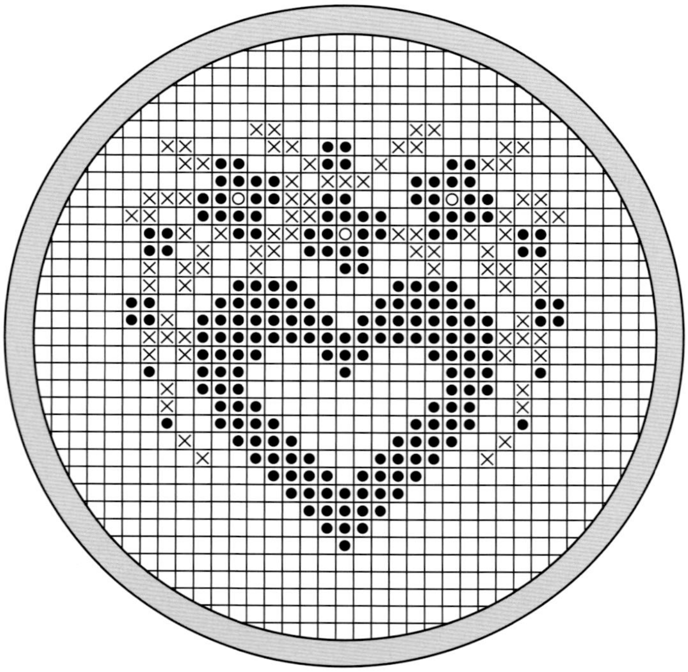

P.143 レースピース

小さな蝶

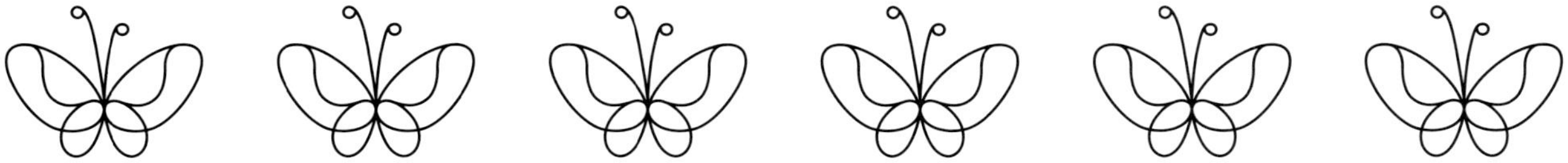

大きな蝶

ロイヤルアイシング（口金＃1）で縦
に2～3本ライン絞りをし、その上
から重ねてビーズ絞りをする。

P.164 ランナウト

くま

各スペースを右記の色のランナウトアイシングでうめる。
グレー部分は濃い茶色でうめる。

茶色
白
白
赤

P.131 チュールエンブロイダリー

ベビーカー

本体A

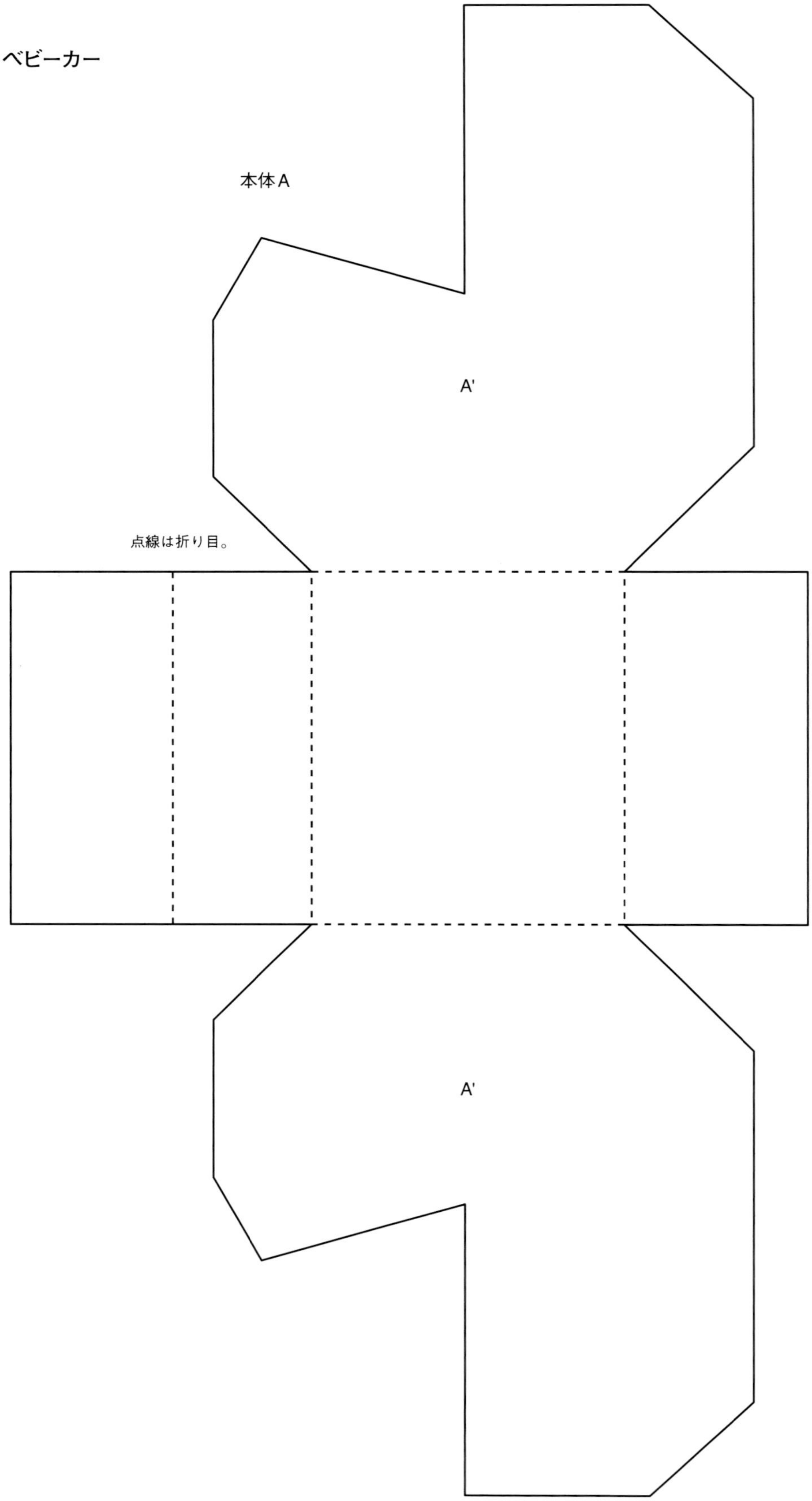

点線は折り目。

車輪E

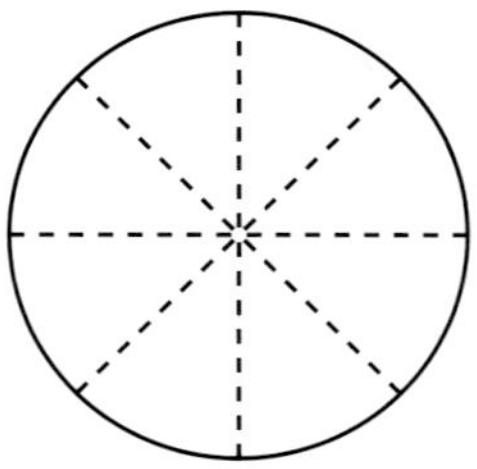

点線は絞り模様のガイドライン。

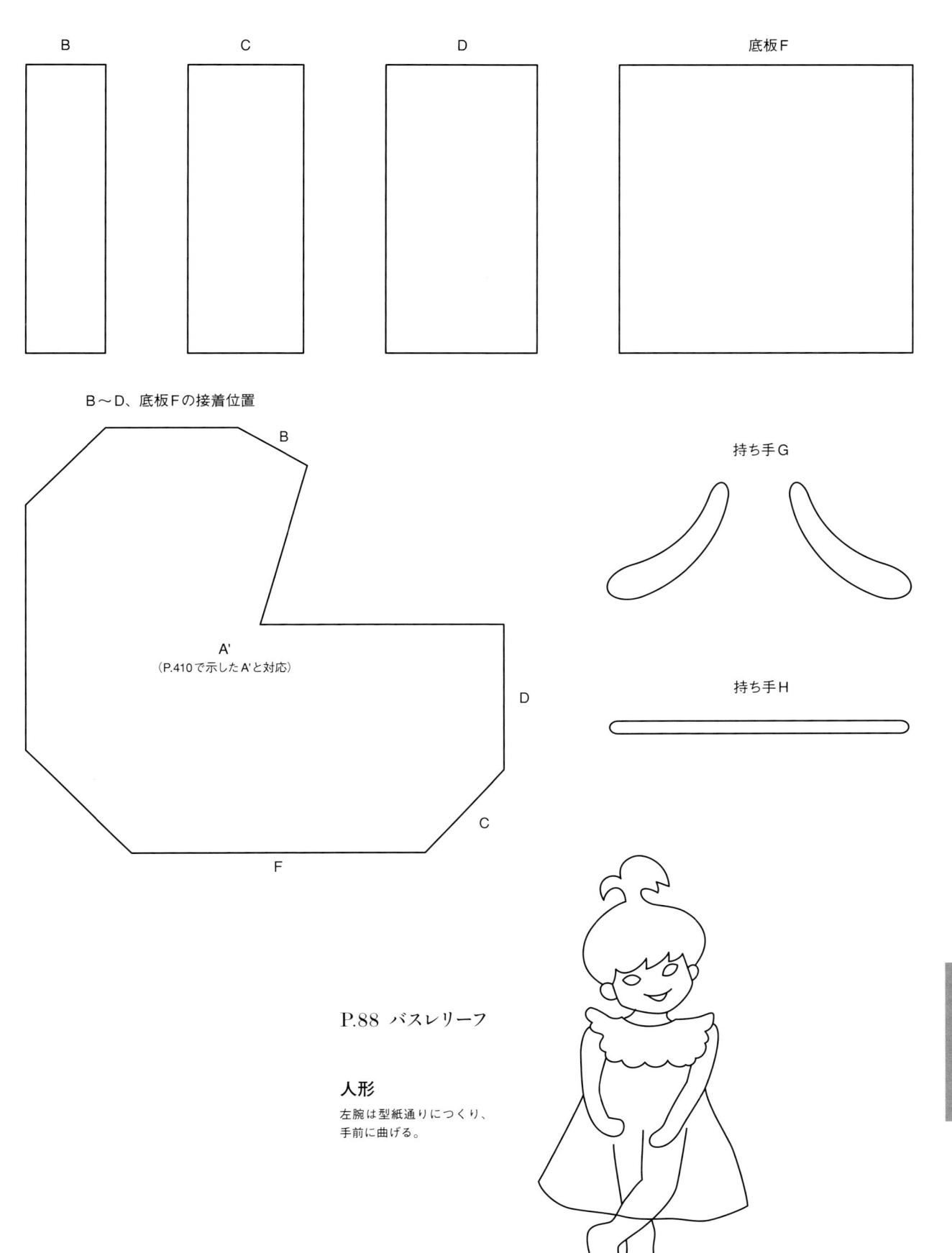

B

C

D

底板F

B〜D、底板Fの接着位置

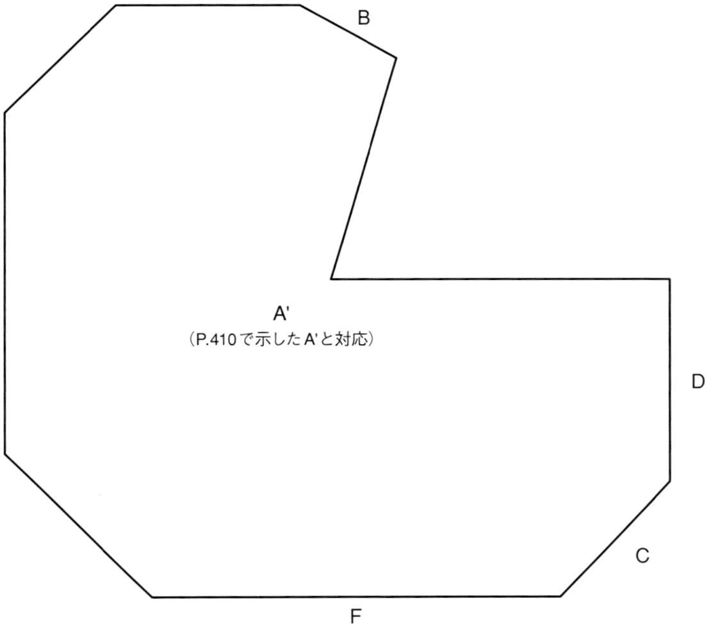

持ち手G

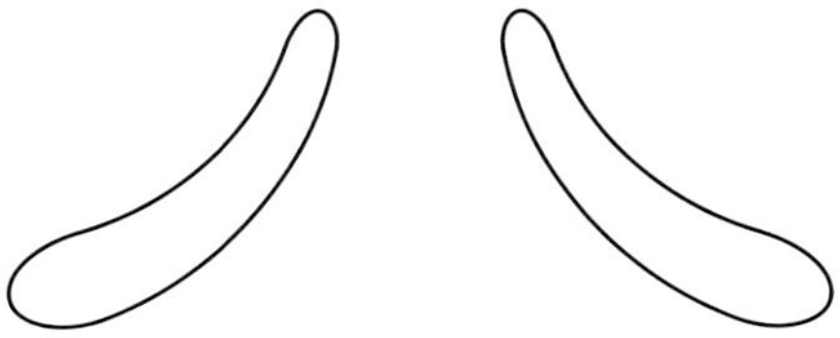

持ち手H

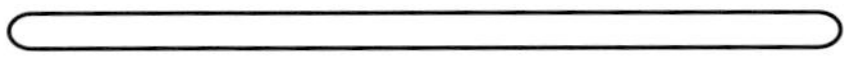

P.88 バスレリーフ

人形

左腕は型紙通りにつくり、
手前に曲げる。

P.163 ランナウト

小さなカラー

ランナウトアイシングでうめて乾かした後、示した箇所にロイヤルアイシング（口金＃0）でビーズ絞りをしてもよい。
15cm角のケーキの場合、ケーキ上面にAは4枚、Bは各4枚ずつ計8枚使用。同サイズのケーキでA、Bをケーキボードにあしらう場合は、A、Bともに140％拡大して使用。

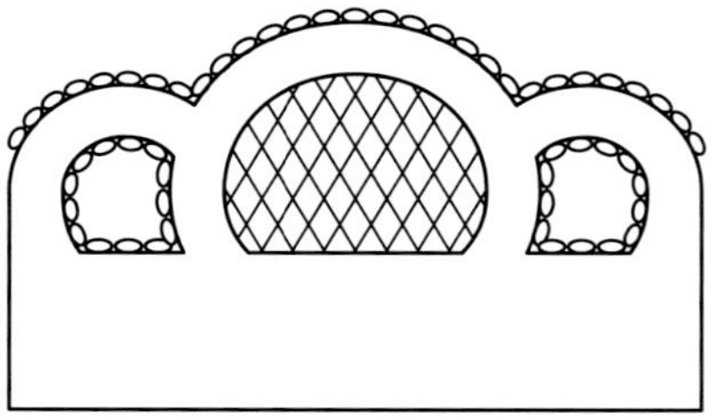

A

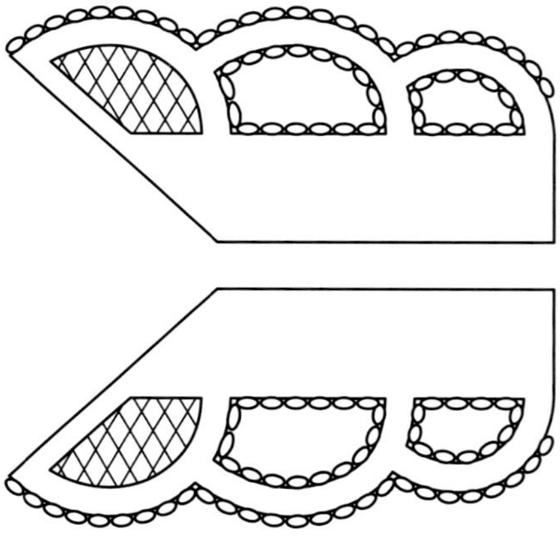

B

ベル

教会

土台Aの上に土台Bを接着する。
点線は教会、塔を組み立てる位置。

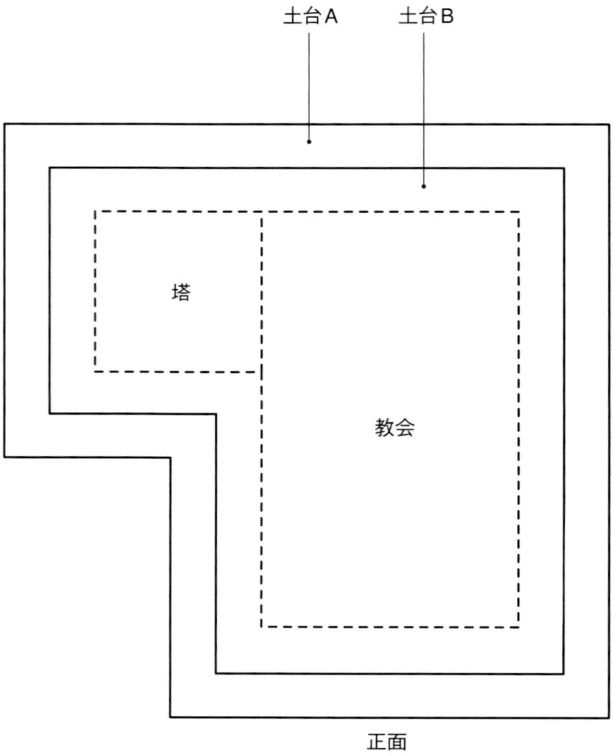

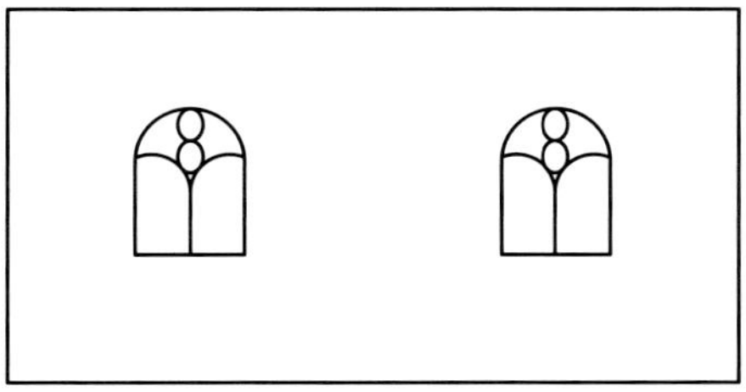

壁面C

壁面D

壁面E

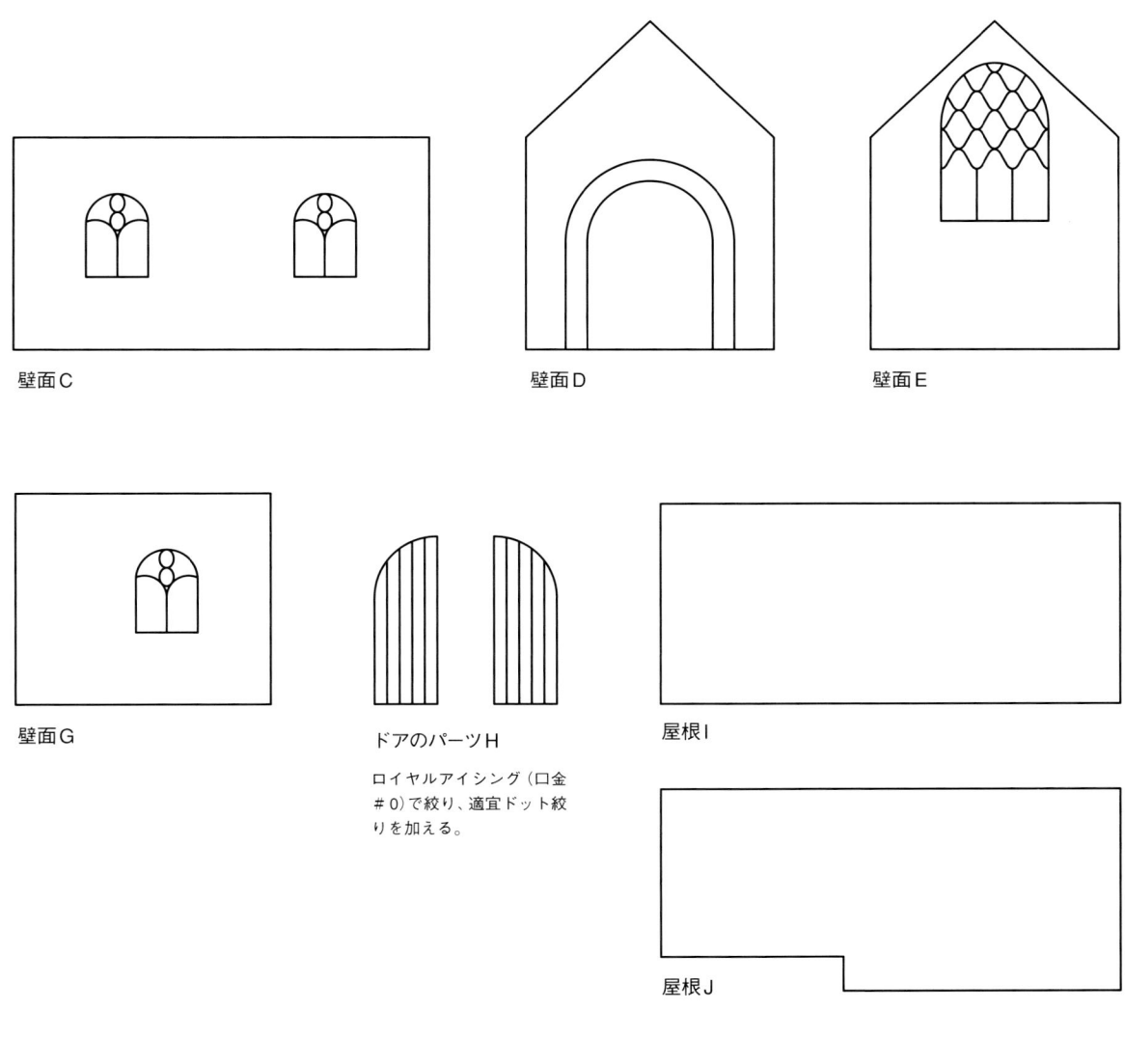

壁面G

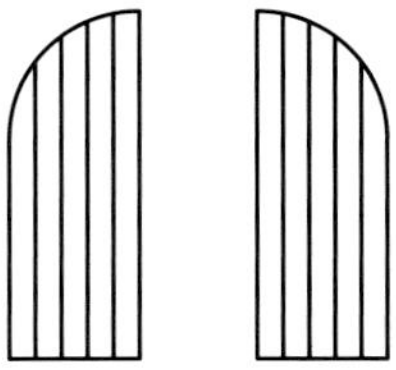

ドアのパーツH

ロイヤルアイシング（口金#0）で絞り、適宜ドット絞りを加える。

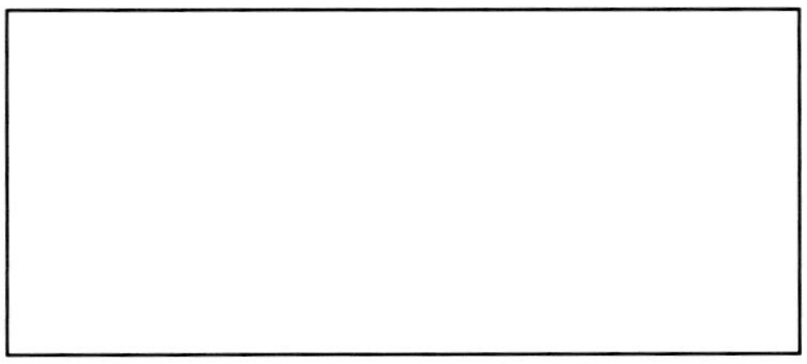

屋根I

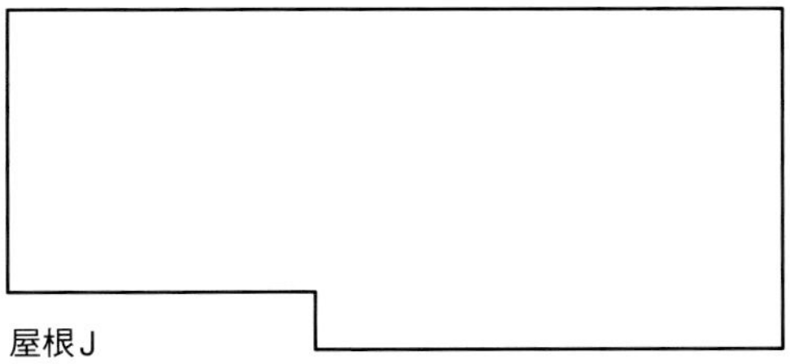

屋根J

塔F

適宜ドット絞りを加える。

P.167 ランナウト

フルカラー

直径15cmのケーキの場合、ケーキ上面には原寸で、ケーキボードには116%拡大して使用。

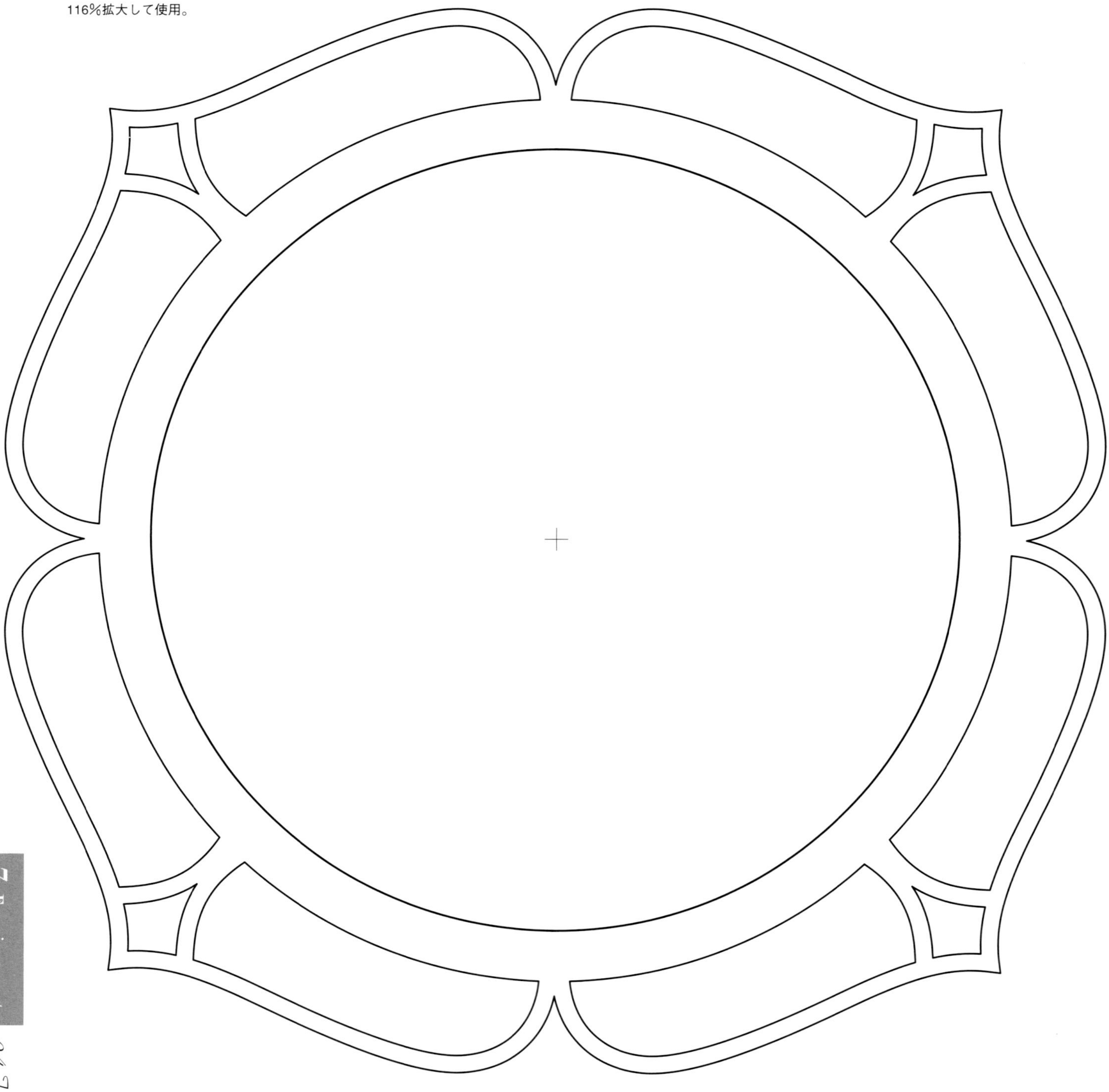

P.100 パスティヤージュ

ボックス

底板、ふた

側面

1枚は型紙通りに、もう1枚は型紙よりも長めに切る。

P.180 レース

バテンレース

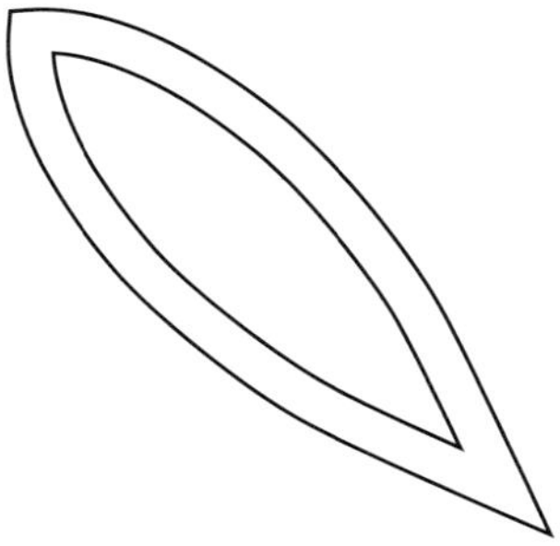

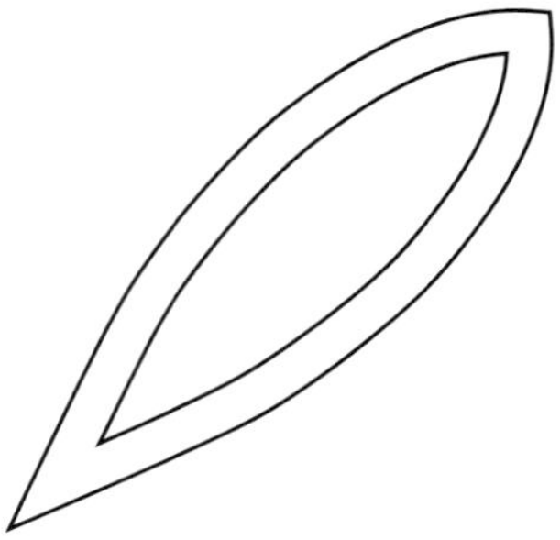

P.187 人気の小物

ベビーシューズ～2枚のパーツでつくる

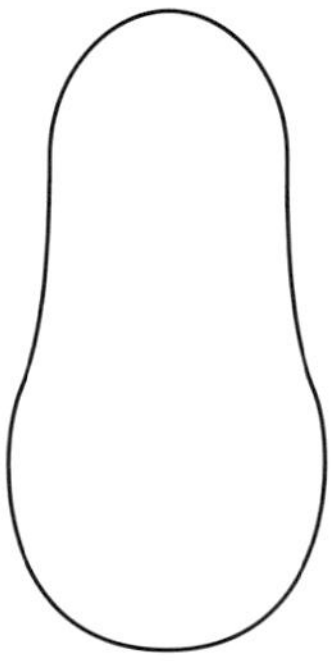

靴底

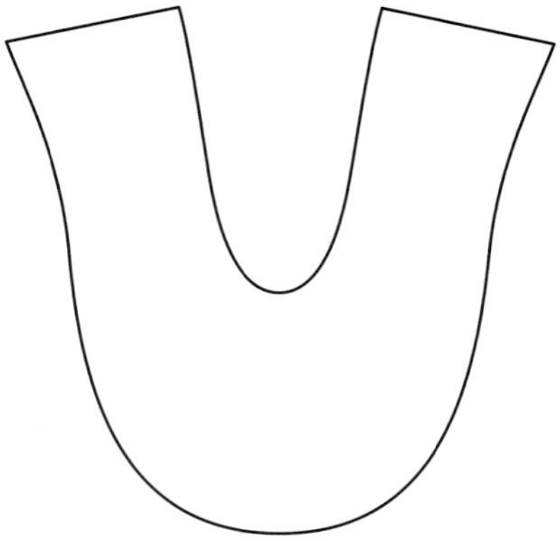

側面

ベビーシューズ～3枚のパーツでつくる

靴底は2枚のパーツでつくる場合と同じ。

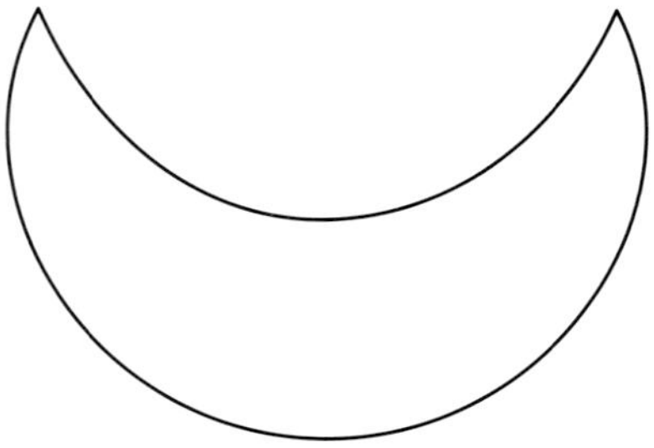

側面の甲側

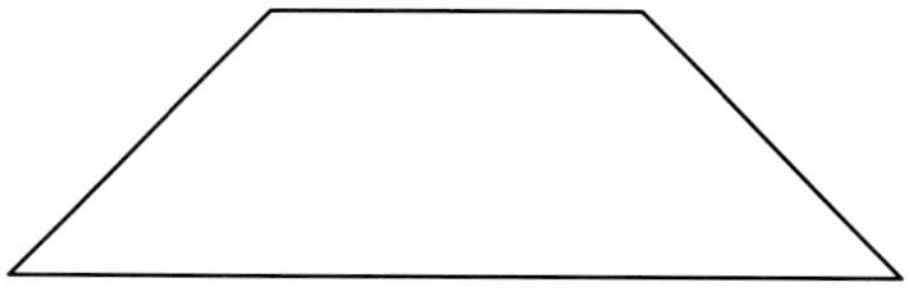

側面のかかと側

P.188 人気の小物

スニーカー

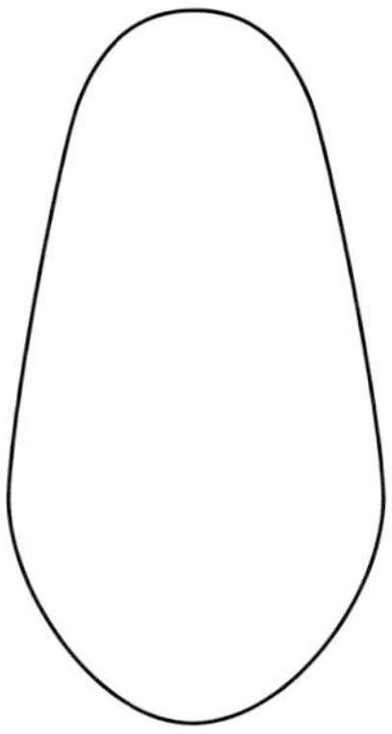

靴底

側面の甲側

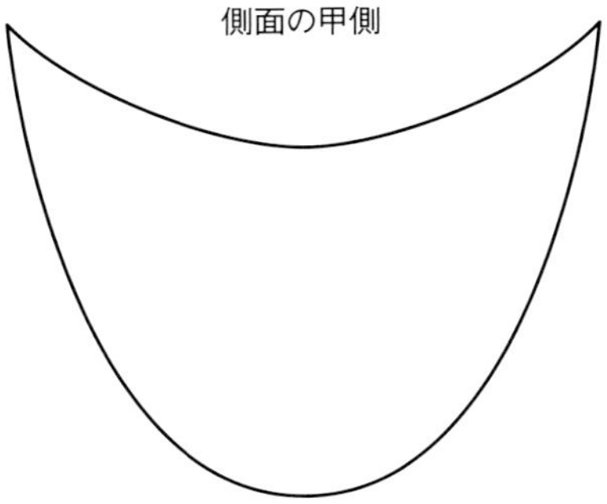

側面のかかと側

筋目模様をつける仕上げ用

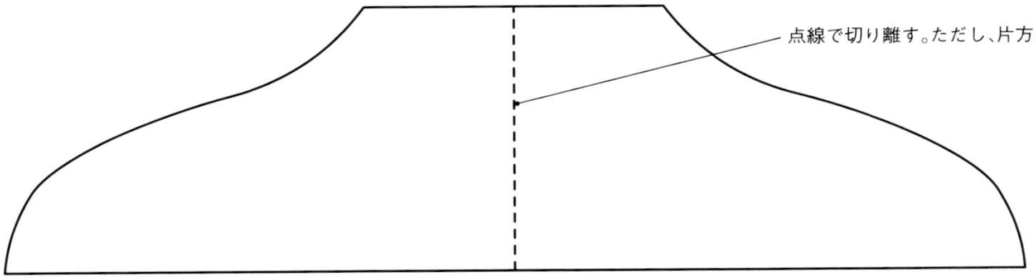

点線で切り離す。ただし、片方は後ろを長めに切る。

P.192 人気の小物

ハイヒール
中敷き

P.193 人気の小物

ミュール
靴底

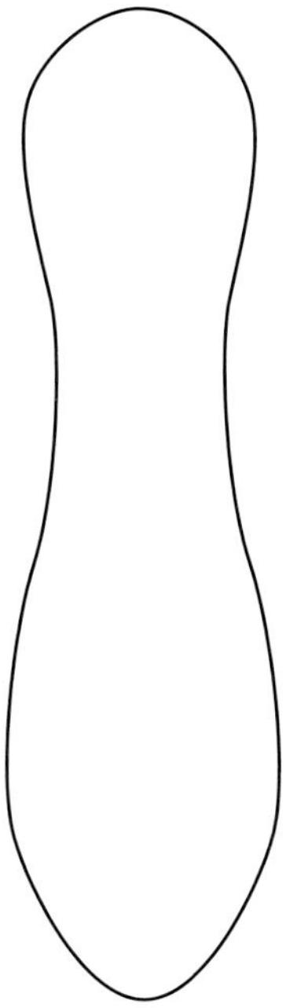

P.195 人気の小物

傘

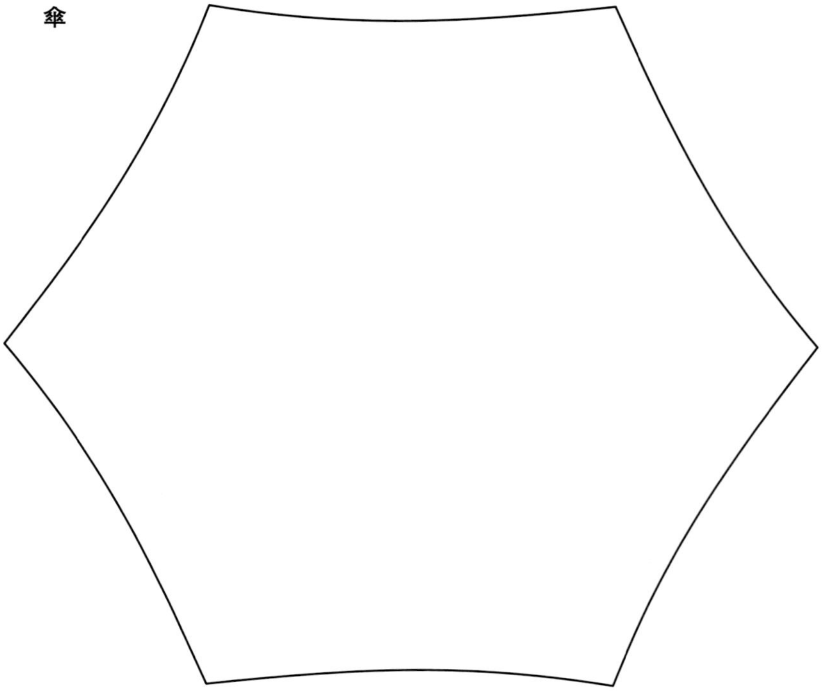

P.199 和風の小物

招き猫

P.211 ペインティング

バラ

P.213 ココペイント

きつね

P.270～365 各花のつくり方

フラワーカッターまたはオリジナル型紙50音順

アイビー A

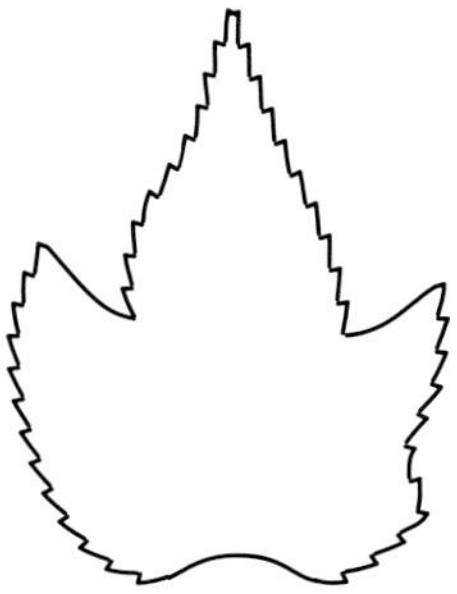

#1

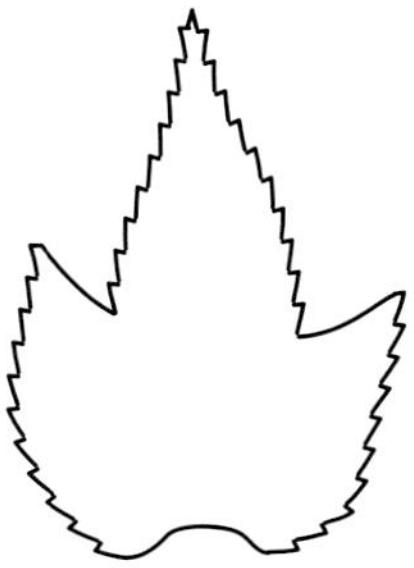

#2

#3

アイビー B

#1

#2

アイビー C

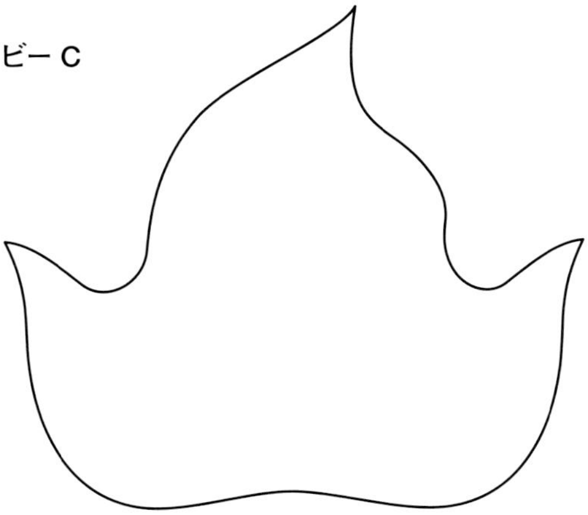

#1

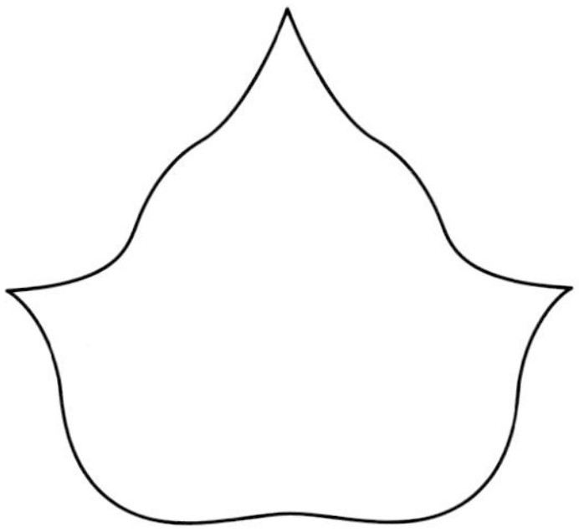

#2

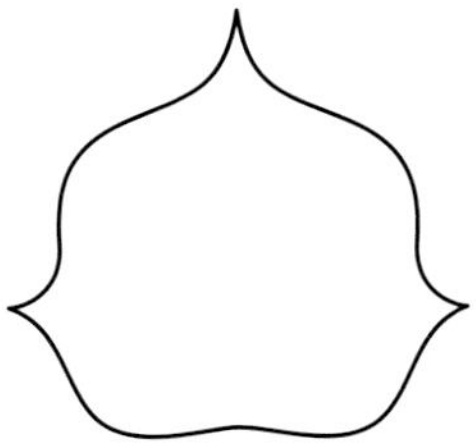

#3

あじさい

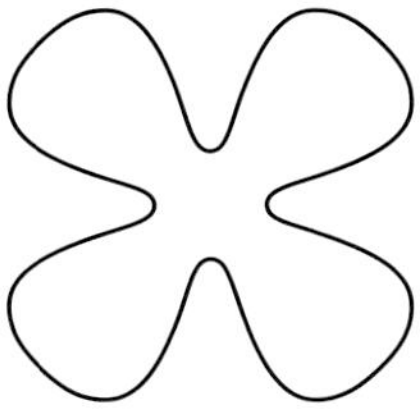

カーネーション

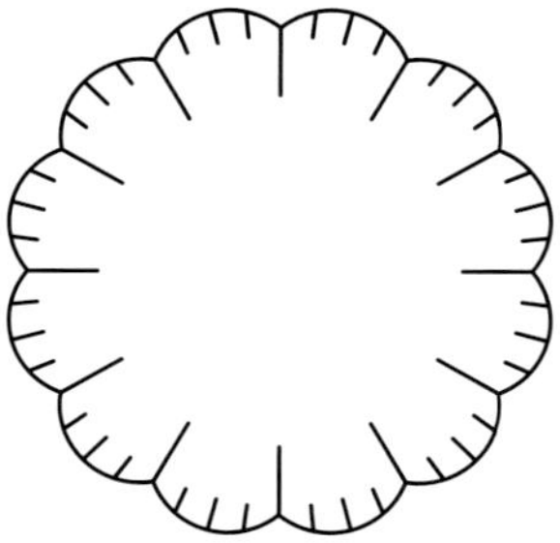

＃1

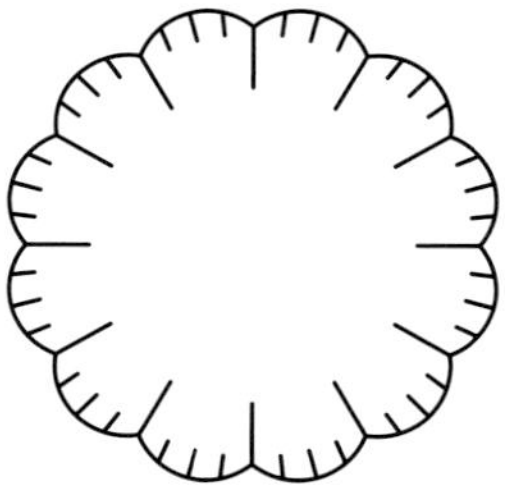

＃2

かきつばた

内花弁

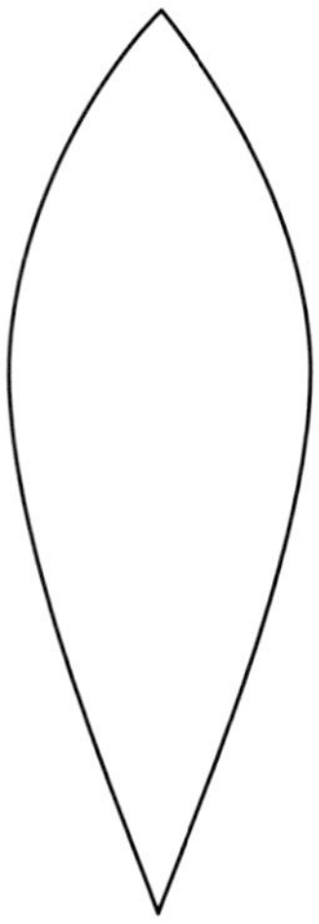

外花弁A

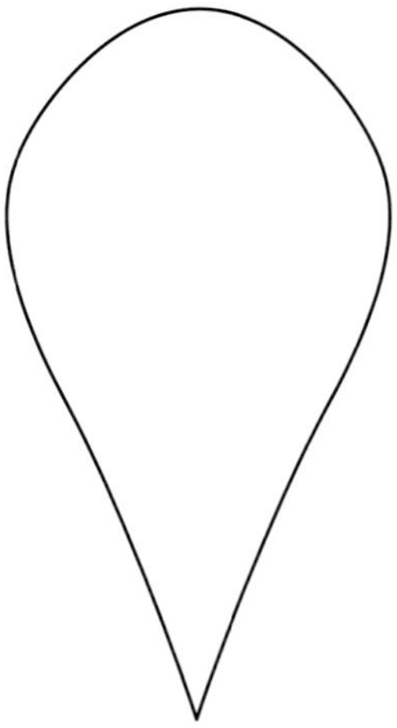

外花弁B

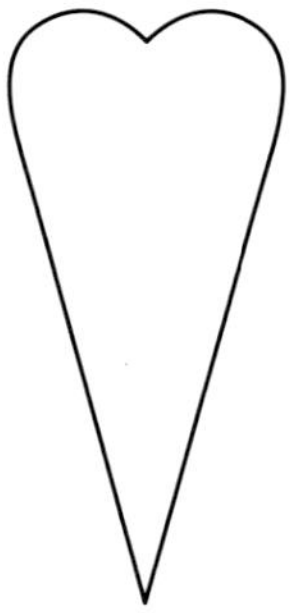

カサブランカ

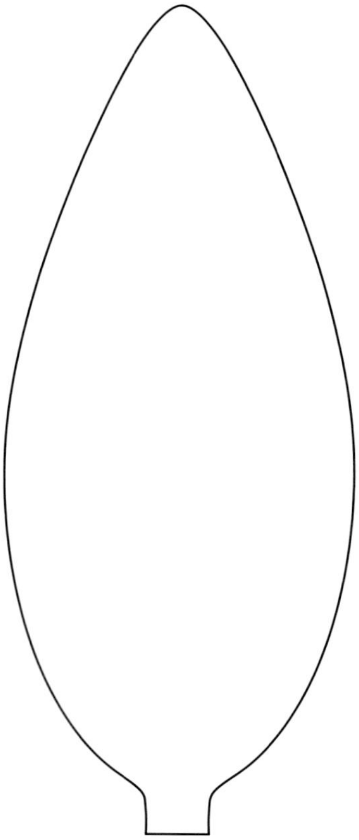

内花弁

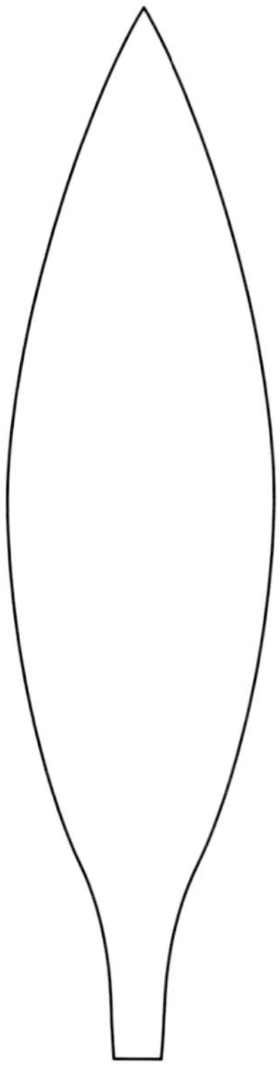

外花弁

カトレア

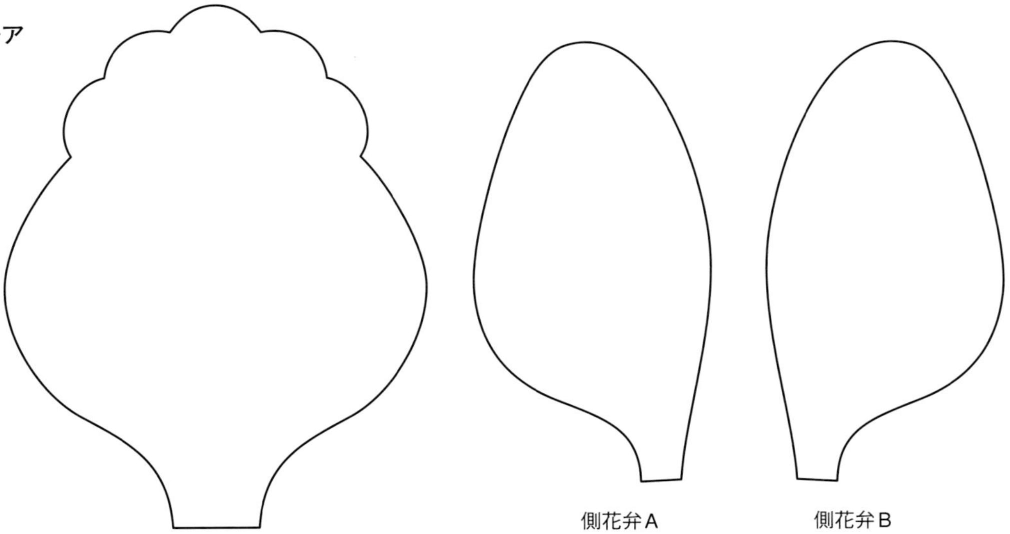

唇弁

側花弁A

側花弁B

カリックス

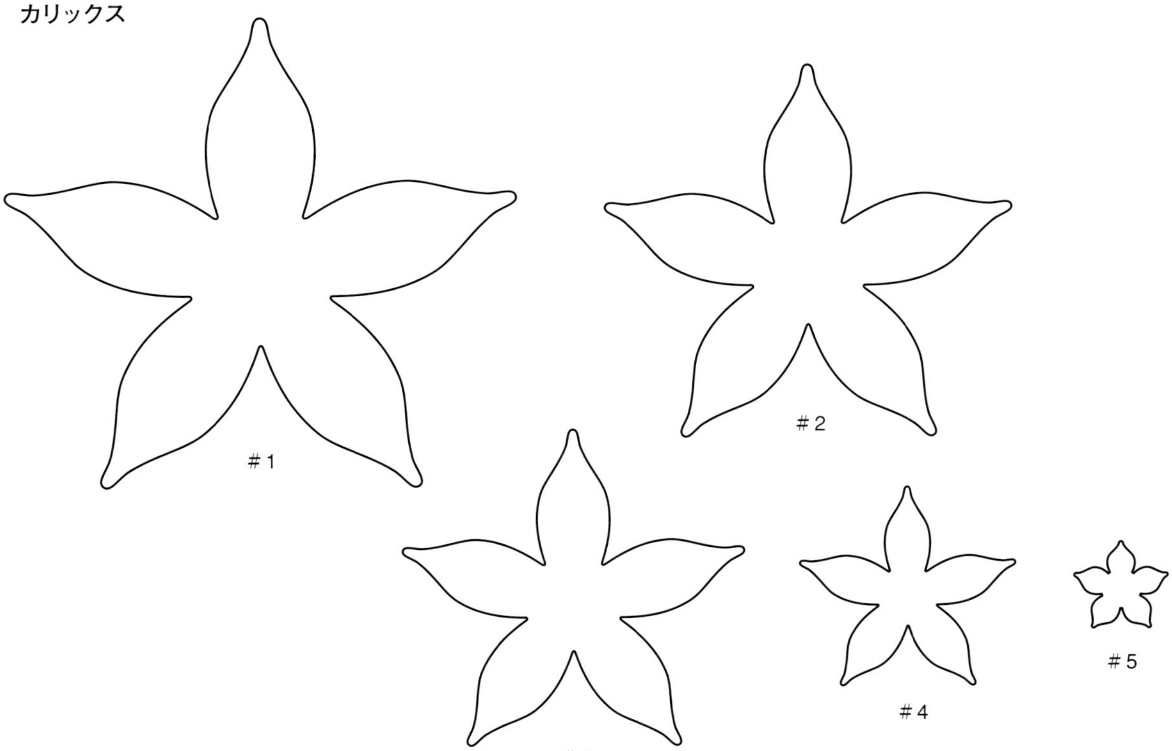

＃1

＃2

＃3

＃4

＃5

菊の葉

胡蝶蘭

側花弁
がく片B
がく片C
→P.426 モスオーキッド

5枚弁

＃1

＃2

＃3

＃4

3枚弁

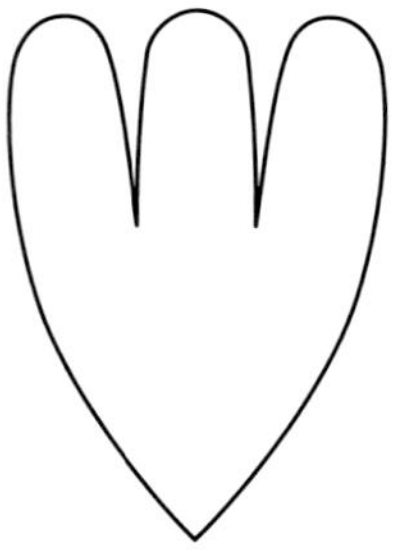

シクラメン

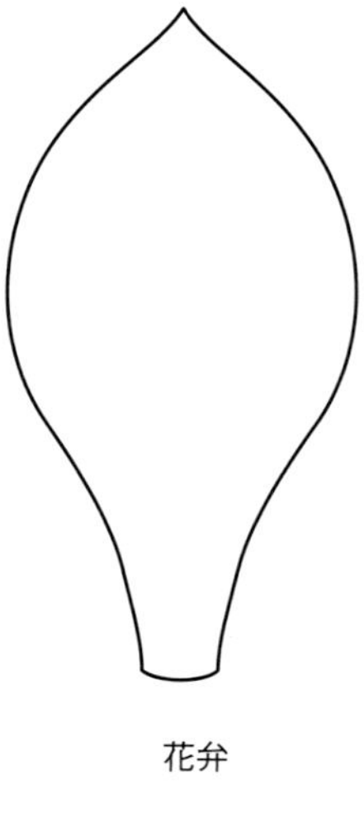

花弁

スイートピー

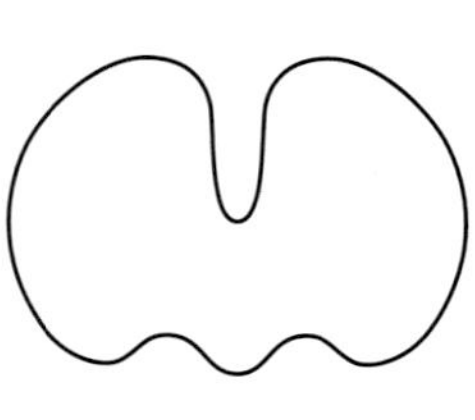

A

カリックス

B

タイガーリリー

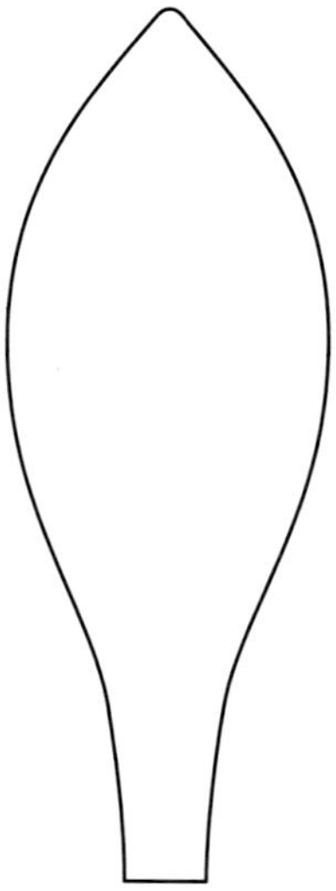

チューリップ

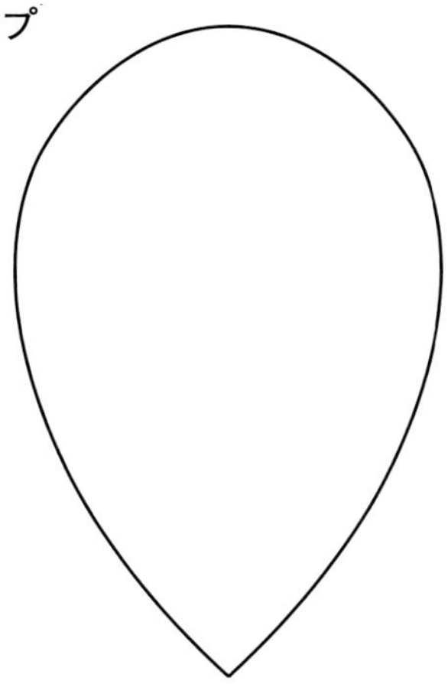

内花弁

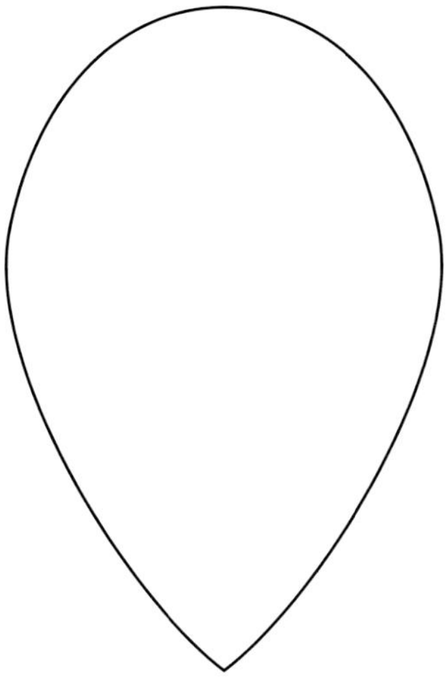

外花弁

チューリップのつぼみ

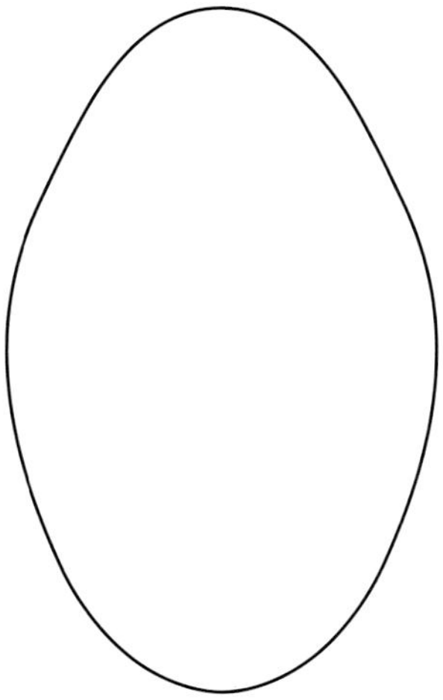

内花弁

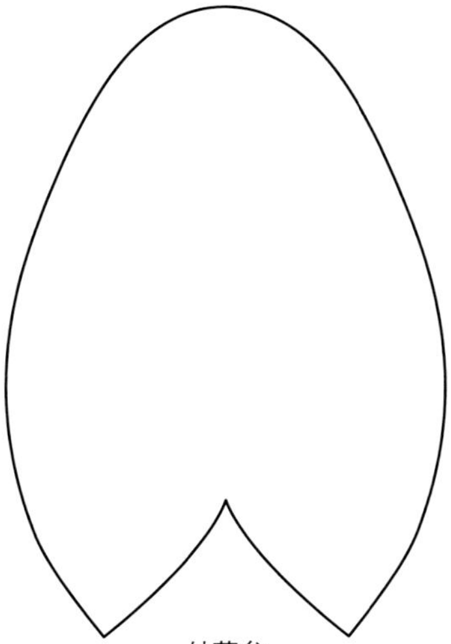

外花弁

デイジー

＃1

＃2

＃3

＃4

＃5

デイジーリーフ

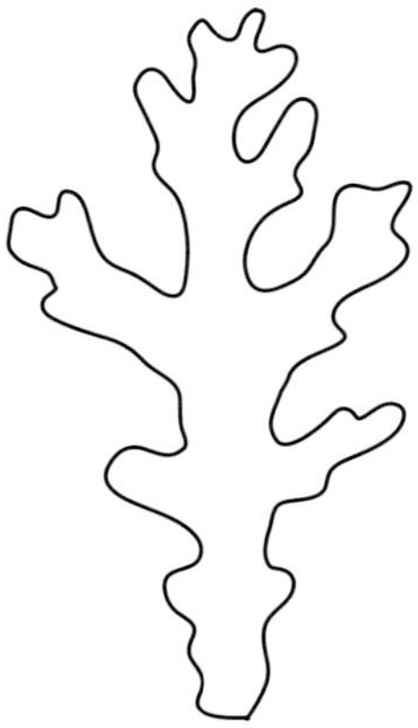

ハイビスカス

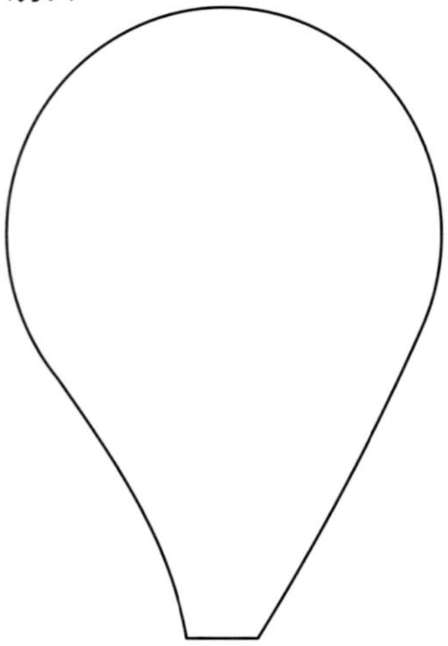

ハート

8枚弁

#1

#2

#3

#4

#5

パロットチューリップ

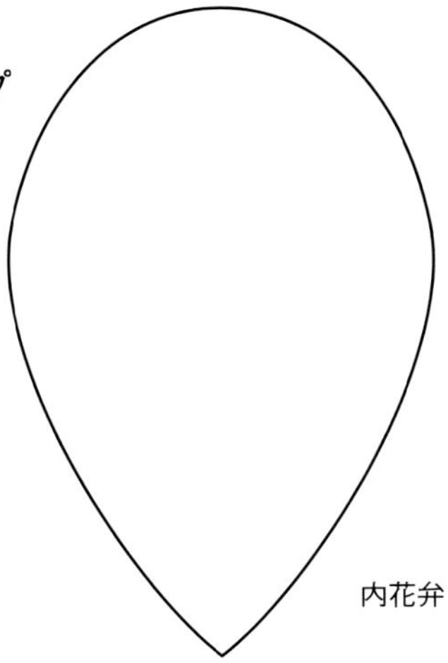

内花弁

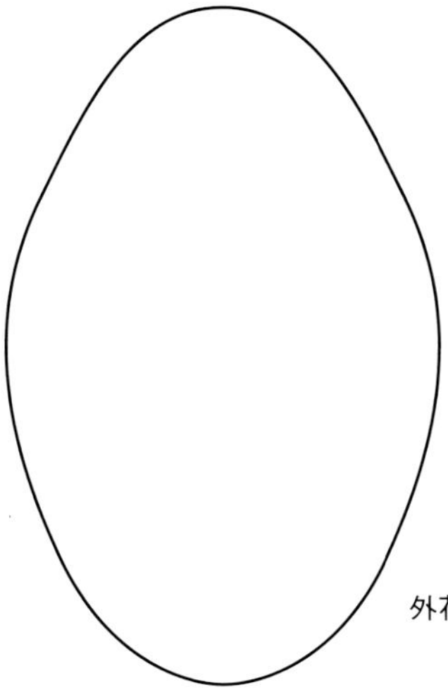

外花弁

ひまわり

ブロッサムプランジ

ペオニー

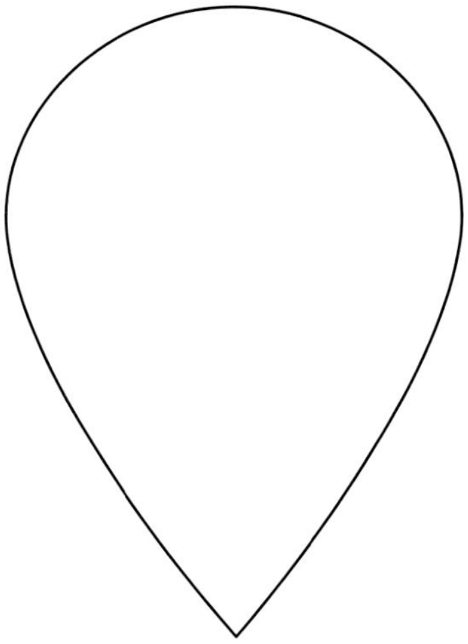

＃1

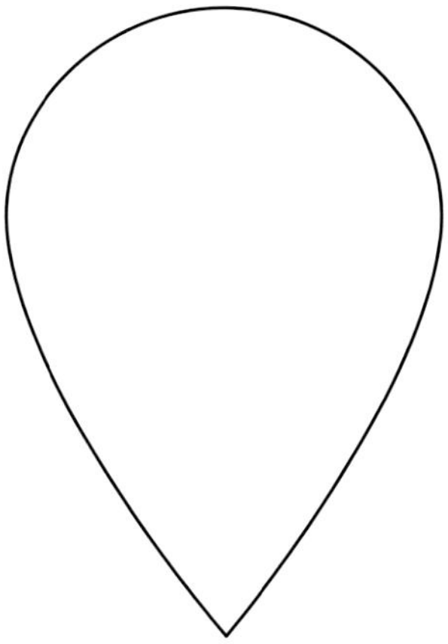

＃2

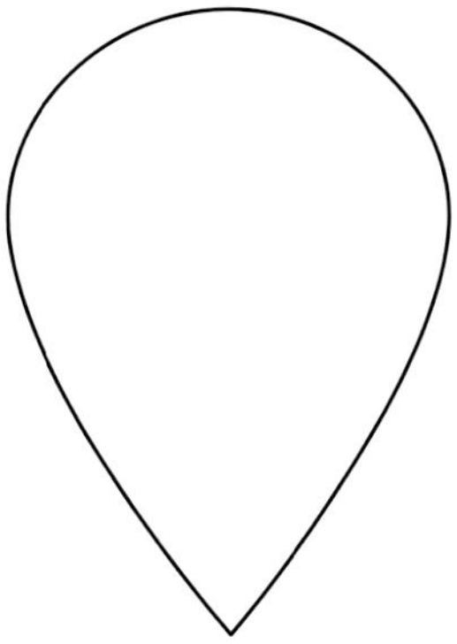

＃3

ペオニーリーフ

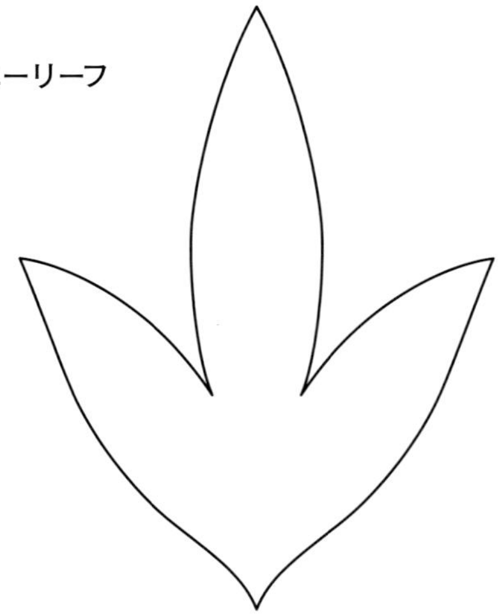

ポインセチアA

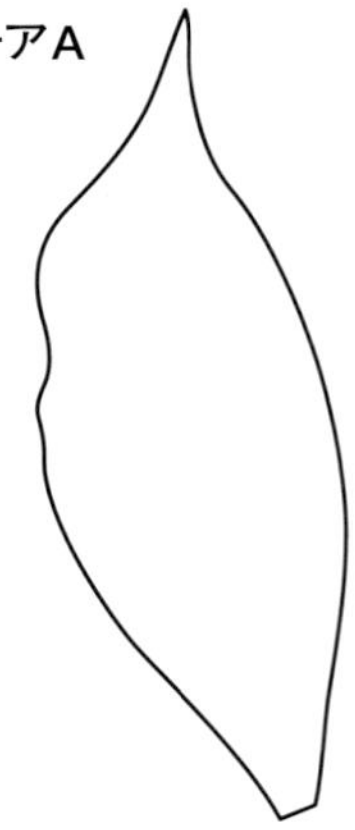

ポインセチアB

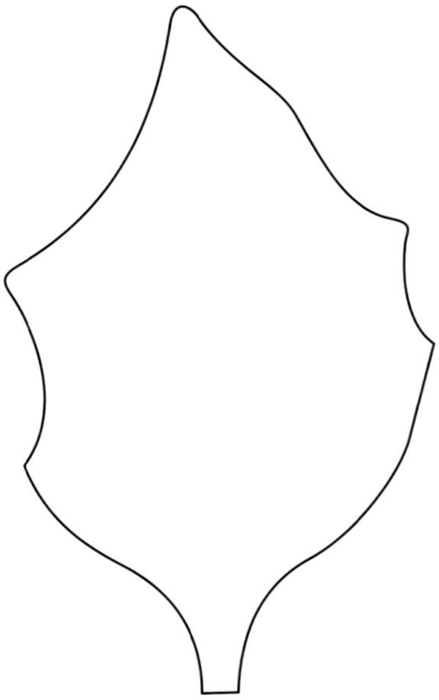

＃1

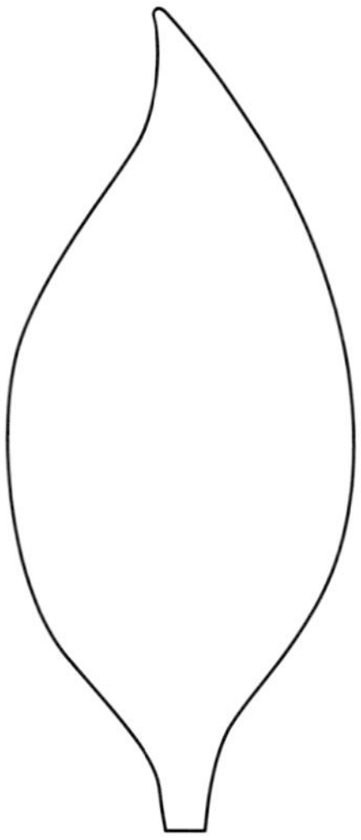

＃2

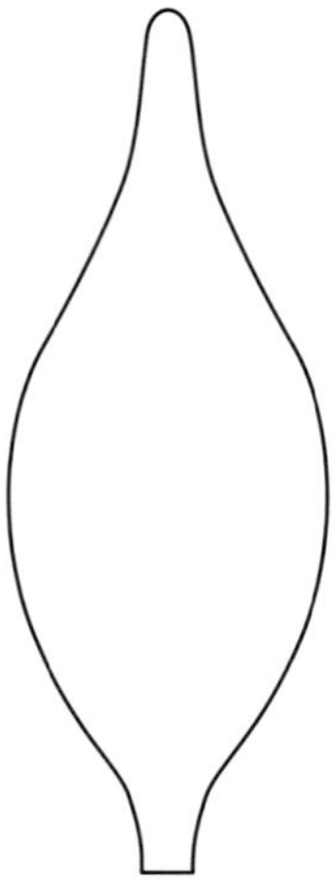

＃3

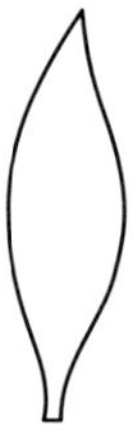

＃4

胡蝶蘭

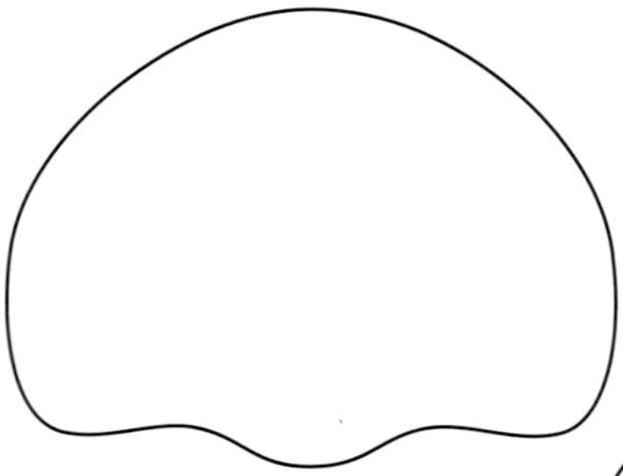

側花弁

がく片B

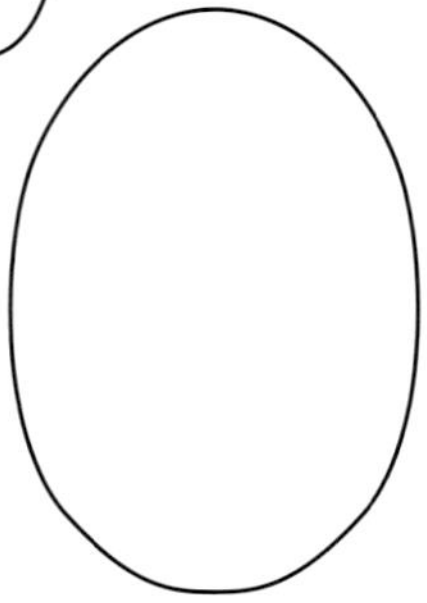

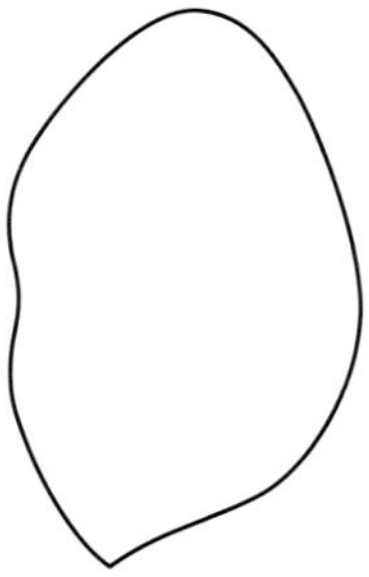

がく片C

左右対称に2枚
つくる。

モスオーキッド

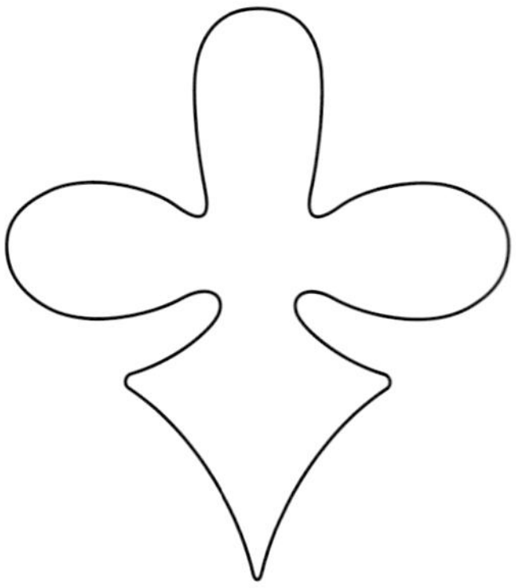

唇弁

ラージローズペタル

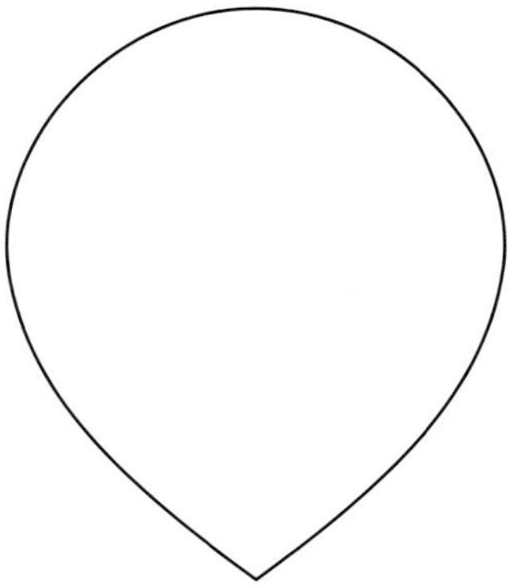

#1

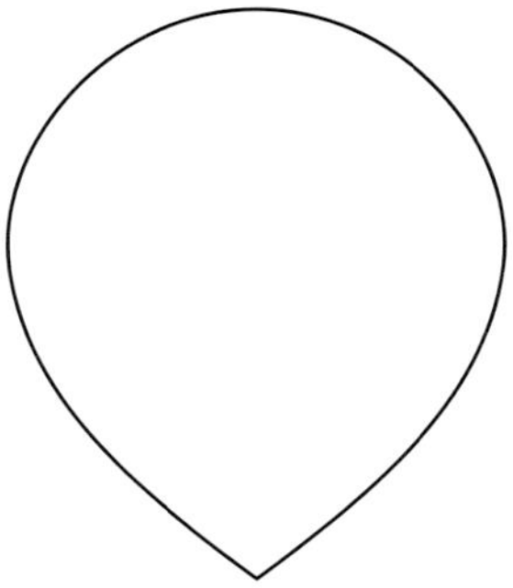

#2

ラウンドローズペタル

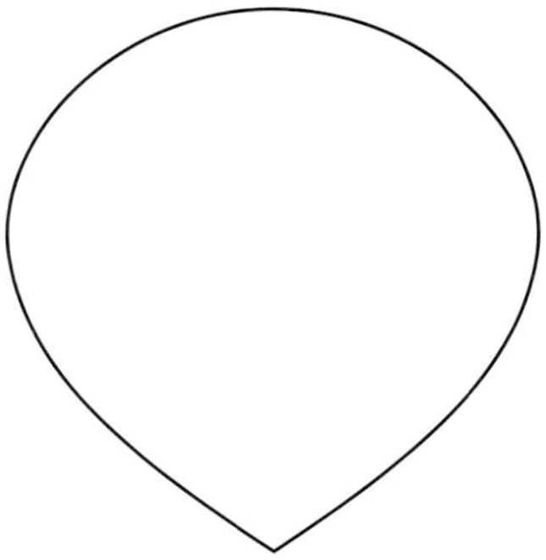

#1

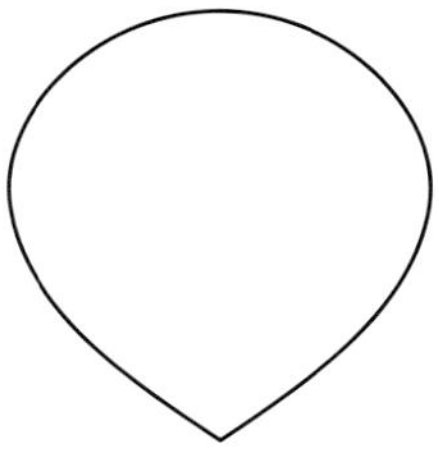

#2

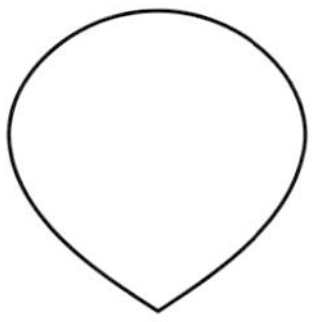

#3

#4

リーフA

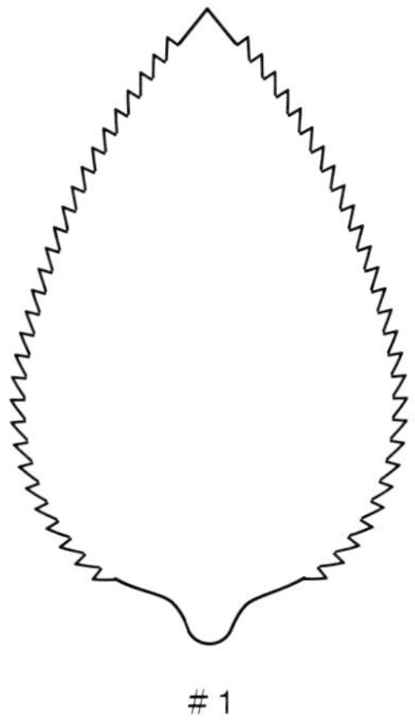

#1

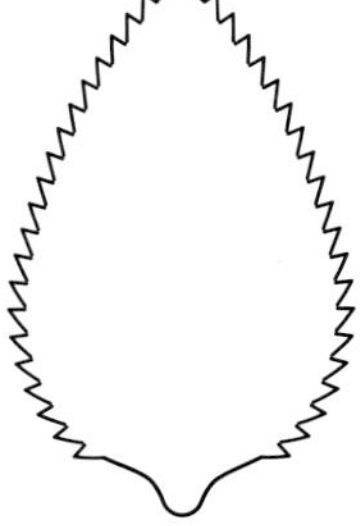

#2

リーフB

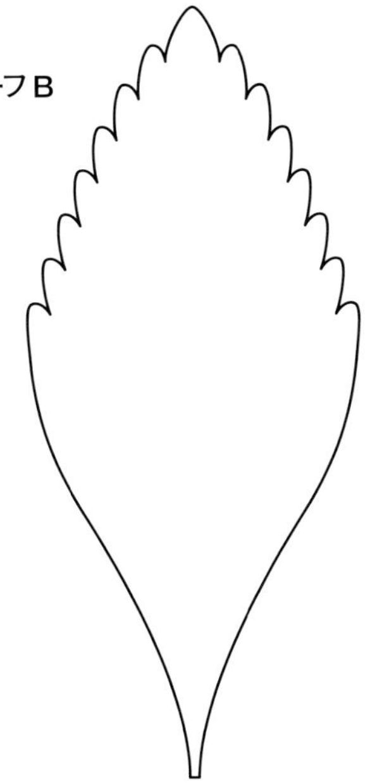

ローズペタル

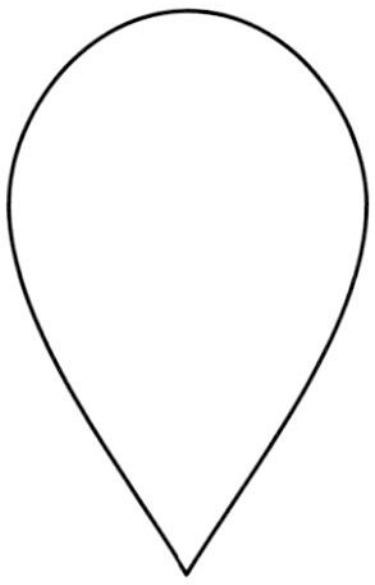

#1

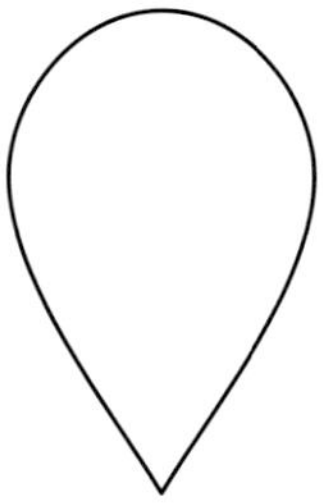

#2

#3

ローズリーフ

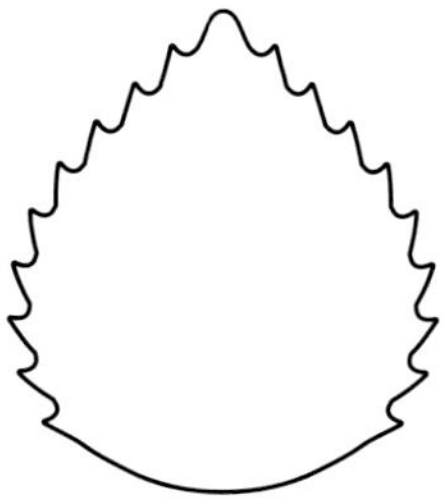

#1

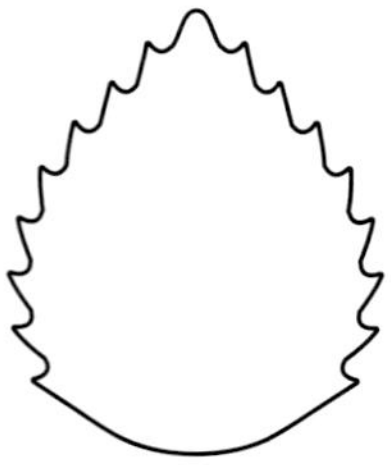

#2

#3

6枚弁

#1

#2

#3

#4

#5

#6

#7

#8

Index 索引

［ワーク］50音順
Chapter2〜4（P.40〜243）

［シュガーフラワー］50音順

Chapter5
各花のつくり方（P.270〜365）

［おもなモチーフ］50音順

［総索引］50音順

ワーク・モチーフ・用途・項目・
用語・材料・道具など

材料・道具店

シュガークラフトの材料・道具の品揃えが豊富で、通信販売も行なっているお店です。取扱商品など詳細は各店にお問い合わせください。なお、本書で記載した材料・道具の名称と商品名が異なる場合がありますがご了承ください。
※データは2007年5月現在のものです。

●キッチンマスター
東京都武蔵野市吉祥寺南町1-9-10
トップ吉祥寺第二ビル
TEL 0422-41-2251　FAX 0422-41-2254
http://kitchenmaster.jp/

●おかしの森　（有）東洋商会
東京都台東区松が谷1-11-10
TEL 03-3841-9009　FAX 03-3841-4258
http://www.okashinomori.com/

●ウイッチクラフト
東京都世田谷区代沢4-26-9
TEL 03-5430-8350　FAX 03-5430-8250
http://www.witchs.net/

図案の参考文献

The Boy with Fish on 33, 166 & 167:
The Girl on 217:
Taken from RAINBOW RHYMES by Virginia Parsons, copyright © 1974 by Random House, Inc.
Used by Permission of Golden Books, an imprint of Random House Children's Books,
a division of Random House, Inc.

The Floral Pattern on 224 & 225 (on a cake) :
The Pansy on 135 (bottom) , 404 & 405:
Taken from Floral Transfers : 405 patterns to embroider or paint by Huguette and Clémence Kirby.
Published by Le Temps Apprivoisé Publisher.

The Pansies on 134 & 135 (upper) :
Taken from 400 Floral Motifs for Designers, Needleworkers and Craftspeople : From the Wm.
Briggs and Company Ltd. "Album of Transfer Patterns", edited by Carol Belanger Grafton.
Published by Dover Publications, Inc.

The Fairy on 168:
Taken from Fairies and Elves : Iron-On Transfer Patterns by Marty Noble.
Published by Dover Publications, Inc.

The Goldfish & Flower on 147 & 226:
The Chrysanthemums on 225 (side of a cake) :
Taken from Traditional Chinese Designs : Iron-on Transfer Patterns by Barbara Christopher.
Published by Dover Publications, Inc.

シュガークラフト バイブル
Delicate Sugarcraft from Japan

初版発行　2007年8月30日
4版発行　2015年9月10日

著者©　山本直美（やまもとなおみ）

発行者　土肥大介
発行所　株式会社 柴田書店
〒113-8477 東京都文京区湯島3-26-9 イヤサカビル3F
書籍編集部　03-5816-8260
営業部　03-5816-8282（注文・問合せ）
ホームページ　http://www.shibatashoten.co.jp

印刷所　凸版印刷株式会社
製本所　大口製本印刷株式会社

ISBN 978-4-388-06018-4
Printed in Japan